D1219558

Historia de la *aviación*

599
579

Historia de la *aviación*

DAVID SIMONS Y THOMAS WITHINGTON

p

Producido por Amber Books Ltd

Parragon Books Ltd
Queen Street House
4 Queen Street
Bath, BA1 1HE, RU

Traducción del inglés: Vicenç Prat Baqué
para Equipo de Edición S.L., Barcelona
Asesoría técnica: Albert Tura
Redacción y maquetación: Equipo de Edición S.L., Barcelona

ISBN 978-1-4054-9291-1

Impreso en China
Printed in China

La fotografía inferior muestra la «bicicleta voladora» de Paul Cornu, que en 1907 se convirtió en la primera máquina con piloto en despegar verticalmente y efectuar un vuelo libre.

Contenido

introducción

Volar ha formado parte de nuestra imaginación desde que los primeros hombres empezaron a contemplar con asombro el vuelo de los pájaros y los insectos. Desde los *vimanas,* las míticas máquinas voladoras de la antigua India, hasta los bombarderos invisibles de avanzada tecnología y los enormes aviones civiles de nuestros días, el género humano se ha esforzado por volar más alto y rápido a través de los cielos y más allá de ellos.

El éxito que acompañó a pioneros de la aviación como los hermanos Montgolfier o los hermanos Wright desencadenó una frenética actividad innovadora y una sucesión inagotable de experimentos; los resultados de esto han permitido no sólo pisar otros continentes sino también la Luna, viajar a velocidades supersónicas, navegar por todo el planeta y obtener de ello toda clase de beneficios.

Este libro presenta con gran detalle y numerosas ilustraciones las audaces empresas de la humanidad por conquistar los cielos. Desde las primeras reflexiones sobre el efecto de volar hasta la aviación del mañana, este volumen ofrece una visión detallada de cómo la aviación ha modelado el mundo actual, de aquellos innovadores que lograron superar todos los impedimentos gracias a su resistencia, velocidad y riesgo, del uso de los aviones como armas de guerra y de paz, de cómo los viajes en avión han «encogido» el globo, así como de la contribución de los vuelos espaciales al estudio de la Tierra y del cosmos. Al final del libro, se incluye una mirada al futuro y al papel que la aviación puede desempeñar en tiempos venideros.

Según el visionario de la aviación y piloto Dick Rutan, al contemplar los cien años de historia de la aviación «resulta tentador creer que ya se ha inventado todo. Pero ahora estamos justo en la frontera que separa el descubrimiento de la invención. Es una época apasionante».

Izquierda: *El Boeing B-29 Superfortress fue el bombardero más complejo de la Segunda Guerra Mundial. Los avances tecnológicos efectuados durante su desarrollo abrieron el camino a una nueva generación de aviones civiles después del conflicto bélico.*

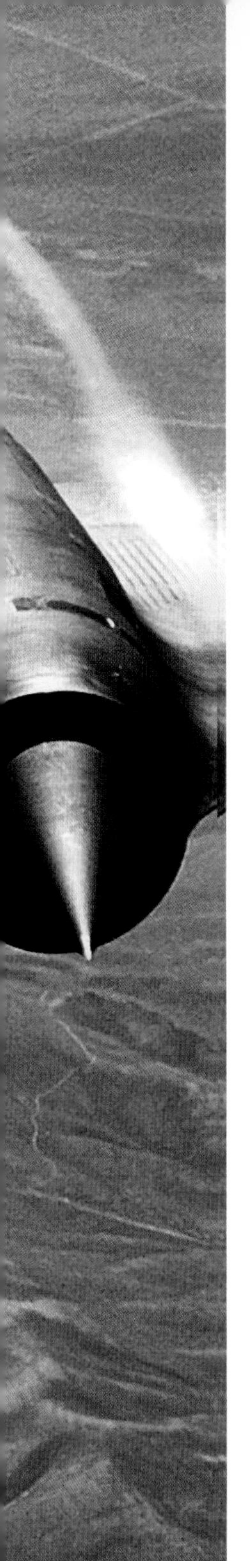

vuelos de fantasía

los pensadores

Volar ha fascinado al ser humano desde el momento en que éste fue consciente de la existencia del cielo. Durante miles de años hemos contemplado atónitos los pájaros e insectos que flotan en el aire, aparentemente sin esfuerzo alguno, y nos hemos preguntado: ¿qué se experimenta al volar?

Arriba: *Este grabado del vuelo de Dédalo y de la caída de Ícaro data de 1493 y es una de las primeras representaciones impresas del vuelo de un hombre.*
Izquierda: *El anhelo por parte del hombre de volar más rápido, más alto y a más distancia ha dado sus frutos; uno de ellos es el Lockheed SR-71 Blackbird, un avión espía de la Guerra Fría capaz de alcanzar una velocidad tres veces mayor que la del sonido.*

La noción del vuelo por parte del hombre existe en la mitología de casi todas las civilizaciones antiguas. En Egipto, Mesopotamia y Asia Menor las divinidades solían ser representadas con alas. Un ejemplo de ello es el dios supremo Ahura Mazda (el Señor de la Sabiduría), esculpido en piedra en el palacio del emperador persa Darío el Grande (522-486 a.C.) en Susa. El querubín y el serafín alados de los antiguos hebreos aparecen representados en el Arca de la Alianza.

Del hecho de volar, el filósofo griego Platón (427-347 a.C.) escribió: «La función natural del ala es levantar el vuelo y llevar todo lo pesado hasta el lugar donde mora la raza de los dioses. Más que cualquier otra parte del cuerpo, el ala pertenece a la esencia de lo divino». Sócrates, otro sabio de la antigua Grecia, opinaba que si los seres humanos deseaban comprender mejor la Tierra deberían aprender a volar. Y añadía: «El hombre debe elevarse por encima de la Tierra, hasta los límites de la atmósfera y mucho más allá: sólo así tendrá una visión completa del mundo en el que vive».

La importancia que el hombre da al hecho de volar puede observarse incluso en los textos sánscritos de la antigua India. El sánscrito era el idioma que se hablaba antigua-

Dos esfinges aladas figuran bajo el emblema de Ahura Mazda, descubierto en Susa, en el actual Irán.

mente en lo que hoy día conocemos como India. En un texto sagrado conocido como *Rig Veda,* escrito según los expertos en el siglo III a.C., aparecen citados los *rathas,* unos aparatos voladores que vendrían a ser una especie de carruajes aéreos. Antiguos textos en sánscrito también hablan de vehículos denominados *vimanas.* De ellos se decía que eran máquinas voladoras capaces de alcanzar velocidades muy altas y cuya tripulación, denominada *tribandhura* estaba formada por tres miembros. Los *vimanas,* según los escritos, se parecían a carros tirados por caballos, poseían un tren de aterrizaje retráctil durante el vuelo y se construían con hierro y metales preciosos, como el oro y la plata. Para construir los *vimanas,* que según parece eran capaces de navegar no sólo por los cielos sino también a través del espacio hacia el Sol y la Luna, se empleaban clavos y remaches.

Estos textos antiguos hablan de dos clases diferentes de *vimanas.* La primera estaba integrada por unos carruajes que volaban con la ayuda de una especie de alas parecidas a las de los pájaros; la segunda comprendía estructuras grandes y no demasiado aerodinámicas que volaban de una manera errática e impredecible. El *Rig Veda,* el *Mahabharata* (la gran epopeya de la dinastía Bharata) y el *Ramayana* (romance de Rama) hacen alusión a estas máquinas como «carruajes aéreos con laterales metálicos y cubiertos de alas». En el *Ramayana* también se describe una máquina denominada *pushpak vimana,* una aeronave cilíndrica de doble cubierta provista de un domo y ventanillas y capaz de volar a la velocidad del pensamiento dejando atrás un sonido melodioso.

Hacia el siglo III a.C., *Arthashastra,* una obra de Kautilya, trató con detenimiento el tema de la

El Harrier, de diseño británico, es el único avión militar actualmente en servicio que puede efectuar despegues y aterrizajes verticales, una proeza que nuestros antepasados habrían considerado un hecho sobrenatural.

Esta misteriosa representación de un mono, dibujada en las arenas del desierto de Nazca (Perú), sólo es visible desde el aire. ¿Dispuso de máquinas voladoras la civilización que trazó estas líneas?

aviación. Los pilotos eran denominados *saubhikas* o «pilotos que conducen vehículos en el cielo: persona que vuela o que conoce el arte de volar con una ciudad aérea». «Saubha» era el nombre de la supuesta ciudad voladora, que pertenecía al rey Harishchandra, príncipe de Ayodhya. Kautilya también habla de antiguos «pilotos de caza» conocidos como *akasa yodhinah,* esto es, «personas entrenadas para luchar en el cielo».

Otro antiguo texto sánscrito, el *Matsya Purana,* también habla de unas ciudades voladoras que podían ser móviles o estacionarias y acoplarse de una forma parecida a como lo hacen las naves espaciales de hoy en día. En el manuscrito *Yuktikalpataru* de Bhoja, el autor habla de «carrozas aéreas» similares a los *vimanas.* A menudo, en la descripción de estos últimos, se destaca su capacidad por recorrer largas distancias volando sobre los océanos.

Otras civilizaciones antiguas también parecen haber concedido una considerable importancia al vuelo. Hacia el año 2300 a.C., el rey Etana de Mesopotamia aparece en un sello cilíndrico volando sobre el dorso de un águila. Más de 3.000 años después, la mitología inca cita a Manco Capac, fundador del imperio inca, como un ser con alas capaz de volar. Algunos arqueólogos incluso han argumentado que la antigua civilización nazca de Perú logró utilizar máquinas voladoras como las descritas en la épica sánscrita. En este sentido, al sobrevolar el desierto de Perú es posible divisar unas líneas misteriosas grabadas en el suelo que, según algunos expertos, pudieron emplearse para marcar antiguas pistas de aterrizaje. Una interpretación más mundana es que tal vez sólo fuesen caminos que conectaban los diferentes centros religiosos.

Experimentos chinos

Además de los mitos y de las leyendas que abundan en la primitiva historia de la aviación, existen ejemplos documentados de pruebas de vuelo en épocas muy remotas. Así, por ejemplo, se cuenta que hacia el año 2200 a.C. el legendario emperador chino Shin saltó desde una torre en llamas con dos grandes sombreros de paja con la esperanza de que le sirvieran de alas. Este tipo de sombrero aún

Dédalo alentó a su hijo Ícaro a que volara de Creta a Sicilia con unas alas de cera sujetadas a sus brazos. La aventura terminó en un desastre: Ícaro voló demasiado cerca del sol y éste fundió la cera de sus alas, lo que provocó su caída al mar.

El mito de Dédalo e Ícaro

La mitología griega también incluye leyendas sobre el hecho de volar. La historia de Dédalo e Ícaro, tal como la narra el poeta romano Ovidio, nos presenta a Dédalo como a un artesano griego obsesionado con el deseo de volar tras haber contemplado a Medea, una bruja bárbara, atravesando el cielo en un carro tirado por dragones.

Mientras trabajaba para el rey Minos de Creta, Dédalo montó a escondidas un taller con vista a los acantilados de la isla, donde se pasaba horas y horas observando el vuelo de las águilas y de las gaviotas. El vuelo de los pájaros le animó a fabricar unas alas soldadas con cera de abeja con el fin de volar por el cielo. No obstante, mientras Dédalo construía sus alas, el rey Minos le hizo arrestar bajo la acusación de haber desvelado los secretos del famoso Laberinto, el legendario macrocomplejo subterráneo donde moraba el temible Minotauro, un hombre con cabeza de toro que se dedicaba a devorar personas.

Antes que los soldados de Minos pudieran arrestarlo, Dédalo decidió escapar con su hijo Ícaro. Padre e hijo se pusieron las alas. Dédalo ordenó a Ícaro saltar de los acantilados hacia el cielo y le advirtió de que no volara demasiado bajo, ya que el agua del mar mojaría las alas, pero tampoco muy alto, ya que el sol fundiría la cera que había usado como aglutinante para las alas. Ícaro, rebosante de exuberancia juvenil, hizo caso omiso del consejo paterno y se acercó demasiado al sol, con lo que la cera de sus alas se fundió y el joven cayó al mar. Su padre, más afortunado, logró llevar a buen término su fuga a Sicilia.

Esta cometa china, usada para vuelos nocturnos, tiene forma de pez y lleva un farol suspendido de la cola.

se lleva en algunas partes de la China actual y pueden alcanzar los 90 cm de diámetro. A diferencia de muchos que intentaron proezas similares en tiempos más recientes, Shin logró aterrizar sano y salvo.

Hacia el año 1766 a.C., y según las crónicas de la época, el emperador Cheng Tang de la dinastía Tang logró construir una máquina voladora que destruyó poco después de terminarla; el motivo fue que no quiso que nadie más aprendiera los secretos del arte de volar. Hacia el siglo III a.C., el poeta chino Chu Yun afirmó haber utilizado un aparato volador para estudiar el desierto de Gobi desde el aire. Según las crónicas, Chu Yun quedó profundamente impresionado por la capacidad de la nave para resistir condiciones meteorológicas muy severas y tormentas de arena.

Una de las contribuciones chinas más destacadas al desarrollo de la aviación fue la invención de la cometa. Aireada hoy en los parques de todo el mundo, la cometa pudo tener sus orígenes en necesidades militares. Mo-tse, un filósofo chino que vivió entre los años 468 y 376 a.C., parece ser que diseñó una cometa en forma de gavilán. La construcción del artilugio duró tres años y fue el primero de su categoría en el mundo. Más tarde, Mo-tse transmitió sus secretos a su discípulo Lu Ban, quien le dio usos militares, como llevar mensajes o tantear las condiciones del viento. Las cometas también se emplearon para ahuyentar los malos espíritus. Sin embargo, su utilización en ámbitos recreativos hizo que se las denominara *feng-zheng* (*feng* significa «viento» y *zheng* hace referencia a un silbato musical hecho de bambú). Estos instrumentos se enganchaban a las cometas, que emitían un silbido mientras volaban por el aire.

Se cree que el diseño de las cometas chinas fue aplicado a la construcción de gigantescas máquinas voladoras capaces de transportar pasajeros. Lu Ban afirmaba haber desarrollado una cometa que podía utilizarse para misiones de espionaje, es decir, una especie de avión espía. También se le atribuye el diseño de una cometa de madera para su beneficio personal: «Cuando trabajaba muy lejos de su hogar, Lu Ban echaba en falta a su esposa, de ahí que decidiera construir una cometa de madera como transporte. Tras varios intentos fallidos, la cometa pudo volar, y Lu Ban se fue a casa para visitar a su esposa y regresó al trabajo al día siguiente». En el siglo XIV, Marco Polo, el famoso explorador italiano, explicó que en sus viajes a Extremo Oriente había visto cometas capaces de transportar personas.

El ingenio chino había descubierto los principios de la cometa, pero también algunos secretos del vuelo espacial de hoy en día. Se cree que los chinos ya experimentaban con cohetes hacia el siglo I d.C. Estos primitivos vehículos eran impulsados por una mezcla de salitre, azufre y carbonilla que se introducía en cañas de bambú, las cuales eran arrojadas al fuego; allí, éstas prendían y creaban la suficiente energía para impulsar el cohete hacia el cielo.

No obstante, para ver cohetes en los campos de batalla hubo que esperar hasta 1232, durante la guerra entre los chinos y los mongoles. En la batalla de Kai-Keng, los chinos atacaron con «flechas de fuego volador» propulsadas por cohetes. Aunque se desconoce la capacidad destructiva de tales

Las culturas antiguas creían que los magos, gracias a la ayuda de los demonios, eran los únicos seres que poseían el don de volar. En la ilustración, Simón el Mago muestra sus poderes al emperador Nerón.

John Wilkins, miembro fundador de la Royal Society for Improving Natural Knowledge. En 1648, Wilkins publicó sus teorías sobre la naturaleza de las capas altas de la atmósfera y abogó por la utilización de aerostatos para poder volar.

cohetes, sí debieron de tener un efecto psicológico importante entre los mongoles. Se cree que la construcción de cohetes fue perfeccionada por los mongoles en tiempos de su expansión desde Asia central hasta Irán y Occidente. Se cuenta que los mongoles liderados por Tamerlán emplearon estos artilugios en el asedio de Bagdad en 1401.

Europa medieval

Mientras los chinos experimentaban con cohetes, en Europa había quienes empezaban a plantearse en serio el hecho de volar e incluso los viajes al espacio. En el año 66 d.C., Simón el Mago intentó volar sobre Roma, pero sin suerte. Al saltar de una torre, cayó al Foro y se rompió el cuello. En su obra *Una historia verdadera,* Luciano de Samósata, filósofo y escritor nacido en Siria en el año 125, habla de un viaje a la Luna en una nave que ascendió gracias a una tromba de agua.

En el año 852, en Córdoba, Armen Firman se equipó con una gran capa y saltó de una torre convencido de que el aire hincharía su vestimenta y ésta actuaría a modo de ala. Pero la gravedad dictó sentencia y Firman se estrelló contra el suelo; por fortuna las heridas fueron leves.

España fue testimonio de ulteriores intentos de volar. Habiendo estudiado probablemente el experimento de Firman, un médico de la Andalucía musulmana llamado Abbas ibn-Firnas decidió probar fortuna, para lo cual se cubrió con muchas plumas. Según fuentes de la época, su experimento no falló del todo y logró recorrer una distancia modesta, pero acabó perdiendo la estabilidad y estrellándose; en este caso, las heridas fueron más graves. Ibn-Firnas atribuyó su fallo a la falta de una cola.

Se ignora si Oliver de Malmesbury, un monje benedictino inglés citado en algunas fuentes como Eilmer de Malmesbury, tuvo alguna vez noticia de las desafortunadas andanzas de Firman y Firnas. Lo cierto es que los fracasos de los dos mencionados aventureros no le desanimaron de ningún modo, sino todo lo contrario. Con unas alas pegadas a los brazos y a los pies, como las de la leyenda de Dédalo e Ícaro, el monje saltó de la torre de la abadía de Malmesbury, pero cayó al suelo y se destrozó las piernas. Igual que Firnas, Oliver atribuyó su fallo al hecho de no haberse provisto de una cola. El experimento de Oliver ha quedado inmortalizado en un vitral de la abadía de Malmesbury, donde aparece de pie sosteniendo sus alas, presumiblemente antes de su desastrosa tentativa.

Bajo el reinado de Manuel Comneno, emperador de Bizancio, un sarraceno anónimo empleó medios similares a los de Oliver y sus predecesores para intentar volar. Tras subirse a la torre del hipódromo de Constantinopla (la actual Estambul), el hombre se proponía utilizar su toga –tensada por un marco de madera– como ala. El espectáculo del sarraceno y su gallardía atrajo a un gran número de curiosos incapaces de contener la emoción y la impaciencia. «¡Vuela, vuela, sarraceno! ¡No nos mantengas tanto tiempo en vilo mientras pesas el viento!», gritaba enfervorizada la multitud. Tan pronto como la fuerza del viento pareció la adecuada, el sarraceno se lanzó de la torre. Logró alzar el vuelo, pero también terminó contra el suelo.

Bacon y Leonardo

Hacia el siglo XIII, las cavilaciones teóricas de los pensadores iban adquiriendo ya un cierto carácter científico. Roger Bacon, un erudito de la época, llevó a cabo observaciones detalladas sobre los principios del vuelo. Además de sus estudios de alquimia, matemáticas y astronomía, Bacon describió un método para fabricar pólvora y añadió que ésta podía utilizarse para propulsar máquinas voladoras, barcos y vehículos terrestres. Nacido en 1214, Bacon había recibido una educación privilegiada y desde sus primeros tiempos de estudiante había destacado en geometría, aritmética y música. Hacia 1250, Bacon se encontraba absorbido por sus estudios. En su obra titulada *De los maravillosos poderes del arte y la naturaleza,* mostraba, entre otras cosas, el diseño de una máquina para volar: «Una máquina como ésta debe ser un gran globo vacío de cobre u otro metal adecuado y extremamente delgado para ser lo más ligero posible. También debe rellenarse con aire etéreo o fuego líquido y

Roger Bacon, autor de De los maravillosos poderes del arte y la naturaleza. *En esta obra, escrita hacia el año 1260, Bacon muestra el diseño de una máquina voladora.*

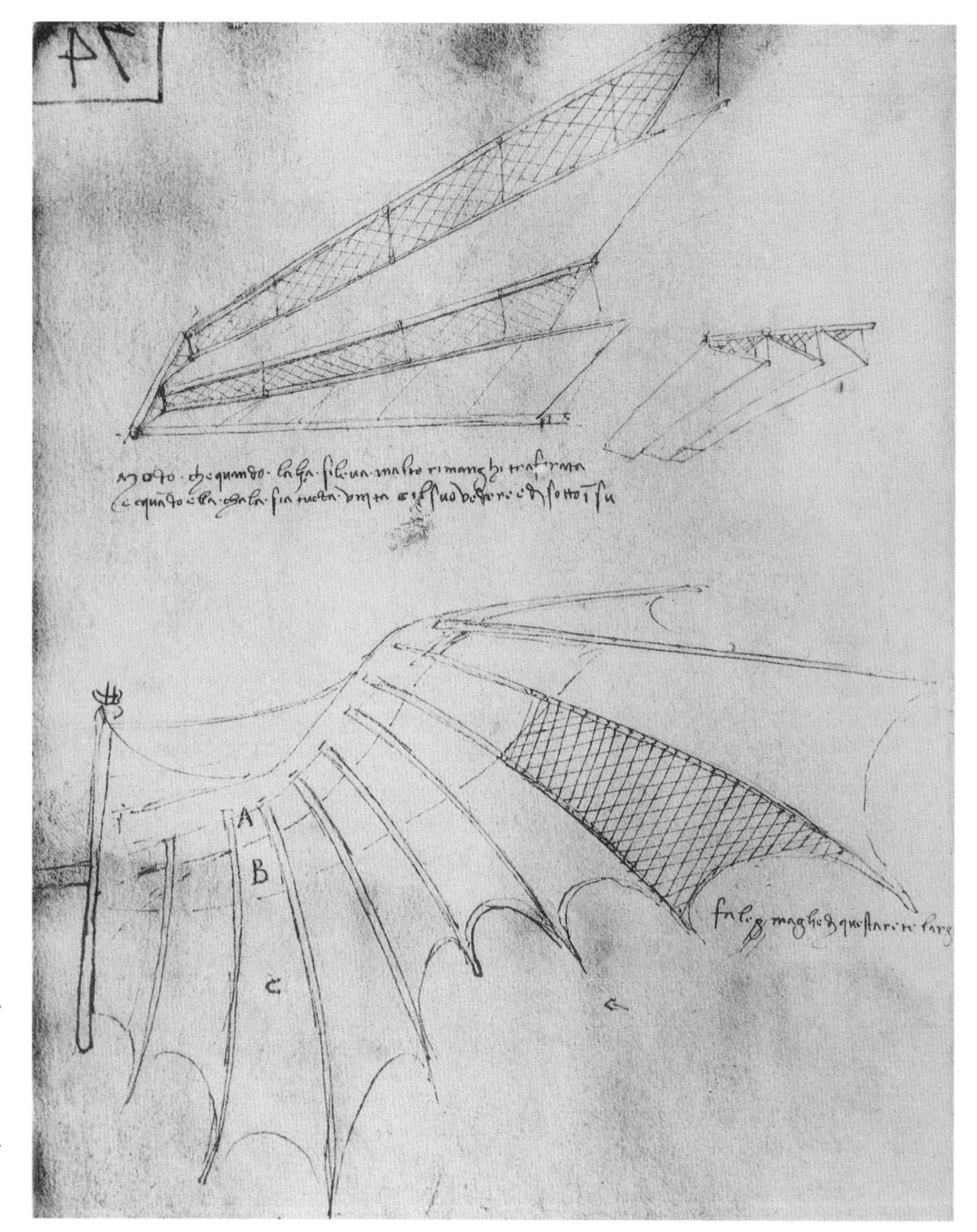

Derecha: *A partir del estudio de las alas de los pájaros, Leonardo da Vinci realizó algunos esbozos de alas mecánicas para aplicarlas a máquinas voladoras.*
Página siguiente: *Combinando su conocimiento de la densidad del aire con la inspiración que halló en un juguete chino, Leonardo concibió una hélice voladora capaz de mantenerse en el aire gracias a un movimiento circular. Este «invento» es el precursor del actual helicóptero.*

lanzarse desde algún punto elevado hacia la atmósfera, en la que flotará como un barco en el agua». Una notable diferencia con respecto a los teóricos precedentes y a todos los pilotos efímeros, quienes creían que las alas eran esenciales para volar. Bacon acababa de trazar los principios básicos que permitirían años después el vuelo de los globos y de los dirigibles, esto es, que el aire caliente o un gas más ligero que el aire, como el helio, resulta suficiente para hacer que un aparato flote en el aire. Cientos de años más tarde, en 1648, John Wilkins, miembro fundador de la Royal Society for Improving Natural Knowledge, desarrolló algunas de las ideas de Bacon. Wilkins, en concreto, hablaba de un «aire etéreo» en las altas capas de la atmósfera, un aire menos denso que el que se hallaba más próximo a la superficie terrestre; decía que cualquier «contenedor» lleno de este aire etéreo podría volar.

Bacon, por otro lado, no aparcó por completo la idea de las alas y diseñó una máquina voladora con alas batientes que en el lenguaje moderno se conoce como «ornitóptero». Bacon se propuso «construir máquinas voladoras en las que el hombre, sentado o suspendido en el centro, pudiera girar un

Helicopter. Combining his knowledge
the modern helicopter.
Leonardo da Vinci
Vinci

cabrestante o una manivela capaces de poner en movimiento unas alas fabricadas para batir el aire a la manera de las alas de un pájaro».

El diseño de máquinas voladoras hizo notables progresos en el siglo XV gracias a los proyectos de Leonardo da Vinci. Conocido principalmente por su faceta de artista, Leonardo estaba fascinado por la posibilidad de volar, y desde 1486 empezó a realizar esbozos de máquinas voladoras parecidas a helicópteros y paracaídas. Igual que Bacon, también aportó ideas sobre el ornitóptero y diseñó una máquina en la que las alas podían gobernarse con poleas y palancas. El ornitóptero de Leonardo, cuyo diseño se inspiraba en el vuelo de los pájaros, también tenía una cola, un elevador que podía moverse hacia arriba o hacia abajo con el fin de ganar o perder altura y un timón capaz de controlar los movimientos laterales. Sin todos estos elementos y características, los aviones modernos no podrían volar. Los elevadores y los timones se controlaban mediante un arnés que los conectaba a la cabeza del piloto, la cual, por ende, controlaba los movimientos del aparato. El error de Leonardo fue creer que una persona podría tener la fuerza y la resistencia necesarias para mantener las alas batientes durante el vuelo. Este problema lo abordó en 1680 el matemático y psicólogo italiano Giovanni Alfonso Borelli en su obra *Del movimiento de los animales,* donde argumentaba correctamente que los humanos carecían de la fuerza física para volar como los pájaros.

Cohetes y plumas

Hacia el siglo XVI, y a pesar de su pronta popularidad entre los chinos, mongoles, árabes y franceses,

Arriba: *Leonardo da Vinci también inventó un «ornitóptero», una máquina que debía ser capaz de alzar el vuelo batiendo las alas. La cinta en la frente del piloto está conectada a la cola de la estructura. El piloto, al mover su cabeza, transmite el movimiento a la cola, lo que le permite controlar el aparato durante el vuelo.*

Derecha: *Ni siquiera los grandes filósofos del Renacimiento como Leonardo habrían podido imaginar el enorme esfuerzo –tanto humano como económico– que supone enviar un hombre a la Luna.*

UNITED STATES

La «barca voladora», diseñada por Francesco de Lana de Terze en 1670. Las esferas de cobre, situadas encima del casco de la barca, habían sido «vaciadas» de aire, lo cual debía permitir que el aparato se mantuviese en el aire.

los cohetes no estaban de moda en Europa como arma de guerra, si bien se empleaban con frecuencia en las exhibiciones de fuegos artificiales. Uno de los pirotécnicos más importantes del momento era el alemán Johann Schmidlap, inventor de un método capaz de impulsar el cohete a una gran altura. La solución, según Schmidlap, pasaba por emplear varios cohetes de pequeñas dimensiones conectados entre sí. El cohete más grande era la base del diseño, se encendía el primero y «se llevaba consigo» hacia arriba el aparato pequeño. Una vez consumido el combustible del cohete grande, se encendía el cohete pequeño, que seguía ganando altitud hasta su explosión final, que provocaba una espectacular lluvia de brillantes colores. Esta técnica terminó convirtiéndose en la base de los gigantescos cohetes multifase necesarios para propulsar los astronautas hacia el espacio.

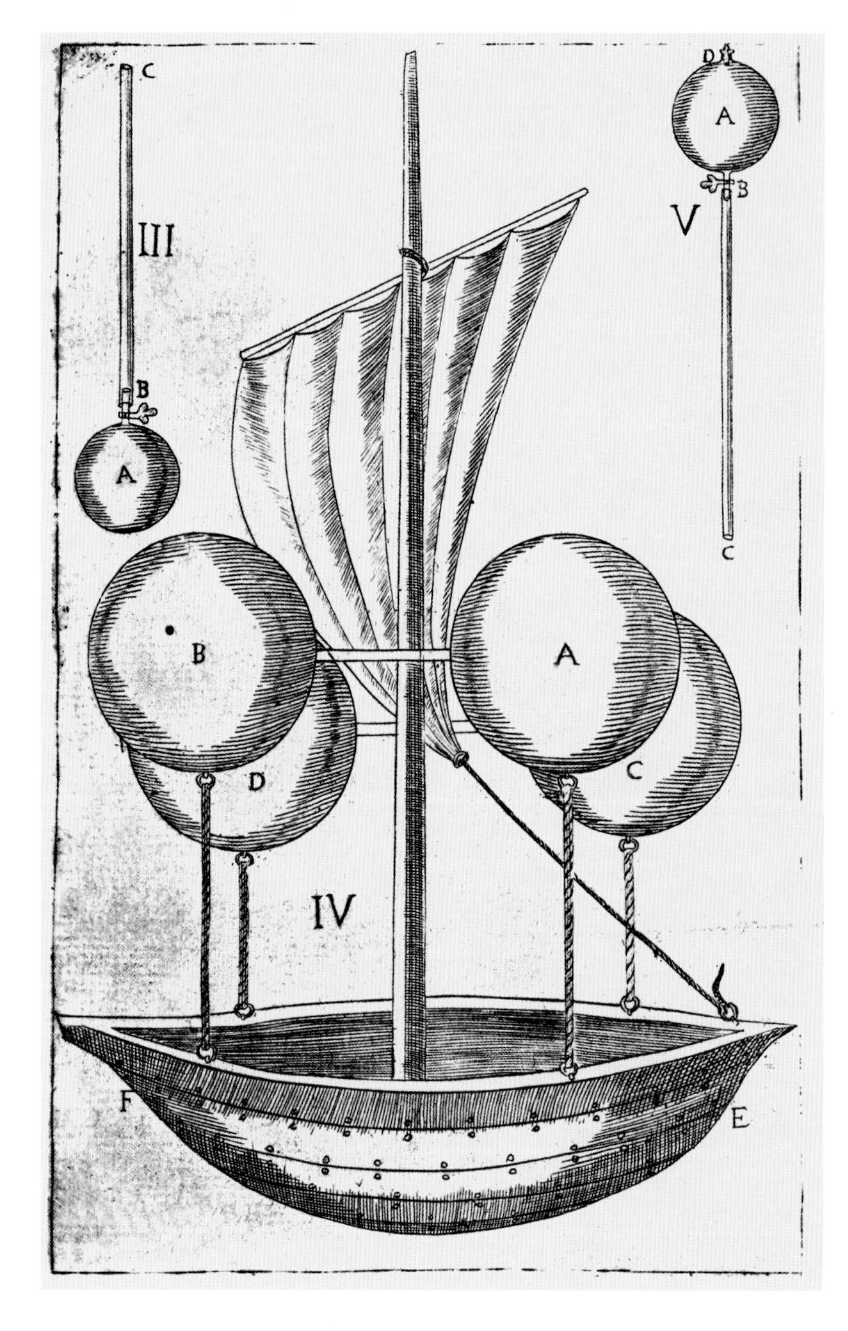

En 1507, más de 400 años antes de la primera travesía exitosa del canal de la Mancha a cargo de Louis Bleriot, John Damian decidió probar fortuna y volar a Francia; para ello se equipó con unas alas formadas por plumas de gallina que fijó en sus brazos y saltó desde las almenas del castillo de Stirling, en Escocia. Damian, que era alquimista, afirmó haber descubierto un elixir que le permitía viajar al cielo. Fuentes de la época insinúan que Damian debía de tomar alguna clase de seta alucinógena. Nada más despegar, se estrelló contra el suelo, aunque su caída fue amortiguada por un blando «colchón» de purín y sólo se rompió una pierna. Damian atribuyó su fracaso al hecho de haber usado plumas de gallina, un ave incapaz de volar.

Treinta años más tarde, un francés de nombre Denis Bolor intentó atravesar el canal de la Mancha volando con unas alas sujetas a unos resortes. Por desgracia, uno de éstos se partió y provocó la caída y muerte de Bolor. Más suerte que Damian o Bolor tuvo Hezarfen Celebi, quien había estudiado los esbozos de Leonardo y diseñado un juego de alas que debían permitirle volar. Así, en 1638, Celebi se lanzó desde la torre de Galata (Estambul) de 42 m de altura. Según un testigo, Celebi consiguió atravesar el estrecho del Bósforo volando, hazaña por la que recibió mil monedas de oro.

Los inicios científicos

En 1660, el jesuita Gaspar Schott llevó un poco más allá las ideas de Bacon. Schott creía que las cáscaras de los huevos de gallina podían sellarse y calentarse con los rayos solares, lo que calentaría el aire del interior de los huevos y los haría ascender. Otras esferas de mayores dimensiones como «los huevos de cisne o bolas de cuero cosidas con correas finas y rellenas de nitro (salitre o nitrato potá-

Pájaros adiestrados conducen al hombre hacia el espacio y le hacen aterrizar en la Luna. La historia procede de la obra El hombre en la Luna, *escrita por Francis Godwin en 1638.*

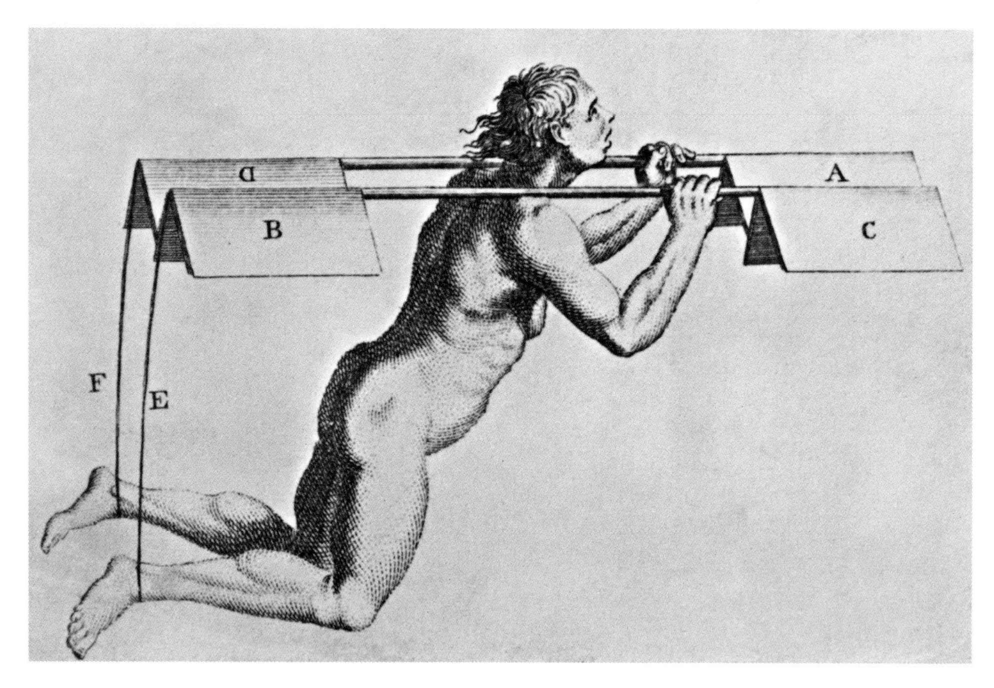

Izquierda: *Detalle de una máquina voladora diseñada por Besnier, un artesano francés. En ella, unas varillas de mando sujetadas a los pies del piloto controlaban la dirección del aparato.*
Abajo: *Una máquina voladora de 1709. El movimiento de los pájaros influía notablemente en los estudios de los primeros teóricos de la aviación.*

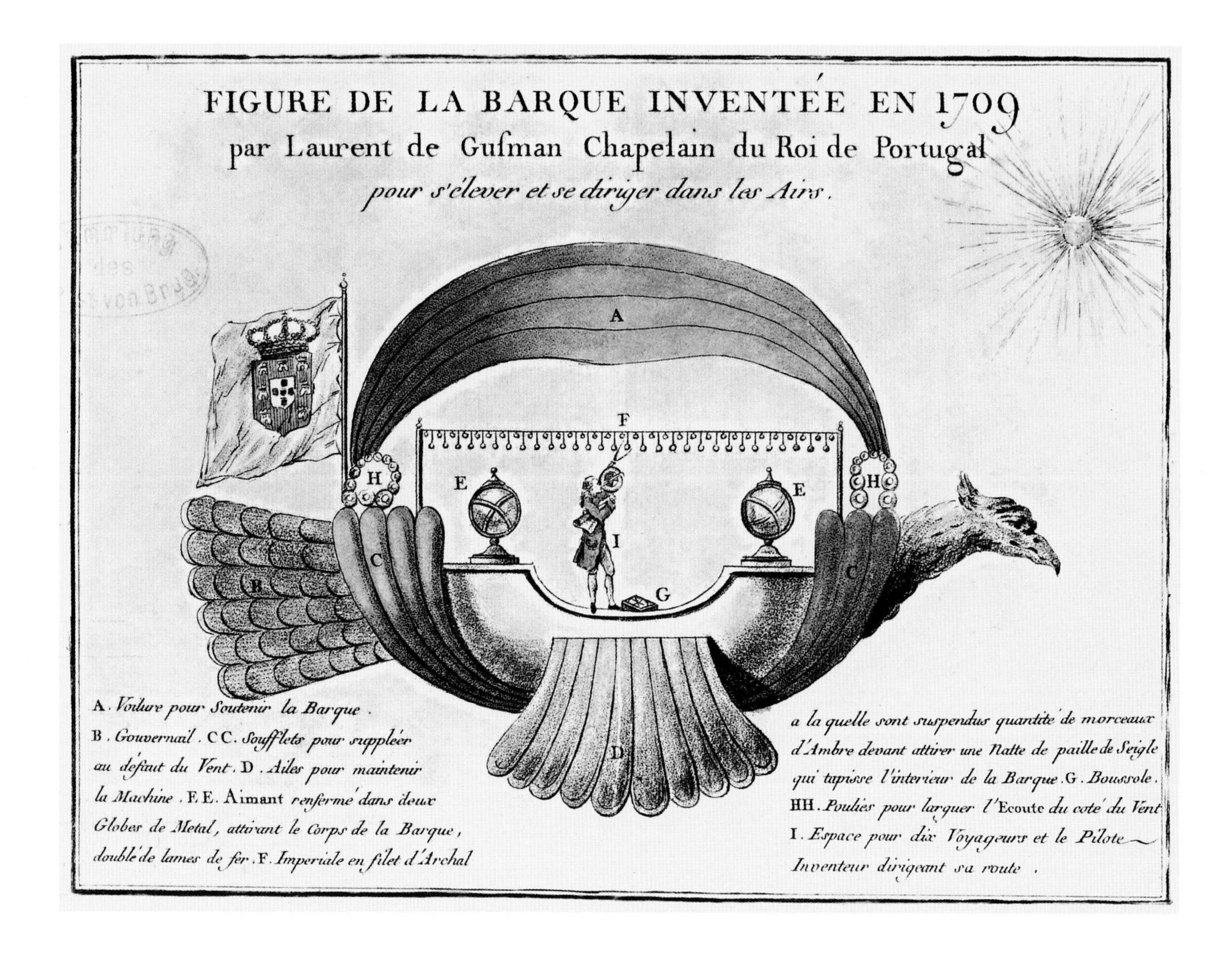

sico), azufre de máxima pureza, mercurio o materiales análogos que se enrarecen gracias a su energía calorífica» podrían alcanzar altitudes mayores.

Los argumentos de Schott fueron ampliados en 1670 por Francesco de Lana de Terze, un jesuita romano que estudió la presión atmosférica y diseñó una «barca voladora». Pero a diferencia de Schott, Bacon y Wilkins, él creía que esta máquina podía despegar con la ayuda de cuatro esferas de cobre de las que se había extraído todo el aire del interior. El problema implícito era que si las esferas de cobre no eran lo bastante sólidas se produciría un aplastamiento a causa de la enorme fuerza ejercida por la presión atmosférica. Aunque no prosperó, el artilugio de De Lana es considerado como el primer vehículo aéreo construido con criterios exclusivamente científicos.

Hacia el final del siglo XVII, la posibilidad de volar cautivaba ya a científicos de todo el mundo. Bartholomeu Lourenço de Gusmão, sacerdote y matemático nacido en Santos (Brasil) en 1685, terminó su formación religiosa en la Universidad de Coimbra (Portugal) y se consagró a las matemáticas. Gusmão se presentó ante el rey Juan V de Portugal y le pidió permiso para mostrarle una máquina voladora en forma de planeador que él había diseñado y bautizado como «Passarola» (gran pájaro). Se cree que aparato nunca llegó a navegar por los cielos, aunque el rey quedó visiblemente impresionado por los esfuerzos del inventor y le concedió una cátedra en la Universidad de Coimbra.

Tras sus experimentos con las cometas, Gusmão desplazó su atención hacia los globos. En 1709, durante una audiencia ante el rey, encendió un pequeño fuego bajo un modelo de globo que él mismo había construido. El experimento acabó con un incendio que además del globo quemó parte del mobiliario de la estancia real. Aun así, el rey, asombrado por el ingenio de Gusmão, no mostró enfado alguno. Sin embargo, sus habilidades terminaron acarreándole problemas, ya que la Inquisición se interesó por sus artes y le mandó encarcelar por brujería. Más tarde, Gusmão consiguió huir a España.

Aplicaciones militares

Basándose en las ideas de De Lana acerca del aprovechamiento del aire a baja densidad para alzar el vuelo, Joseph Galien, un dominico profesor de filosofía y teología en la Universidad de Aviñón (Francia), propuso –en su obra de 1755 titulada *El arte de navegar en el aire*– un diseño de máquina voladora lo bastante grande como para transportar a África un ejército completo. Su plan era fabricar «una nave gigante en forma de cubo con una tela sólida de doble espesor enlucida con cera y brea, cubierta de cuero y reforzada en algunos puntos con jarcias». El aparato debería medir 1.981 m de largo, ser «mayor que la ciudad de Aviñón» y tener el aspecto de «una enorme montaña». El aparato debía llenarse de aire de baja densidad, lo que le permitiría flotar majestuosamente en el cielo.

Mientras las investigaciones científicas seguían su curso, los intentos temerarios de volar por parte del hombre no cesaban. Así, en el siglo XVIII, el marqués de Racqueville intentó volar saltando desde la habitación de su hotel de París y terminó estrellándose en una barca del Sena. Las proezas de Racqueville fueron objeto de escarnio público durante muchos años. El abad francés Deforges de Etampes se tomó mayores molestias en preparar su aventura, pero no tuvo mayor suerte. En 1772, el abad anunció que acababa de inventar una góndola voladora con espacio para el piloto, el equipaje y las provisiones. La góndola debía alcanzar velocidades de treinta leguas por hora gracias al impulso de unos remos de grandes dimensiones diseñados a modo de alas. La partida del abad en Etampes reunió un público numeroso; no obstante, como apreció un observador, «cuanto más se esforzaba (el abad), más se clavaba la máquina en la tierra, como si formase parte de ella».

En junio de 1783, un decenio después del fracaso del abad Deforges, el diligente trabajo de los científicos, los primeros vuelos de prueba de varios excéntricos y las cavilaciones de los místicos terminaron dando resultados y los hermanos Montgolfier efectuaron el primer vuelo en globo. Eran los albores de la aviación.

Durante los siguientes doscientos años, el género humano lograría volar más alto y más rápido que nunca, pisaría la superficie de la Luna, rompería la barrera del sonido y circunnavegaría el planeta en sus máquinas voladoras. ¿Por qué todos estos pioneros y pensadores dedicaron tanto tiempo y tanta energía al hecho de volar? Es imposible dar una única respuesta. La siguiente cita anónima puede ayudarnos a entender este afán: «Para la mayoría de la gente, el cielo es el límite. Para quienes aman la aviación, el cielo es su casa».

desde el arte de la aeronáutica hasta la ciencia de la aviación

los pioneros

En los siglos XVIII y XIX, los pioneros de la aviación fueron objeto de escarnio debido a sus fracasos, y los primeros globos y planeadores eran lentos e incontrolables. A principios del siglo XX, algunas mentes privilegiadas lograron un hito histórico: las primeras máquinas voladoras con motor, dirigidas por un piloto.

Izquierda: *El avión, un sueño perseguido durante cientos de años, se hizo realidad a principios del siglo XX. Esta foto de 1907 muestra un biplano Voisin en pleno despegue.* Arriba: *El primer globo de aire caliente. En 1783, los hermanos Montgolfier hicieron volar una esfera fabricada con papel y tela con tres pasajeros a bordo: una oveja, un gallo y un pato.*

Durante los siglos XVIII y XIX hubo dos tendencias en torno al hecho de volar: emplear un motor para ello o hacerlo sin motor. El primero no sólo requería el diseño de un motor de combustión ligero y práctico, sino que era una posibilidad muy remota. Dos hermanos franceses advirtieron por primera vez el efecto del calor en objetos ligeros: Joseph Michel y Jacques Étienne Montgolfier, fabricantes de papel, habían observado el ascenso de las cenizas y del humo producidos por la quema de residuos. Intrigados por este hecho, construyeron una gran esfera con papel y tela para llevar a cabo sus experimentos. El 4 de junio de 1783, en la plaza de la localidad francesa de Annonay, instalaron la esfera y encendieron un fuego debajo de ella; gracias al calor de las llamas, el globo voló ante la estupefacción de la multitud. Volar ya era posible.

Joseph y Jacques Montgolfier.
Los hermanos Montgolfier fueron los pioneros en el desarrollo de los globos sustentados por aire caliente, también conocidos como «montgolfières».

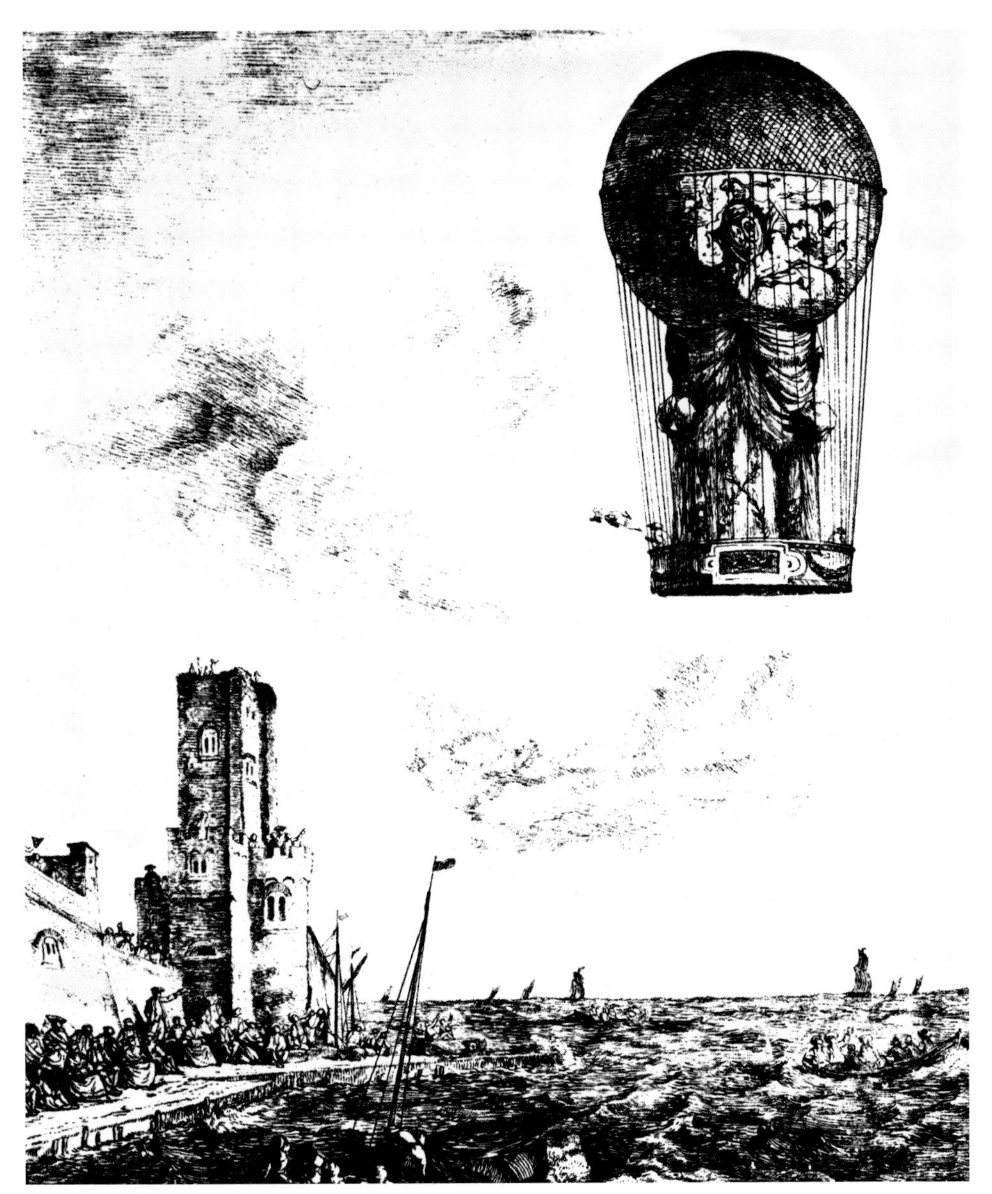

Pilâtre de Rozier, uno de los pilotos más famosos de los globos franceses montgolfières, intenta cruzar un canal con Jules Romann.

Los hermanos Montgolfier tuvieron un rival que, sin proponérselo, les indujo a proseguir sus experimentos. El personaje en cuestión era el profesor Jacques Alexander César Charles, quien en agosto de 1783 lanzó un globo de hidrógeno y lo hizo volar durante 45 minutos, recorriendo una distancia de 24 km. Empezaba la carrera aérea. Un mes más tarde, los Montgolfier organizaron el primer vuelo en globo con pasajeros a bordo: un gallo, una oveja y un pato. El acontecimiento atrajo la atención de 130.000 personas, entre ellos los reyes de Francia, Luis XVI y María Antonieta. Los intrépidos animales volaron durante unos ocho minutos y aterrizaron a 3,2 km de su punto de partida.

En aquellos tiempos dominaban dos clases de globo: el montgolfière, sustentado con aire caliente, y el charlière, con sustentación por hidrógeno. El honor del primer vuelo tripulado correspondió a un montgolfière. El 15 de octubre de 1783, François Pilâtre de Rozier se subió a uno de estos globos, el cual se alzó lentamente. Por motivos de seguridad, el aparato permaneció anclado en el suelo con una cuerda. El primer vuelo real sin sujeción alguna tuvo lugar un mes más tarde, cuando el marqués de Arlandes acompañó a Rozier en un vuelo de 9 km desde el Bois de Boulogne hasta Butte-aux-Cailles. Los mandos del aparato se reducían a un cubo de agua y a una esponja para controlar el fuego de a bordo. En diciembre de 1783, Charles no quiso ser menos y voló, con su hermano Robert, desde los jardines parisienses de las Tullerías hasta Nesles, a 43,5 km de distancia. En Nesles, Robert se apeó, Charles se hizo con algo de lastre y realizó 6,5 km más.

En la segunda mitad de 1783, Francia había sido el escenario principal de los vuelos con globos aerostáticos. No obstante, las noticias sobre los globos montgolfière y charlière no tardaron en difundirse por toda Europa, donde la fiebre por los vuelos en globo se expandió a una velocidad de vértigo. Se había superado con éxito la fase de mandar globos al aire; ahora, la cuestión era controlarlos. En este sentido se ensayaron numerosas soluciones, entre ellas, añadir una tapa sobre el globo para permitir el escape del aire y propulsar el aparato en la dirección opuesta. No obstante, el control del globo se presentaba como una tarea casi imposible, de forma que los aparatos empleados para observar y localizar la artillería enemiga en las guerras del período revolucionario y en las posteriores campañas napoleónicas siempre estuvieron anclados en tierra.

Visiones británicas

Aunque los experimentos con aerostatos no cesaron, sí fueron desplazados a un segundo plano a raíz del desarrollo de aeronaves. *Sir* George Cayley, «padre de la navegación aérea» –como solía llamarle su admirador y discípulo William Samuel Henson–, nació en 1733 junto al canal de la Mancha, en el lado opuesto al que habían sido alumbrados los hermanos Montgolfier. A una edad muy temprana, Cayley adquirió un gran interés en volar, realizó varios diseños –entre ellos, una especie de helicóptero en 1796 y un modelo aeronaútico en

Los rivales. A diferencia de los montgolfières, los globos construidos por Jacques Charles se hinchaban con hidrógeno. Jacques y su hermano mayor Robert hicieron su primer vuelo en un charlière en diciembre de 1783.

Mechanics' Magazine,

MUSEUM, REGISTER, JOURNAL, AND GAZETTE.

No. 1520.] SATURDAY, SEPTEMBER 25, 1852. [Price 3*d.*, Stamped 4*d.*

Edited by J. C. Robertson, 166, Fleet-street.

SIR GEORGE CAYLEY'S GOVERNABLE PARACHUTES.

Fig. 2.

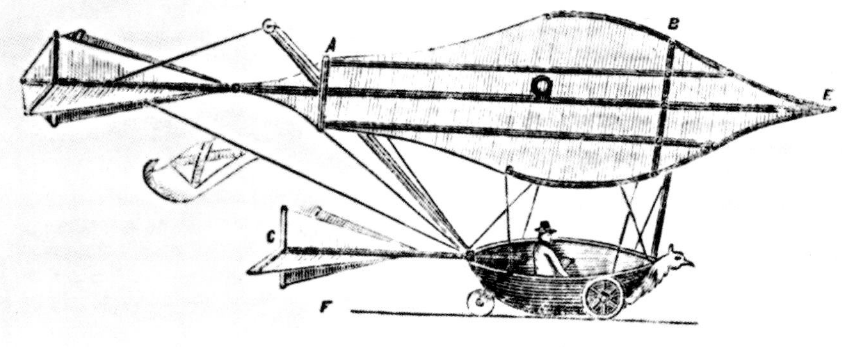

Fig. 1.

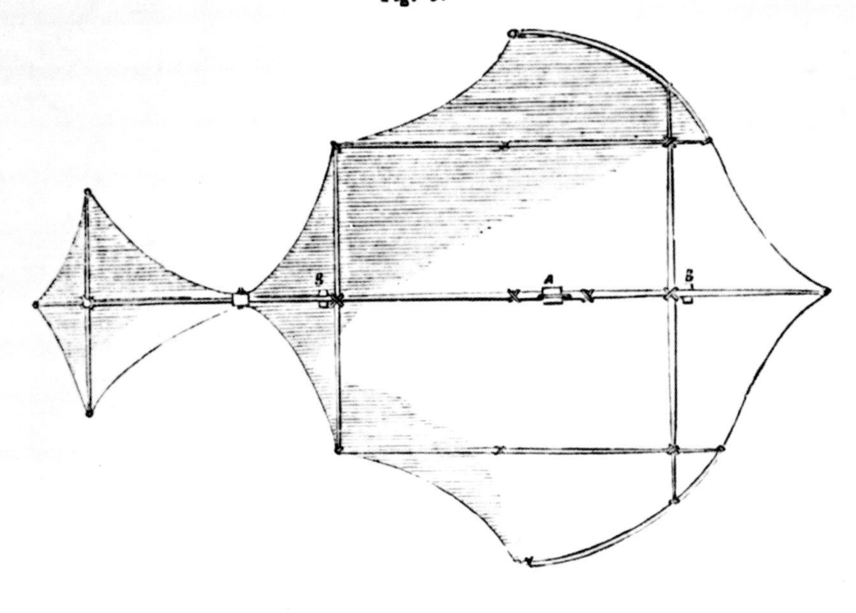

Mechanics' Magazine *publicó muchos de los proyectos de globos, convertiplanos y planeadores diseñados por* sir *George Cayley.*

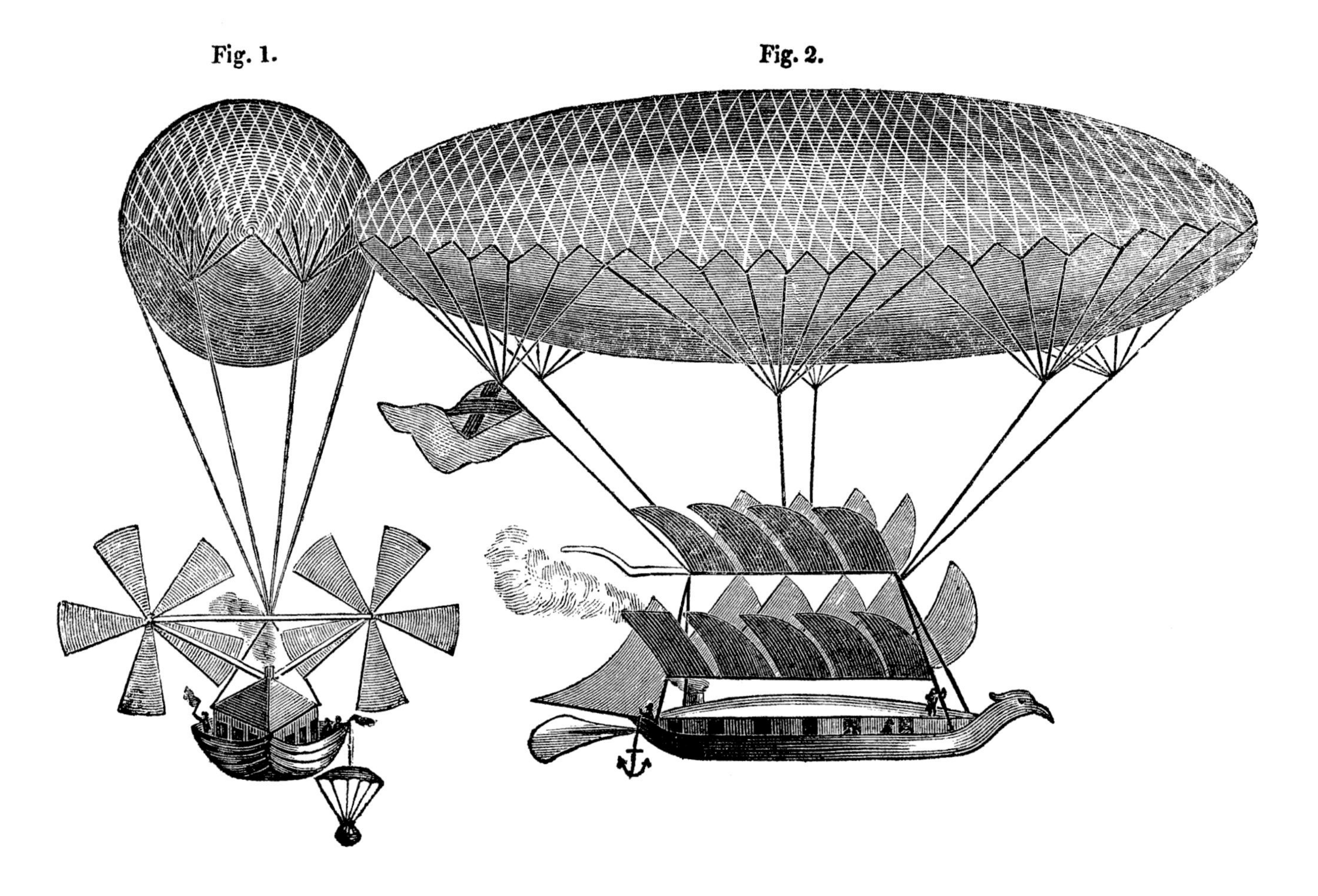

Diagrama de un dirigible a vapor diseñado por Cayley.

1809– y legó un gran número de escritos sobre su «arte», como solía llamarlo. Por desgracia, las hazañas de quienes ensayaron primitivos paracaídas, así como los cómicos intentos de volar de algunos «pilotos» audaces habían desprestigiado a los auténticos genios de la aviación, de ahí que en su ensayo de 1809 *De la navegación aérea*, Cayley considerase que su título precisaba de una explicación:

«...el arte de volar, o navegación aérea, expresión que he adoptado para darle algo más de dignidad a un asunto calificado habitualmente de banal...».

A pesar de todo, en un centenar de años se hizo realidad el sueño de hacer volar aeronaves. La contribución de Cayley fue enorme, ya que dejó para la posteridad varios diseños de dirigibles, convertiplanos y triplanos, así como de un planeador con instrucciones de vuelo completas (proyecto publicado en *Mechanics' Magazine* en 1852).

Como ya se ha mencionado anteriormente, uno de los discípulos de Cayley fue el inglés William Samuel Henson, igualmente un gran visionario. Henson se propuso crear un servicio aéreo –Aerial Transport Company– con su amigo John Stringfellow. El aparato destinado a prestar dicho servicio debía ser el Aerial Steam Carriage, un prodigio de la ingeniería que Henson había dado a conocer en 1842 y la primera aeronave con una configuración que podría calificarse de «moderna». El Aerial Steam Carriage era un monoplano de ala alta de 45,7 m de envergadura; tenía alas curvadas de doble superficie y estaba impulsado por dos hélices propulsoras de 30 CV de potencia orientadas hacia atrás. Stringfellow fue el autor del proyecto, y aunque el motor era eficaz, el aparato en sí era inestable e incapaz de conservar la inercia en vuelo. El fracaso de este proyecto indujo a Henson a retirarse del mundo de la aviación, y a Stringfellow, a tomarse un respiro. El primer aparato aéreo verdaderamente motorizado fue el dirigible de Henri Giffard, que en septiembre de 1852 voló con una máquina de vapor de 3 CV. Aunque el dirigible aún no era lo bastante potente como para enfrentarse con éxito a la fuerza de los vientos contrarios, el diseño de Giffard constituía, sin lugar a dudas, un avance notable.

Durante la década de 1860, la actividad aeronáutica en el Reino Unido fue tomando consistencia. En 1866 se fundó la Aeronautical Society (denominada más tarde Royal Aeronautical Society), y en 1868, en el Crystal Palace de Londres, se celebró la primera feria de la aeronáutica, donde Stringfellow presentó su nuevo invento. Aunque el diseño no era demasiado efectivo, el triplano de vapor de Stringfellow atrajo la atención del público en una época en la que Europa estaba a punto de hacer realidad el vuelo con motor.

El problema de la propulsión

Los primeros aeroplanos que permitieron probar métodos de propulsión fueron creados por los franceses. En agosto de 1871, Alphonse Pénaud, un joven de 21 años, presentó su «planophore» ante un público en el que se hallaban varios miembros de la Société d'Aviation. Este monoplano contaba con un plano de cola detrás de las alas principales y con hélices propulsoras accionadas por correas de caucho. Aunque sólo logró volar 40 m, el planophore fue el primer aeroplano estable. Tres años más tarde, Félix du Temple efectuó su primer vuelo en un monoplano que había tardado 16 años en construir. A finales de la década de 1850, Du Temple había experimentado con mecanismos de relojería y aeroplanos de vapor en miniatura. A partir de sus pruebas, construyó una versión de tamaño natural consistente en un monoplano de alas diedras, con un plano de cola con timón, un tren de aterrizaje retráctil y una sola hélice propulsora orientada hacia delante y accionada con una máquina de vapor. Aunque anterior al aparato de Pénaud, no era exactamente un avión de motor, pues requería una rampa para despegar y aterrizaba al perder su inercia.

Los diseños existentes eran de buena calidad, pero no así los sistemas de propulsión. En 1876, Nikolaus August Otto diseñó y fabricó en Alemania el primer motor de combustión interna, el

El Aerial Steam Carriage de William Henson, aparato con el que él y John Stringfellow se proponían iniciar el servicio de la Aerial Transport Company.

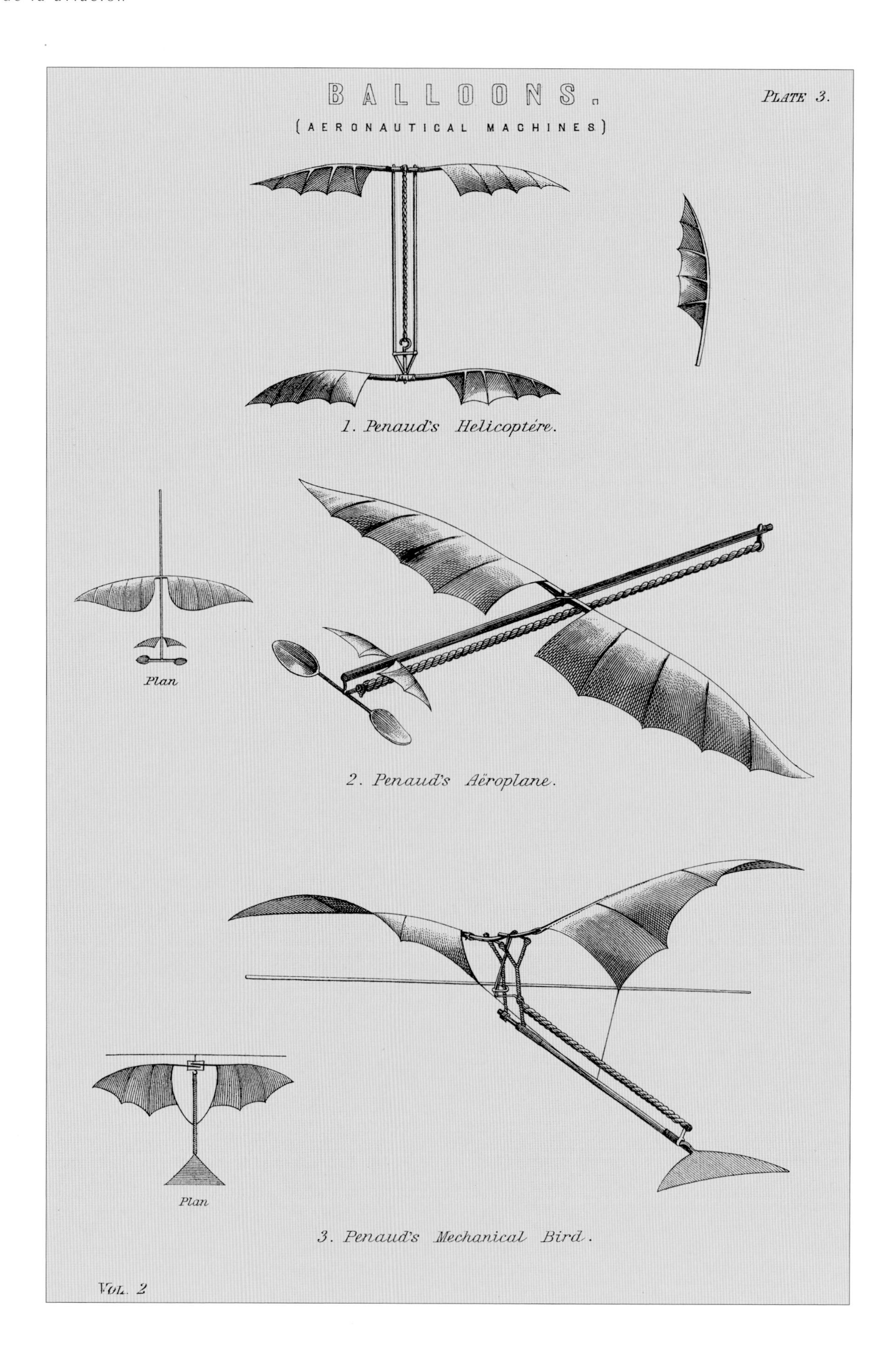
BALLOONS.
(AERONAUTICAL MACHINES)
PLATE 3.
1. Penaud's Helicoptére.
Plan
2. Penaud's Aëroplane.
Plan
3. Penaud's Mechanical Bird.
VOL. 2

Izquierda: *Los aviadores daban a conocer su trabajo publicando sus diseños en los periódicos. En la imagen, el helicóptero, aeroplano y pájaro mecánico de Penaud.* Arriba: *El diseño más famoso de Clement Ader, el monoplano de vapor* Eole.

cual funcionaba con combustible líquido y no pesaba tanto como las engorrosas máquinas de vapor empleadas en otras aeronaves.

El mundo ya estaba casi preparado para el primer vuelo con motor, y muchos pioneros se pusieron manos a la obra para lograrlo. Aunque Gottlieb Daimler y Karl Benz fabricaron motores de petróleo ligeros, a principios de la década de 1880 este tipo de motor no tuvo un impacto inmediato, ya que los diseñadores optaban por otros métodos de propulsión. En 1885, el teniente Renard y el capitán A.C. Krebs hicieron volar su dirigible *La France* a 21 km/h con baterías pesadas de cloruro de cromo, que hacían funcionar un motor eléctrico de 6,7 kW. Otro importante diseñador, Clement Ader, empleó una máquina de vapor para el *Eole,* su famoso monoplano de alas de murciélago.

El éxito de Ader con el *Eole* fue eclipsado más tarde por sus exageradas afirmaciones. El *Eole* era un monoplano de ala alta con una sola hélice propulsora accionada por una máquina de vapor de 20 CV. El 9 de octubre de 1890, la aeronave levantó el vuelo sin la ayuda de ninguna rampa y se convirtió en la primera en despegar gracias a su propio esfuerzo. El aparato voló 50 m antes de tomar tierra de nuevo. El posterior *Avion II,* incompleto, y el *Avion III* resultaron decepcionantes. Por desgracia, Ader creyó que debía exagerar su éxito para aumentar su fama, así que aseguró que en 1891 el Eole había volado 100 m y que el *Avion III* había recorrido 305 m en 1897. En 1910, el ministro de Defensa francés refutó tales afirmaciones.

Pioneros de los planeadores

Aunque el primer despegue ya se había efectuado y el primer aeroplano con motor ya había volado, el estudio del diseño de dirigibles y planeadores prosiguió. En 1889, Otto Lilienthal publicó *Der Vogelflug als Grundlage der Fliegekunst (El vuelo de los pájaros, base de la aviación)*, y ese mismo año realizó las primeras pruebas con su planeador N.° 1. Los planeadores N.° 1 y N.° 2 eran monoplanos bajo los cuales el piloto quedaba suspendido en el aire; éste sólo debía cambiar la posición del cuerpo para

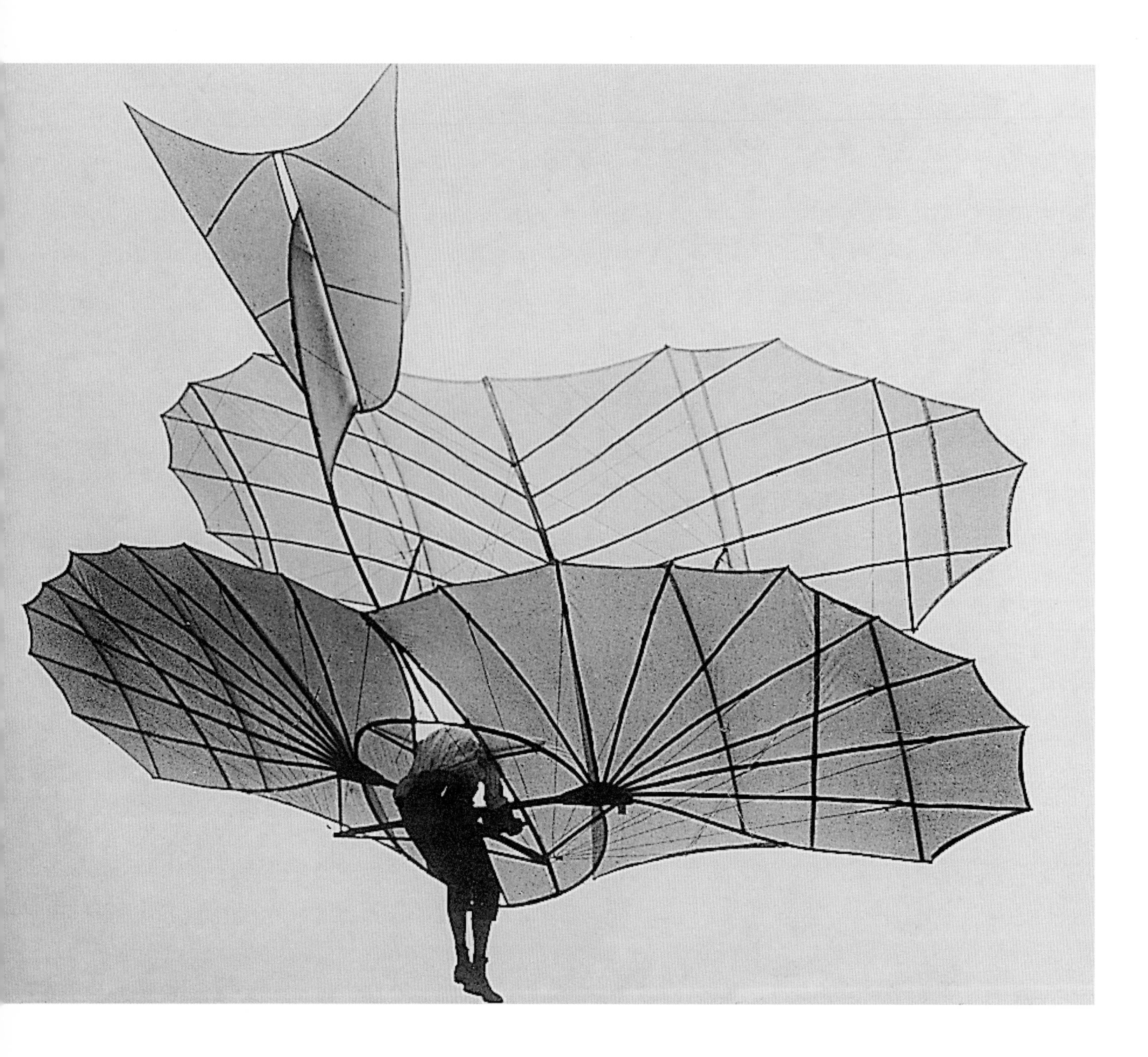

Durante la mitad de la década de 1890, Otto Lilienthal construyó tres tipos de planeador biplano.

variar la dirección. Los dos aparatos fracasaron, pero el N.º 3 llevó a cabo una serie de vuelos cortos en 1891. El primer éxito real se alcanzó en 1893 con el N.º 6, de alas curvas y redondeadas. Tal fue el éxito de los planeadores de Lilienthal, que el N.º 8 se convirtió en un modelo de producción en 1894, año en que su N.º 11 *Normalsegelapparat* (máquina planeadora estándar) efectuó un vuelo de 366 m. Lilienthal también experimentó con planeadores biplanos (números 13, 14 y 15) antes de sufrir una grave lesión en la espalda, a raíz de un accidente con un N.º 11 ocurrido en 1896.

Chanute y Langley

El considerado primer historiador de la aviación es el estadounidense Octave Chanute, quien de 1891 a 1893 publicó una serie de artículos periodísticos, y autor de *Progress in Flying Machines* (1894), que más tarde inspiró a los hermanos Wright. El libro de Chanute apareció antes de las hazañas de su paisano Samuel Pierpoint Langley.

Tras utilizar aviones con motor de gomas, Langley instaló máquinas de vapor en sus seis *Aerodrome,* numerados del 0 al 5; los resultados de estos modelos fueron negativos, así que se modificaron.

En 1889, Samuel Franklin Cody abandonó Estados Unidos para establecerse en el Reino Unido, donde desde 1902 fue instructor jefe de cometas en la Fábrica de Globos del Ejército Británico. En la foto, uno de sus artilugios voladores.

El N.º 5 fue convertido en un avión de alas en tándem y voló 1.006 m en mayo de 1896. El N.º 4 experimentó mejoras muy similares y, ya con el nombre de N.º 6, realizó un vuelo de 1,2 km en noviembre del mismo año. Esta hazaña llamó la atención del Departamento de Guerra de Estados Unidos, que ofreció 50.000 dólares a Langley por un aeroplano tripulado que debería denominarse *Aerodrome A*. Para ello, Langley encargó a Stephen M. Balzer la construcción de un motor de 12,2 CV de un peso inferior a 45 kg. La producción empezó bien y un modelo a escala 1:4 logró alzar el vuelo en agosto de 1903 poco antes de completarse la versión a escala real. El *Aerodrome A* era un avión de alas en tándem con un motor que accionaba dos hélices propulsoras. El piloto se sentaba delante del motor, entre las alas delanteras. A pesar de contar con grandes recursos, el *Aerodrome A* fue un sonoro fracaso. El 7 de octubre de 1903, el avión se salió de su rampa de lanzamiento y se precipitó al río Potomac. El experimento se repitió el 8 de diciembre sin mayor suerte. A pesar de ello, los numerosos proyectos en marcha hacían pensar que el vuelo con motor era casi una realidad.

El Aerodrome N.° 5 *de Samuel Pierpoint Langley antes de su lanzamiento en Quantico (Virginia), en 1896.*

Orville y Wilbur Wright

Nueve días después del segundo intento fallido de Langley, dos hermanos llevaron a cabo el primer vuelo con motor de la historia. Orville y Wilbur Wright, propietarios de una tienda de bicicletas en su localidad natal de Dayton (Ohio, Estados Unidos), habían leído todo lo referente a los avances de la aviación, incluida la obra de Chanute, y se mostraban fascinados por la posibilidad de pilotar un avión. A partir de sus investigaciones, los Wright empezaron experimentando con globos y cometas, y observaron en qué medida los fenómenos meteorológicos, sobre todo el viento, influían en el vuelo. Su meticulosidad les llevó a construir un túnel de viento para desarrollar planeadores y probar las formas de las alas y sus efectos aerodinámicos. Asimismo, llevaron a cabo todos sus experimentos en las dunas cercanas a Kitty Hawk (Carolina del Norte, Estados Unidos), ya que en dicha localidad la velocidad media del viento era considerable y casi constante (32 km/h). Los primeros vuelos de prueba se efectuaron en septiembre y octubre de 1900 con el *Glider N.° 1,* un planeador con una envergadura de 5,5 m cuyo único sistema de control era el cambio de posición del cuerpo del piloto. Durante el invierno de 1900-1901, los Wright regresaron a Dayton para desarrollar un nuevo planeador, el *Glider N.° 2.* Tenía una envergadura de 6,7 m y alas curvas para favorecer la circulación del aire. Aunque consiguió realizar vuelos más largos, la curvatura de las alas resultó ser demasiado pronunciada.

De nuevo en el túnel de viento, Orville y Wilbur probaron más de 200 modelos nuevos. El *Glider N.º 3* fue su planeador más grande: 9,7 m de envergadura y 52,6 kg de peso. En septiembre de 1902, los Wright llevaron a cabo 1.000 planeos con el *N.º 3,* el más largo de los cuales duró 30 segundos y recorrió 183 m. Este planeador contaba con una aleta independiente móvil que facilitaba el control del aparato por parte del piloto. Una vez superadas las pruebas aerodinámicas y los controles básicos, los hermanos Wright ya estaban listos para emprender el vuelo con motor.

En septiembre de 1903, Orville y Wilbur regresaron a Kitty Hawk con su *Glider N.º 3* y su nuevo aeroplano, el *Flyer,* renombrado más tarde *Flyer I.* Se trataba de un biplano de madera de 12 m de envergadura, la más importante hasta entonces. Los Wright habían construido especialmente para el *Flyer* una hélice de madera y un motor de gasolina ligero con cuatro cilindros en línea y refrigeración líquida. El gran día de la demostración fue el 14 de diciembre de 1903, pero el *Flyer* se estrelló en su primera tentativa. Tres días más tarde, los Wright realizaron su segundo intento. Alternándose con su hermano en la labor de piloto, Orville se encaramó al *Flyer* la mañana del 17 de diciembre de 1903. Con vientos de 35-43 km/h, el aparato despegó poco después de las 10.30 de la mañana ante cinco testigos del lugar y logró volar 12 m. Un recorrido modesto pero suficiente como para convertirlo en el primer avión con motor de la historia en despegar, volar y aterrizar sin ayuda externa de ningún tipo. Ese mismo día se efectuaron tres vuelos más. Primero, Wilbur voló 11 segundos; después, Orville llegó a los 15 segundos, y en el último intento del día, Wilbur voló 59 segundos y recorrió 259 m.

Francia toma el relevo

Los hermanos Wright siguieron desarrollando el diseño del *Flyer* y llevaron a cabo exhibiciones en público durante 1904 y 1905. Hacia el final de este

Orville (izquierda) y Wilbur Wright en su casa de Dayton (Ohio).

El primer despegue, vuelo y aterrizaje de la historia de un avión autopropulsado fue el que realizó Orville Wright en Kitty Hawk (Carolina del Norte), el 17 de diciembre de 1903.

último año, el *Flyer III* se convirtió en el primer avión en describir círculos y figuras en ocho en el aire, así como en inclinarse y virar. Por aquel entonces, sin embargo, el centro de la innovación aeronáutica se había desplazado a Europa, donde destacaba un brasileño llamado Alberto Santos-Dumont. La incursión de Santos-Dumont en el mundo de la aviación empezó con el diseño de dirigibles. El 19 de octubre de 1901, su N.º VI realizó un vuelo de 29 minutos y 30 segundos alrededor de la torre Eiffel. En septiembre de 1906, Santos-Dumont volvió a la carga, esta vez con el biplano N.º 14 bis, y efectuó un vuelo de 61 m en el Bois de Boulogne ante un numeroso público. Santos-Dumont era un firme defensor del motor de gasolina frente a la máquina de vapor. Su dirigible N.º VI contaba con un motor Buchet/Santos-Dumont de 20 CV, mientras que la potencia del motor Antoinette del N.º 14 era ya de 25 CV (aumentada más tarde hasta 50 CV). El motor era el nuevo centro de atención del mundo aeronáutico: los aviones ya podían despegar y volar, pero el objetivo inminente era encontrar un motor más potente con el que recorrer distancias más largas.

El desarrollo de los motores

Los motores de los siglos XVIII y XIX eran demasiado pesados o poco potentes para impulsar aeroplanos y dirigibles. Los primeros motores de gasolina potentes y ligeros aparecieron en Alemania gracias al trabajo de Gottlieb Daimler y Karl Benz; no obstante, fue en Francia donde se dio el salto decisivo en la aplicación de los nuevos motores en aeroplanos. El francés Laurent Séguin comenzó construyendo motores para automóviles, pero durante la primera década del siglo XX se introdujo en el sector aeronáutico. Se había demostrado que cuanto mayor era la parte frontal de un motor mayor resistencia aerodinámica ofrecía éste, de ahí que Séguin acabara decantándose por motores en

El avión más rápido de los años anteriores a la Primera Guerra Mundial fue uno de los elegantes y potentes Deperdussin de Bechereau.

línea. No obstante, el principal problema era la refrigeración del motor en pleno vuelo. Séguin diseñó un ingenioso motor giratorio cuya refrigeración era posible gracias a la circulación del aire durante el vuelo. Con un cigüeñal fijo, unido al fuselaje del avión, su motor Gnôme giraba conjuntamente con la hélice y garantizaba con ello un flujo constante de aire refrigerante alrededor del motor. Este modelo rotatorio, el mejor de la época, también tenía sus inconvenientes. Así, por ejemplo, no se controlaba la cantidad de aire y de combustible que entraba en los cilindros, mientras que las maniobras de inclinación y viraje podían producir resultados impredecibles: el efecto giroscópico del motor giratorio podía hacer que el piloto perdiera el control del aparato. Con todo, no había alternativas mejores, y el motor Gnôme propulsó la mayoría de los primeros aviones de competición aérea. Louis Bechereau también los empleó para propulsar los aeroplanos más aerodinámicos de la época. Los aviones de competición Deperdussin de Bechereau no tardaron en incorporar el motor, los controles y el piloto dentro de un cómodo fuselaje monocasco. Los mejores motores disponibles, sumados a este diseño aerodinámico, hicieron de los Deperdussin los aviones más rápidos del período anterior a la Primera Guerra Mundial.

El Gnôme de Séguin había establecido el estándar, y los diseñadores de toda Europa intentaron recuperar terreno. En Alemania, Daimler empezó a producir desde 1911 un motor en línea de seis cilindros. En el Reino Unido, H.P. Folland y Geoffrey de Havilland comenzaron a trabajar a mediados de 1912 con el S.E.2, un biplano con un motor Gnôme de 100 CV que alcanzaba velocidades de hasta 148 km/h. El S.E.2 tan sólo fue un banco de pruebas para el S.E.4 de 1914, que ya contaba con un motor Gnôme de 160 CV y deflectores en las alas superiores e inferiores, así como con un motor carenado que también poseían los Deperdussin. Durante su corta vida (seis meses), el S.E.4 alcanzó una velocidad de 217 km/h. El motor de avión y la industria aeronáutica estaban alcanzando la mayoría de edad.

Al estallar la Primera Guerra Mundial, el diseño monocasco de monoplanos y biplanos como el del Deperdussin había relevado los antiguos planeadores y aeronaves de cola delantera, como este diseño de Santos-Dumont.

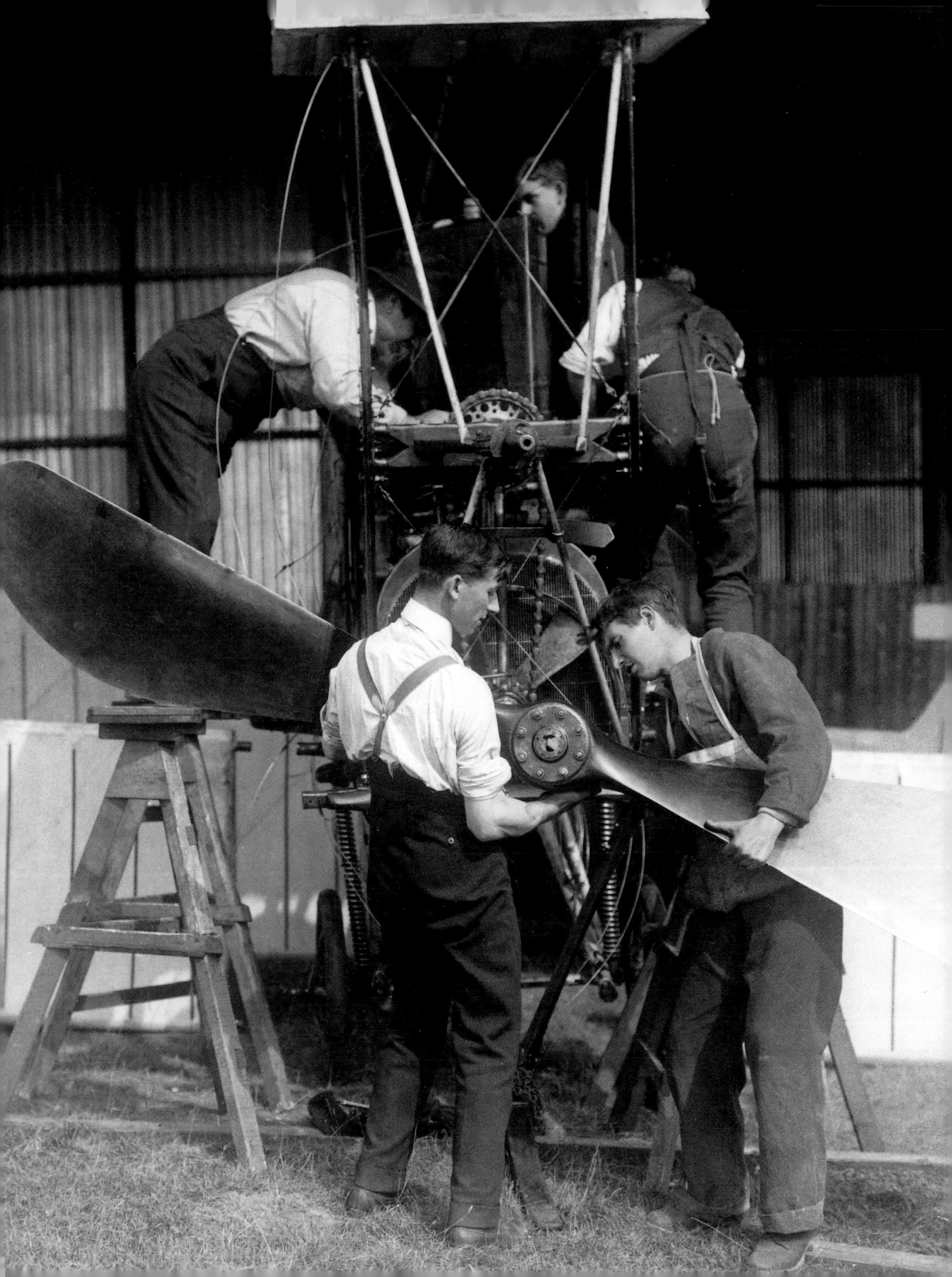

la construcción de máquinas voladoras

los grandes empresarios de la aeronáutica

Muchos de los más grandes diseñadores y fabricantes de aviones entraron en escena en los primeros años del siglo XX. Personajes como Boeing, Lockheed, Douglas y Von Zeppelin –nombres que hoy nos resultan muy familiares– determinaron el futuro de la aviación gracias a su gran pasión por la mecánica y la ingeniería, así como por sus ansias de volar.

Izquierda: *Samuel Franklin Cody ayuda a montar uno de sus aviones en 1912.*
Arriba: *El conde Ferdinand von Zeppelin.*

Glenn Hammond Curtiss nació en Hammondsport (Nueva York) en 1878, y siendo muy joven quedó fascinado por las hazañas de Samuel Langley, los hermanos Wright y otros pioneros. En 1901, Curtiss creó una empresa de bicicletas, G.H. Curtiss Manufacturing Company, que con el tiempo también se dedicó a construir y reparar motos. Curtiss emprendió el camino que le haría entrar en la historia de la aviación en 1904, año en el que un empresario de San Francisco de nombre Thomas Scott Baldwin le encargó la construcción de un motor para el dirigible *Californian Arrow*. Impresionado por el trabajo de Curtiss, Baldwin trasladó su negocio a Hammondsport y empezó a trabajar con él en la propulsión de dirigibles. Uno de los frutos de su colaboración fue la venta de un aerostato al ejército de Estados Unidos en agosto de 1908.

Glenn Curtiss al mando de su hidroplano Triad en North Island (bahía de San Diego) en 1911.

En 1907, Curtiss se unió a la prestigiosa Asociación de Experimentos Aéreos (AEA) –entre cuyos miembros figuraba Alexander Graham Bell–, que se impuso un plazo de dos años para realizar investigaciones conjuntas en el campo aeronáutico. La AEA se propuso construir aviones, aunque no en grandes cantidades. Con Curtiss como director de investigación y desarrollo, la AEA construyó cuatro aviones en 1908: el N.º 1 *Red Wing,* el N.º 2 *White Wing,* el N.º 3 *June Bug* y el N.º 4 *Silver Dart.* La construcción de muchos de estos aviones provocó un sinfín de litigios judiciales. Después de su vuelo en 1903, los hermanos Wright habían patentado varios conceptos de diseño, algunos de los cuales resultaban básicos para construir cualquier avión. Todos los aviones de la AEA violaban la patente de los Wright, si bien el *Red Wing* y el *White Wing* quedaron «libres de culpa» al no haberse fabricado con fines lucrativos. No obstante, el *June Bug,* pilotado por Curtiss, ganó un premio de vuelo en línea recta concedido por la revista *American Scientific Magazine,* lo cual fue considerado por los hermanos Wright como una ganancia financiera a costa de sus ideas. La guerra en los juzgados por las patentes de los Wright llegó a su punto más álgido tras la disolución de la AEA en marzo de 1909. Curtiss, mientras tanto, se había asociado con Augustus Herring y había construido un avión denominado *Golden Flyer* para la Sociedad Aeronáutica de Nueva York. La venta de este aparato fue la primera realizada a un cliente privado, algo que se contravenía a las patentes Wright. En 1913, Orville (Wilbur había

fallecido en 1912) ganó la batalla legal, pero Curtiss argumentó que el primer avión había sido el *Aerodrome A* de Langley y que, por lo tanto, las patentes no eran válidas. Esta polémica finalizó durante la Primera Guerra Mundial, cuando la Asociación de Fabricantes de Aviones estadounidense mancomunó todas las patentes con el fin de construir aviones para la guerra, al tiempo que el gobierno británico decidía adquirir para la producción bélica las patentes Wright y la de Curtiss por 20.000 y 75.000 dólares respectivamente.

Disputas legales aparte, Curtiss había brillado como diseñador y como piloto. Con anterioridad a la guerra, había ganado el Trofeo Científico Americano y la Copa Gordon-Bennett en 1909, el Trofeo Científico Americano en 1910, el Trofeo Collier de 1912 por el desarrollo del hidroplano y el Trofeo Collier por el desarrollo del hidroavión. Curtiss, sin embargo, adquirió una fama aún mayor como fabricante de aviones para el ejército estadounidense, sobre todo para la Marina. Éste adquirió el primer avión, un modelo Wright, en 1908, y al año siguiente la Marina de guerra hizo lo propio. Ésta era el objetivo que Curtiss se había marcado en su campaña publicitaria basada en despegues y aterrizajes en barcos de guerra. El factor decisivo del negocio fue la formación de vuelo gratuita a un oficial de la Marina, oferta lanzada por Curtiss en noviembre de 1910 y aceptada al cabo de un mes. Sólo seis meses más tarde, la Marina compraba sus primeros dos aviones Curtiss.

Como lo demuestran sus dos trofeos Collier, Curtiss hizo grandes progresos con los hidroaviones. En enero de 1911 efectuó su primer vuelo con éxito al mando de un convencional aeroplano de hélice propulsora trasera. En el segundo, Curtiss cambió de lugar el motor y la hélice, que colocó por delante del piloto y, por tanto, fuera del alcan-

Una réplica del June Bug *de Curtiss construida por Pete Bowyer. Obsérvese la curvatura de las alas.*

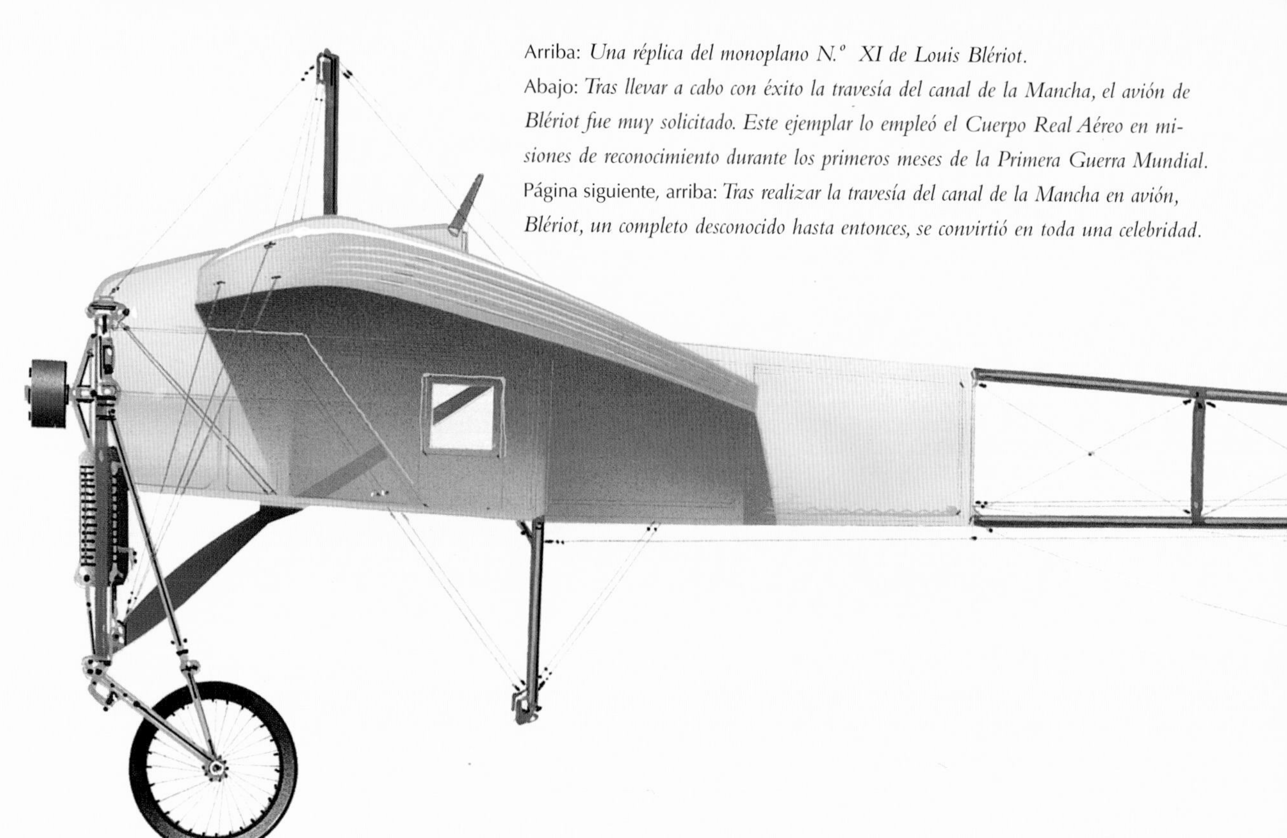

Arriba: *Una réplica del monoplano N.º XI de Louis Blériot.*
Abajo: *Tras llevar a cabo con éxito la travesía del canal de la Mancha, el avión de Blériot fue muy solicitado. Este ejemplar lo empleó el Cuerpo Real Aéreo en misiones de reconocimiento durante los primeros meses de la Primera Guerra Mundial.*
Página siguiente, arriba: *Tras realizar la travesía del canal de la Mancha en avión, Blériot, un completo desconocido hasta entonces, se convirtió en toda una celebridad.*

Louis Blériot atraviesa el canal de la Mancha

Uno de los pilotos más famosos del período anterior a la Primera Guerra Mundial fue Louis Blériot, quien en 1909 se convirtió en el primer piloto en cruzar el canal de la Mancha. Un año antes, *lord* Northcliffe, propietario del *Daily Mail* londinense, había atraído la atención del público al ofrecer 10.000 libras esterlinas a la primera persona que atravesara volando el canal de la Mancha. Blériot, excelente diseñador y piloto, aceptó el desafío.

Como suele suceder en este tipo de aventuras, el francés tuvo un rival, el francobritánico Hubert Latham. Latham fue el primero en intentar la travesía del canal de la Mancha, y lo hizo con su monoplano, el *Antoinette IV*, despegando el 19 de julio de 1909 desde Sangatte, cerca de Calais. Por desgracia para Latham, las bujías de su aparato fallaron a unos 10 km de la costa francesa y se vio obligado a aterrizar en el agua. El 22 de julio llegó a Sangatte un nuevo aeroplano para que Latham pudiese intentarlo de nuevo. En aquel momento entraron en escena otros dos contendientes. El primero, que no parecía tomárselo demasiado en serio, fue el Conde de Lambert, que preparó un biplano Wright en Wissant, cerca de Boulogne. El otro personaje –éste sí parecía ir en serio– era Louis Blériot, que dispuso su monoplano N.º XI en Baraques, cerca de Calais y no muy lejos de donde se encontraba Latham. Blériot y Latham se habían propuesto partir el día 24 hacia Dover en clave de competición, pero las condiciones meteorológicas frustraron sus planes. Blériot sabía que el mal tiempo duraría poco, de forma que alzó el vuelo a primera hora de la mañana del 25 para evaluar las condiciones. El equipo de Latham se quedó pasmado cuando el N.º XI despegó a las 4:41 de la mañana.

Antes de hacerlo, Blériot formuló la famosa pregunta «¿Dónde está Dover?», a la que uno de sus mecánicos respondió «¡Por ahí!», mientras señalaba con la mano hacia una dirección. La navegación aérea se reducía a esta indicación, ya que Blériot carecía de brújula. El destructor francés *Escopette* estaba preparado a unos 16 km de la costa para recoger a Blériot cuando cayera al mar... si es que caía, claro está. A partir de ahí, Blériot estaría solo. Tras unos 20 minutos y 25 km de recorrido (el vuelo debía durar unos 40 minutos), el motor empezó a sobrecalentarse. Por suerte para Blériot, la llovizna de primera hora de la mañana refrigeró el motor lo justo como para poder seguir funcionando; poco después divisó la costa británica de entre la neblina. Al percatarse de que estaba demasiado al norte, Blériot decidió dar la vuelta hasta encontrar la bandera tricolor que un periodista francés debía haber fijado en el suelo como indicador de la zona de aterrizaje. El fuerte viento obligó a Blériot a posarse en North Fall Meadow, cerca de Dover Castle. La hazaña no tuvo la merecida fiesta de bienvenida, en la que únicamente participaron el periodista y un policía local bastante confuso.

Esta fotografía, tomada de un periódico de la época, muestra el primer hidroavión que Curtiss logró pilotar. Ocurrió en Hammondsport (Nueva York), en 1912.

ce de las salpicaduras producidas al despegar y al aterrizar. A Curtiss se le reconoce como el inventor del hidroavión, el primero de los cuales fue denominado *Curtiss Flying Boat N.º 1*. El primer hidroavión en alzar el vuelo (en julio de 1912) fue el modelo siguiente, el *Flying Boat N.º 2* o *Flying Fish*. La Marina se convirtió en el «primer cliente de Curtiss». El último modelo que adquirió fue el SB2C Helldiver, que entró en acción en 1943.

William E. Boeing

La compañía aeronáutica Boeing fue fundada por William E. Boeing en 1916. Hijo de un comerciante de madera, Boeing dejó sus estudios en la Universidad de Yale en 1903 para seguir la estela de su padre. Desde 1908, Boeing asistió a numerosas exhibiciones aéreas en la costa oeste e intentó encontrar un piloto que le llevara como pasajero. El gran día se produjo en 1914. Desde entonces, los aviones fueron la obsesión de Boeing, que empezó a asistir a clases de vuelo junto con su amigo George Conrad Westervelt y a tomarse en serio el diseño de aeroplanos. Tras construir el hidroavión B&W (iniciales de Boeing y Westervelt), en 1916 Boeing fundó la Pacific Aero Products, que un año más tarde pasó a denominarse Boeing Airplane Company. Los primeros años fueron provechosos para Boeing. La Marina adquirió

50 ejemplares de su hidroavión C, que utilizó en la Primera Guerra Mundial. En la década de 1920, Boeing se dedicó a construir muebles para subsistir, ya que la demanda de aviones fue inexistente. Una vez superado este período de crisis en 1927 Boeing obtuvo la concesión de la ruta aérea postal San Francisco-Chicago, lo que le llevó a crear la compañía Boeing Air Transport (BAT). En 1931, BAT se fusionó con National Air Transport, Varney Air Lines y Pacific Air Transport para formar la nueva compañía United Airlines. El gobierno de Estados Unidos consideró este consorcio como un monopolio del sector y lo obligó, en 1934, a diversificarse en tres entidades: Boeing Airplane Company, United Aircraft Company y United Air Lines. Antes de terminar el año, William Boeing vendió las acciones que poseía de las tres compañías. Durante la Segunda Guerra Mundial, regresó a Boeing como consultor; no obstante, desde mediados de la década de 1930, su principal ocupación fue la de criador de caballos purasangre.

Donald Douglas

A diferencia de William E. Boeing, que triunfó en el mundo de los negocios, Donald Wills Douglas destacó más bien en el campo de la técnica. Después de tres años en la Academia Naval, Douglas decidió cambiar de rumbo y estudiar ingeniería

Glenn Curtiss (izquierda) y Henry Ford junto al hidroavión de Curtiss en Hammondsport.

aeronáutica en el Instituto Tecnológico de Massachusetts. Profundamente impresionado por una exhibición de Orville Wright en 1908, el entusiasta alumno realizó sus estudios en la mitad del tiempo habitual y se graduó a la edad de 20 años. Durante los años siguientes, Douglas trabajó en varias compañías aeronáuticas, entre ellas la de Glenn Martin, otro legendario fabricante aeronáutico de Estados Unidos. En 1920, Douglas decidió emprender su propio negocio y se desplazó al sur de California, donde las condiciones meteorológicas resultaban muy apropiadas para efectuar vuelos de prueba. Una vez allí, se asoció con un poderoso y ambicioso joven llamado David R. Davis. Davis quería volar y Douglas quería construir. Así, con el dinero de Davis, los dos sueños se hicieron realidad. El fruto de los 40.000 dólares invertidos fue el *Cloudster,* un avión que falló en el intento de efectuar un vuelo transcontinental pero que adquirió una cierta fama y propició bastantes pedidos. Como de costumbre, el primer cliente de Douglas fue el ejército estadounidense, concretamente la Marina, que adquirió aviones torpederos. Douglas llevó las riendas de su empresa cuando ésta competía con Boeing por copar el mercado de la aviación comercial. Se retiró en 1967 tras haber asistido a la introducción de los reactores en la producción de la compañía, de la que continuó siendo el presidente honorífico hasta su muerte, en 1981. Hoy, además de sus conocimientos técnicos, también se recuerdan su ingenio y su realismo. A Douglas se le atribuye la afirmación «cuando el peso del papeleo sea igual al peso del avión, el avión volará».

Lockheed

Otro rival de Boeing y Douglas en la pugna por adueñarse del mercado de la aviación comercial fue Lockheed, una compañía fundada en 1926. Allan Haines Loughead, que en 1934 se cambió el apellido por el de Lockheed, era el más pequeño de cuatro hermanos y entró en el negocio aeronáutico inspirado por el libro *Vehicles of the Air,* publicado en 1909 por uno de sus hermanos. En 1912, Allan y su hermano Malcolm construyeron un hidroavión que convirtieron en el taxi aéreo de la bahía de San Francisco. A 10 dólares el trayecto,

Derecha: *William E. Boeing (1881-1956) en una foto de noviembre de 1938.*
Abajo: *Donald Wills Douglas (1892-1981).*

el negocio no resultaba rentable; sin embargo, empezó a progresar al cabo de cuatro años gracias a la creación de la Loughead Aircraft Manufacturing Company. Por aquel entonces, la empresa contaba entre sus empleados con un gran estadístico y diseñador llamado John K. «Jack» Northrop, que más tarde fundaría su propio negocio, englobado actualmente en el consorcio Northrop-Grumman.

La Primera Guerra Mundial terminó demasiado deprisa para Loughead. Aunque la Marina pareció interesarse por su hidroavión F-1, al Ejército de Tierra no le convenció la versión terrestre, denominada F-1A. En la posguerra, la venta de los aviones excedentes del ejército estadounidense a un bajo precio (300 dólares, por 2.500 de los aviones nuevos) afectó gravemente a compañías como Loughead. Loughead y Northrop perseveraron y en 1926 diseñaron un monoplano de gran velocidad para el transporte de pasajeros. Para poner en marcha el proyecto hacía falta un buen respaldo financiero. Un hombre de negocios local, Fred S. Keeler, aportó 22.500 dólares de los 25.000 necesarios para crear la Lockheed Aircraft Corporation, que nació en diciembre de 1926. El Lockheed Vega fue el primer modelo producido por la empresa y vio la luz en un período en que la travesía del Atlántico desde Nueva York a París efectuada por Charles Lindbergh había despertado un renovado interés por la aviación. El Vega fue el avión elegido por muchos pioneros, entre ellos Amelia Earhart y Wiley Post.

Durante la década de 1930, Allan Lockheed fundó ulteriores industrias aeronáuticas en California. Tras la Segunda Guerra Mundial, Lockheed fue consultor en varias compañías, y con la Lockheed Aircraft Corporation mantuvo tan sólo un vínculo informal hasta su muerte, ocurrida en 1969.

Ferdinand von Zeppelin y el desarrollo del dirigible

Como tanta otras aeronaves, el dirigible se desarrolló primero para fines militares. Aunque ya se habían llevado a cabo experimentos en todo el mundo, los mayores logros se alcanzaron en Alemania, gracias al esfuerzo del conde Ferdinand von Zeppelin. Hacia 1874, ejerciendo de ingeniero en el ejército alemán, el joven teniente se había interesado por los dirigibles tras la lectura de un escrito del director general de Correos de Alemania titulado *Correo mundial y transporte en dirigible*. Después del vuelo de Renard y Krebs en Francia y de haber estudiado el uso de aerostatos en guerras como la de Secesión estadounidense o la franco-prusiana, el desarrollo del dirigible adquirió un carácter de urgencia en la mente de Zeppelin. Tras abandonar el ejército en 1890, Zeppelin centró su atención en el diseño de dirigibles. Su primer modelo apareció tres años más tarde y atrajo el interés del Ministerio de la Guerra alemán, pero los dos motores Daimler de 11 CV de la aeronave fueron considerados insuficientes para suministrar la potencia adecuada y el gobier-

Abajo: *El hidroavión Loughead F-1 podía transportar 10 pasajeros a una velocidad máxima de 135 km/h.*
Página siguiente: *El dirigible de Renard y Krebs sobrevuela la Exposición Universal de París de 1889.*

no decidió no invertir en el proyecto. No obstante, un personaje del ministerio, el profesor Müller-Breslau, propuso un diseño en forma de cigarro que se emplearía en todos los dirigibles posteriores; aún así, se conocerían como zepelines.

Los dos siguientes dirigibles de Von Zeppelin, el *LZ.1* y el *LZ.2*, fallaron por problemas de motor e inestabilidad; sin embargo, el *Luftschiff Zeppelin N.º 3 (LZ.3)* recibió la aprobación y el apoyo del gobierno. En 1907, a raíz de un vuelo de 97 km y un récord de resistencia de ocho horas seguidas en el aire, la Comisión de Dirigibles concedió a Von Zeppelin medio millón de marcos alemanes para construir un modelo capaz de volar 700 km y 24 horas de forma ininterrumpida. El *LZ.4* fue el dirigible más grande construido, pero sufrió problemas de motor similares a los que habían afectado al *LZ.1* y *LZ.2*. Por añadidura, el *LZ.4* se incendió tras estrellarse durante un vuelo de prueba en 1908. Gracias a su persistencia, Von Zeppelin logró reunir seis millones de marcos procedentes de donaciones privadas para continuar su trabajo. Así, pudo construir dos dirigibles más para el ejército alemán, aunque éste perdió interés en ellos.

Desde aquel momento, Von Zeppelin apostó por el mercado comercial. La seguridad mostrada

El dirigible LZ.127 Graf Zeppelin *sobrevuela el aeropuerto berlinés de Tempelhof.*

El Graf Zeppelin *toma tierra en Friedrichshafen, junto al lago de Constanza, a la vuelta de un viaje a Estados Unidos.*

por los aparatos no era muy alta –más de la mitad de ellos se habían estrellado–, pero había un entusiasmo general entre la población que se reflejó en la construcción masiva de hangares en varias ciudades alemanas con vistas a futuros vuelos comerciales. En este contexto, en noviembre de 1909 se fundó la Deutsche Luftschifffahrts-Aktiengesellschaft (DELAG) (Sociedad Anónima Alemana para los Vuelos en Dirigible) y se construyó el dirigible *Deutschland,* que realizó su vuelo inaugural el 22 de junio de 1910. El primer servicio regular partió de Friedrichshafen en 1910 y transportó un total de 34.000 pasajeros durante los cuatro años anteriores a la Primera Guerra Mundial. En 1912, el zepelín volvió a atraer la atención del ejército alemán, que decidió convertirlo en un arma aérea.

El conde Von Zeppelin murió durante la Primera Guerra Mundial, pero su empresa siguió adelante. Al terminar la contienda, no obstante, la Comisión Interaliada de Control confiscó la compañía y le exigió compensaciones por las destrucciones causadas por sus dirigibles. Aquello parecía ser el final de Zeppelin, pero no fue así: en vez de indemnizar a Estados Unidos con 800.000 dólares, Zeppelin, dirigida por Hugo Eckener, construiría para ellos un dirigible. El *LZ.126* (más tarde *ZR-3 Los Angeles*) podía contener 71.990 m^3 de hidrógeno y era propulsado por cinco motores Maybach de 340 CV. El *LZ.126* se entregó al ejército estadounidense el 15 de octubre de 1924 en Lakehurst (Nueva Jersey). Poco después, Zeppelin comenzó a trabajar en una versión de mayor tamaño: el *LZ.127 Graf Zeppelin.*

El desastre del R.101: el día en que acabó el gran sueño

En 1924, el Reino Unido decidió emprender un programa de investigación dotado con 1.350.000 libras esterlinas para producir dos dirigibles de gran tamaño. Los dos aparatos se denominaron R.100, de cuya construcción debía encargarse Airship Guarantee Company (una filial de Vickers), y R.101, a cargo el Ministerio del Aire en Cardington. El R.101 efectuó su vuelo inaugural en octubre de 1929, pero sin demasiado éxito, ya que en ningún momento pudieron funcionar todos los motores a la vez. Otro problema del R.101 fueron las continuas roturas en el revestimiento del dirigible y la falta de tiempo para repararlas debidamente. Ajeno a las miradas de la opinión pública, el equipo técnico que desarrollaba el R.100 –que contaba con la colaboración entre otros de Barnes Willis– trabajó sin presión y logró fabricar un aparato de mayor calidad. A raíz de la gran depresión económica en Estados Unidos, empezaron a circular rumores de que sólo se mantendría la fabricación de uno de los modelos. El R.100 era mejor, pero el R.101 partía como favorito en las apuestas, hecho que se puso claramente de manifiesto cuando *lord* Thomson, ministro del Aire y futuro virrey de la India, comunicó al equipo del R.101 de que a finales de septiembre de 1930 quería viajar a aquel país a bordo del dirigible. *Sir* Sefton Brancker y el teniente coronel Colmore, director de la Aviación Civil y del Desarrollo de Dirigibles respectivamente, advirtieron a Thomson de que el R.101 todavía no era apto para volar, pero el ministro se mantuvo inflexible.

El 4 de octubre, el R.101 levantó el vuelo en dirección a la India con 54 personas a bordo, entre pasajeros y tripulantes. A las 2:05 h del 5 de octubre de 1930, el aparato emprendió un pronunciado descenso que se logró corregir con rapidez soltando lastre. Sólo tres minutos más tarde, un descenso todavía mayor hizo que el dirigible rozara una colina cercana a Beauvais (Francia) y que el hidrógeno de la aeronave explotara. Sólo hubo seis supervivientes: entre los fallecidos, *lord* Thomson y *sir* Sefton Brancker.

El accidente del R.101 interrumpió el programa británico de dirigibles rígidos. Siete años más tarde, a raíz del incendio del *Hindenburg* en Nueva Jersey, se pensó en retirar del servicio todos los dirigibles, pero Zeppelin continuó experimentando con helio hasta el estallido de la Segunda Guerra Mundial.

El espacioso y lujoso interior del R.100: los pasajeros exigían confort en sus trayectos. En las escaleras puede verse al novelista e ingeniero del R.100 Nevil Shute.

El R.101 del Ministerio del Aire británico fue promovido por el gobierno y entró en servicio demasiado pronto. La prisa resultó fatal.

Los restos del R.101 después de estrellarse en Beauvais el 5 de octubre de 1930.

El dirigible LZ.129 Hindenburg, *con rumbo a Lakehurst (Nueva Jersey), pasa junto al Empire State Building el 8 de agosto de 1936.*

El *Graf Zeppelin* y el *Hindenburg*

El *Graf Zeppelin* era el orgullo de la Deutsche Zeppelin Reederei (Aerolínea Alemana Zeppelin) de Hermann Göring, fundada en marzo de 1935, pese a no ser lo bastante rápido como para competir con los aviones que efectuaban el mismo vuelo transatlántico. Los 5 motores de 540 CV del *Graf Zeppelin* permitían una velocidad de crucero de tan sólo 116 km/h. Zeppelin debía aumentar la velocidad, así como la seguridad. En lo que a ésta atañe, se prefería el helio al hidrógeno, por ser menos inflamable, aunque hacía que el dirigible fuera más pesado; además, una aeronave llena de helio de dimensiones similares a las del *Graf Zeppelin* debía reducir su carga útil en varias toneladas. Con todo, los trabajos en este gigantesco dirigible dieron comienzo, y se esperaba que Estados Unidos suministraría el helio necesario. Por desgracia, éste no llegó, y el *LZ.129 Hindenburg* (243 m de largo) debió llenarse de hidrógeno. En marzo de 1936, el *Graf Zeppelin* y el *Hindenburg* efectuaron vuelos sobre Berlín

Arriba: *El* Hindenburg *en uno de sus puntos de aterrizaje en Norteamérica durante 1936.*
Izquierda: *Una de las fotografías más famosas del siglo* XX*: el incendio del* Hindenburg *en Lakehurst el 6 de mayo de 1937.*

con fines publicitarios. Con estos dos colosales dirigibles, los gobiernos alemán y estadounidense crearon la German-American Zeppelin Transport Corporation, con la intención de que posteriormente se agregaran a su flota dos dirigibles de procedencia norteamericana.

El 4 de mayo de 1937, el *Hindenburg* salió de Frankfurt del Main para llevar a cabo su habitual travesía transatlántica. Dos días más tarde, mientras aterrizaba en Lakehurst, fotógrafos y periodistas intentaban captar el entusiasmo despertado por este acontecimiento. Todo empezó a torcerse cuando la tripulación de tierra amarró el *Hindenburg*. Un relámpago en la popa, causado por el chisporroteo de gases filtrados, hizo explotar el hidrógeno y el dirigible se incendió. La popa chocó contra el suelo, a la que le siguió la proa. Mientras una emisora de radio narraba el espantoso accidente a toda la nación, los pasajeros que sobrevivieron al fuego intentaban saltar a tierra entre la chatarra. Sorprendentemente, 62 de los 97 ocupantes de la aeronave sobrevivieron. Después de que una comisión de investigación formada por miembros de los dos países revelara la causa del accidente, Estados Unidos empezó a vender helio a Alemania; sin embargo, este suministro se interrumpió a raíz de la anexión germana de Austria en marzo de 1938.

Aunque las aeronaves se mostraban como una de las formas de transporte más seguras, los globos y dirigibles aerostáticos debieron esperar más de medio siglo hasta recuperar por completo su estatus de transporte comercial.

LOCKHEED
"VEGA"

la época dorada de las aventuras aéreas

los innovadores y los ases de la aviación

Los pioneros y los primeros grandes empresarios aeronáuticos demostraron que con los aviones y los dirigibles se podía volar y hacer dinero. Por su parte, los innovadores y los ases de la aviación de la primera mitad del siglo XX impulsaron al máximo la locomoción aérea –tanto en tiempos de guerra como de paz– y enseñaron al mundo de lo que eran capaces.

Izquierda: *Un icono para una generación. En mayo de 1932, Amelia Earhart se convertía en la primera mujer en cruzar el Atlántico en solitario, y lo hizo al mando de su* Lockheed Vega. Arriba: *Capaz de alcanzar los 170 km/h, el* Albatros C.VII *era un excelente aparato de reconocimiento. Alemania también empleó otros* Albatros *como aviones de caza entre 1916 y 1917.*

Al estallar la Primera Guerra Mundial en 1914, muchos pensaron que el conflicto terminaría antes de Navidad, y otros tantos creyeron también que las grandes potencias europeas decidirían la guerra en gloriosas cargas de caballería. En esta visión del arte de la guerra, la aviación –y más tarde los tanques– eran una complicación innecesaria. El temprano desarrollo de la aviación en la Primera Guerra Mundial fue casi accidental, ya que el empleo de aviones se limitó inicialmente a misiones de reconocimiento y de localización de objetivos para la artillería.

Los cazas fueron concebidos para derribar los aviones de reconocimiento enemigos, y los bombarderos, para destruir las bases de estos cazas y aviones. Los inicios de la aviación militar se desarrollaron según el principio de acción y reacción; no obstante, a pesar de que este proceso se llevó a cabo sin ningún plan preconcebido y de que pocos sabían claramente qué implicaba, las mejoras que acarreó fueron reales e importantes.

Los aviones de reconocimiento resultaron de gran valor en los compases iniciales de la guerra, en los que el ejército alemán se adentró con gran peligro en territorio francés.

Roland Garros pilota un caza monoplano Morane-Saulnier. Los deflectores metálicos de las aspas propulsoras las protegen de las balas de la ametralladora.

Los aviones de reconocimiento de ambos lados suministraban información y pruebas fotográficas de las posiciones enemigas que debían bombardearse. Lo difícil de la tarea era llevar la información con rapidez a los cuarteles generales, una labor que en los primeros momentos se efectuó lanzando mensajes escritos sobre las posiciones propias. Más tarde, las comunicaciones por radio facilitaron la labor.

Problemas con las ametralladoras

Los primeros cazas eran simples aviones de reconocimiento sin ametralladora, un arma que se había revelado letal en las trincheras pero que resultaba difícil de instalar en los aparatos. Lo ideal era colocarla a lo largo del eje central del avión, para que el piloto pudiera apuntar directamente y apretar el gatillo. Había tres opciones: montar el arma en aviones de hélice trasera –una elección que se descartó rápidamente por su inadecuado rendimiento, instalarla sobre el ala superior de un biplano o bien sobre el capó del motor. Las dos últimas alternativas presentaban dificultades evidentes. La primera conllevaba que el piloto soltase los mandos para disparar y el más que probable descontrol del aparato. Los biplazas, que permitían al piloto permanecer al mando mientras el navegador disparaba, no tenían este problema, pero eran más pesados y menos maniobrables. La posición de la ametralladora sobre el motor, aunque más conveniente para el piloto, presentaba un serio incon-

Arriba, imagen superior: *Los aviones como el Bristol F.2B contaban con un motor auxiliar de arranque, como el modelo de automóvil Ford T.*
Arriba, imagen inferior: *El Fokker E.II fue el segundo de los cazas de Anthony Fokker en incorporar un mecanismo interruptor para la ametralladora, situada en la parte delantera.*

veniente: las balas hacían añicos la hélice, ya que ésta se encontraba en plena línea de tiro. Los ingenieros franceses y alemanes atacaron el problema de forma diferente: los primeros rediseñaron la hélice y los segundos, la ametralladora. Así, el francés Morane-Saulnier adosó unos deflectores de acero a las palas de las hélices para desviar la trayectoria de las balas. Por otro lado, Anthony Fokker construyó un mecanismo interruptor que sincronizaba el fuego de la ametralladora con el funcionamiento del motor, de manera que la salida de las balas se interrumpía cuando la hélice pasaba delante del cañón. En 1915, el monoplano Fokker E (la «E» corresponde a la inicial de *eindecker,* «monoplano» en alemán) se convirtió en el primer avión con la ametralladora sincronizada.

En teoría, los cazas británicos y franceses eran superiores a los Fokker E, pero el mecanismo inte-

Sir Thomas Sopwith: del *Tabloid* al *Snipe*

Thomas Sopwith fue en la Royal Navy británica lo que Glenn Curtiss fue en la Marina estadounidense. Thomas Octave Murdoch Sopwith se interesó por primera vez por la aviación en 1910 y durante los cuatro años siguientes regentó una escuela de vuelo por las que pasaron muchos de los mejores aviadores británicos. Al estallar la guerra, no había una industria aeronáutica capaz de producir todos los aviones que necesitaban las fuerzas aliadas. Este vacío vinieron a llenarlo Thomas Sopwith y la Sopwith Aviation Company, empresa radicada en Kingston-upon-Thames.

Durante los cuatro años que duró la Primera Guerra Mundial, Sopwith construyó un total de 18.000 unidades correspondientes a 16 modelos de aviones. El primero de ellos fue el Tabloid, aparecido en 1913 y empleado en misiones de reconocimiento por la Fuerza Expedicionaria Británica en Francia y Bélgica. Sólo se construyeron 40 unidades, que, a pesar de todo, dieron paso al Sopwith Schneider, vencedor del Trofeo Schneider en 1914 tras alcanzar una velocidad de 148 km/h. El Schneider, a su vez, inspiró al Sopwith Baby, cuya producción comenzó en noviembre de 1914. El Baby era un hidroavión que entró al servicio del Royal Naval Air Service (RNAS) combatiendo contra dirigibles alemanes con dardos incendiarios Ranken lanzados manualmente.

El famoso Sopwith Pup, el primer caza británico en incorporar una ametralladora con un mecanismo interruptor, entró en combate en septiembre de 1916. Era un avión muy simple, con un motor de 80 CV, y fue encargado por el RNAS para utilizarlo en el desarrollo de portaaviones; permaneció en servicio hasta finales de 1917. El Pup salió bien parado de sus enfrentamientos con su principal enemigo, el Halberstadt D.II, ya que era mucho más maniobrable que el aparato alemán. Poco después, Sopwith experimentó con el diseño de un triplano para proporcionar al avión una mayor sustentación. El Triplane de alas cortas era muy maniobrable e indujo a Fokker a fabricar el Dr.I. El sucesor del Triplane fue posiblemente el caza británico más famoso de la guerra, el Camel, llamado así por la joroba que formaban las dos ametralladoras sincronizadas que sustentaba el carenado del motor. El Camel entró en combate en julio de 1917, y los 5.140 ejemplares construidos lograron derribar más de 1.200 aviones enemigos.

El mejor avión de los aliados en el frente occidental, el Snipe, también fue obra de Sopwith. Tenía un motor en estrella Bentley de 230 CV que le permitía volar a una velocidad y altitud superiores a las de su predecesor. Se fabricaron unas 500 unidades durante la guerra y unas 1.000 más prestaron servicio en la RAF hasta de la retirada del aparato en 1927.

Thomas Sopwith recibió el título de *sir* en 1953.

Arriba: *Un Sopwith Camel despega de la cubierta del buque de apoyo de aviones HMS* Pegasus *el 1 de noviembre de 1919.*
Abajo: *El primer avión de Thomas Sopwith, el impresionante Tabloid. Esta fotografía fue tomada en Mónaco en 1914.*

Arriba: *Durante la Primera Guerra Mundial entraron en acción 500 Sopwith Snipe, considerado por muchos como el mejor caza del frente occidental.*
Página anterior: *El Sopwith Camel F.1 fue uno de los cazas más famosos de la Primera Guerra Mundial.*

El éxito del Sopwith Triplane (en la imagen se observa una réplica) hizo que Fokker construyera su triplano Dr.I «Dreidecker».

rruptor otorgaba al avión alemán una ventaja táctica sustancial. El diseño del motor y del fuselaje también experimentó rápidos progresos. El suizo Marc Birkigt trató de mejorar grupos motores previos situando los ocho cilindros de su motor en forma de «V». Una entrada de aire frontal circular facilitaba la refrigeración del motor. El mejor caza para emplear este grupo motor fue el SPAD S.VII, que podía alcanzar una velocidad de 222 km/h. Entre los cambios efectuados en el motor figuró también el del mecanismo de arranque. Al principio de la guerra, el motor de 100-130 CV del Avro 504K se ponía en marcha haciendo girar manualmente la hélice. Cuando la potencia de los motores aumentó a 200-300 CV, el giro manual no era lo bastante potente como para arrancar el motor, de ahí que en varios aviones, entre ellos el caza F.2A/B Bristol, se emplearan dispositivos como motor auxiliar de arranque, recurso también utilizado por el Ford T. Por lo que respecta al desarrollo del fuselaje, pronto se comprendió que los cazas más manejables eran los de ala corta.

El problema de las alas cortas es que producen menor fuerza ascensional. La solución británica fue el Sopwith Triplane, cuyas tres alas proporcionaban una mayor fuerza. De características muy similares era el famoso Fokker Dr.I «Dreidecker» (triplano).

La aviación de la Primera Guerra Mundial alcanzó la cima tecnológica con el Sopwith Snipe británico –casi medio millar de de los cuales fueron construidos hacia el final de la guerra– y con el Fokker D.VII alemán, empleado por la legendaria *Jagdgeschwader* I (Ala de Combate 1) de Manfred von Richtofen después de su muerte. Estos dos aparatos incorporaban todo el saber de la época sobre motores y diseño aerodinámico y fueron dignos adversarios en los cielos de Francia en 1918.

Los ases

En Francia, el título de «as de la aviación» se otorgaba a cualquier piloto que hubiera logrado cinco o más derribos, y se utilizó como reclamo publicitario para despertar el entusiasmo popular por los combates aéreos. Estados Unidos también empleó

Izquierda: *El capitán Albert Ball, as británico de la aviación. Antes de encontrar la muerte a la edad de 20 años, Ball consiguió 47 victorias.* Abajo: *Eddie Rickenbacker en el puesto de pilotaje de su SPAD. Rickenbacker logró 26 victorias en menos de un año.*

este concepto, pero los británicos en un principio lo rechazaron, al creer que la distinción de un piloto por encima de otro podía dañar el espíritu de equipo. El primer as de la guerra fue el teniente alemán Max Immelman, el «Águila de Lille», quien consiguió 15 victorias antes de ser derribado con su monoplano Fokker E.I en junio de 1916. Manfred von Richthofen, conocido como el «Barón Rojo», era implacable, así como el primer as británico, que también fue muy agresivo. El capitán Albert Ball fue famoso por sus cargas frontales contra el enemigo, que requerían mucha habilidad y un enorme valor. Ball pilotó el Nieuport 17, un avión de reconocimiento francés con una ametralladora Lewis montada en el ala superior. El 6 de mayo de 1917, cerca de Lens, se halló su cuerpo, sin heridas de bala, junto a la chatarra de su avión. Aún no había cumplido 21 años y ya había conseguido 47 victorias. Los registros más altos de entre los ases aliados los lograron el capitán René Paul Fonck, el comandante Edward «Mick» Mannock y el capitán Edward Vernon Rickenbacker. El francés Fonck, con 75 derribos, fue el piloto más laureado de la guerra después del «Barón Rojo», y desafió a Charles

Manfred von Richthofen, el as de la aviación más famoso de la historia.

Manfred von Richthofen: el «Barón Rojo»

Por encima de todos los ases de la aviación sobresale Manfred von Richthofen, conocido como el «Barón Rojo», *der rote Kampfflieger* («el piloto de combate rojo»), *le petit rouge* («el pequeño rojo») o *the Red Baron*. Nacido el 2 de mayo de 1892, Manfred, hijo del comandante Albrecht von Richthofen, estuvo destinado desde el principio a la carrera militar. Portentoso atleta, Manfred entró en servicio en abril de 1911 y se alistó al 1er Regimiento de Ulanos como oficial de caballería.

Los encharcados suelos de los campos de batalla del frente occidental no permitían gloriosas cargas de caballería y Richthofen decidió buscar otras oportunidades para lucirse. El Ejército del Aire parecía todo un desafío. Tras conocer a su héroe, Oswald Boelcke, Manfred se alistó a la *Fliegertruppe* en 1915. Boelcke era el padre del vuelo en formación de combate y dejó su legado a sus protegidos en la obra *Dicta Boelcke,* que incluye instrucciones sobre cómo y cuándo atacar la aviación enemiga y acerca de cómo proteger a otro compañero durante el combate aéreo. Aunque se estrelló con el avión en su primer vuelo en solitario, en octubre de 1915, Richthofen logró convertirse en un estupendo piloto y en un tirador de gran puntería. Sus primeras victorias tuvieron lugar en el verano de 1916, aunque éstas no contaron porque sus víctimas se estrellaron más allá de las líneas aliadas y jamás pudieron confirmarse. El primer derribo probado se produjo poco más tarde, en septiembre de 1916, un mes antes de que Boelcke muriera en una colisión en el aire. Alemania tenía un nuevo héroe.

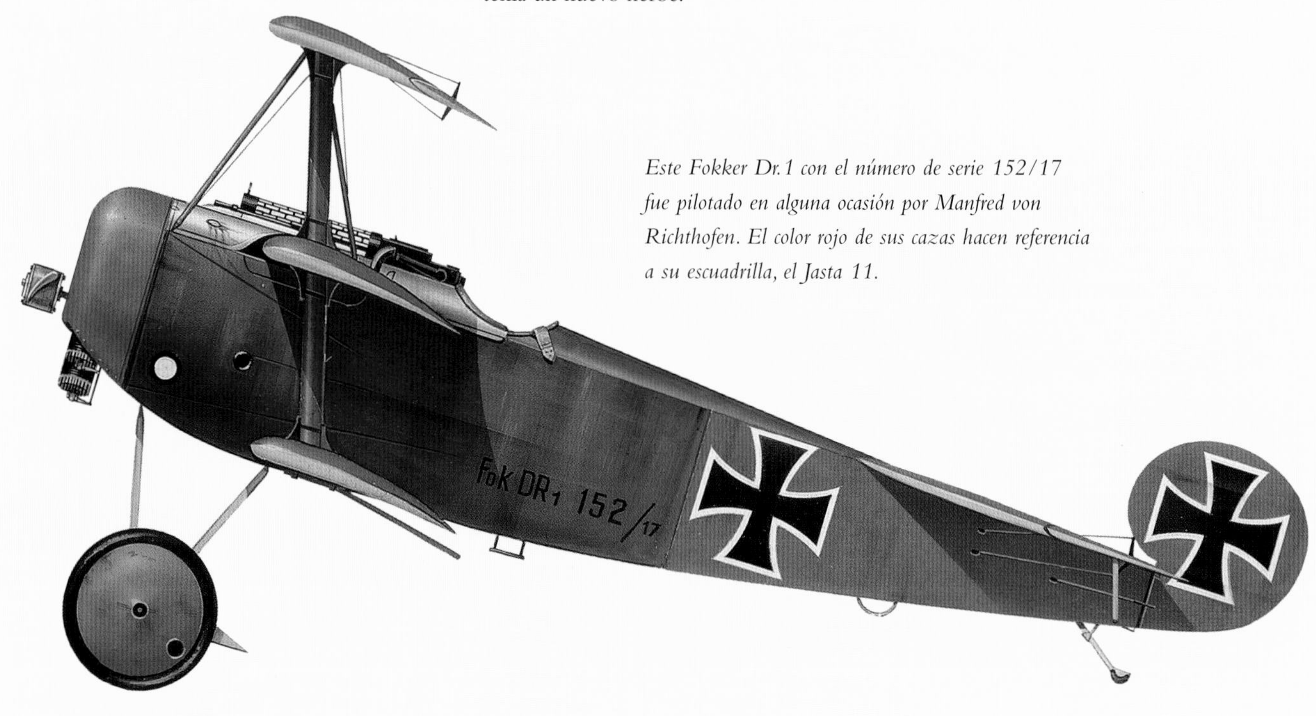

Este Fokker Dr.1 con el número de serie 152/17 fue pilotado en alguna ocasión por Manfred von Richthofen. El color rojo de sus cazas hacen referencia a su escuadrilla, el Jasta 11.

En enero de 1917, con 16 victorias confirmadas, Richthofen fue condecorado con la Cruz del Mérito, la medalla militar más prestigiosa de la Alemania imperial, como el mejor as de la aviación germana vivo. Al mando del Jasta 2, Richthofen pintó parte de su Albatros D.III de color rojo, de ahí su apodo «Barón Rojo». La razón de esto es una polémica aún no cerrada: podía ser para que las tropas alemanas le reconociesen y no le disparasen por error, por la sangre de sus víctimas o en honor a su antiguo regimiento de caballería, cuyo color también era el rojo. La reacción de algunos pilotos británicos fue pintar la «nariz» de sus aviones de ese mismo color, como señal amenazante de que iban en busca del «Barón Rojo».

El «Barón Rojo» en su puesto de pilotaje. Richthofen fue abatido el 21 de abril de 1918, mientras combatía contra un Sopwith Camel por detrás de las líneas enemigas.

En 1917, Richthofen cambió de avión y pasó a pilotar el famoso Fokker Dr.I Triplane. Aunque durante la guerra «manejó» varios aviones, el nombre de Richthofen va asociado al del Dr.I, ya que fue el único avión pintado enteramente de rojo.

El final de este as de la aviación tuvo lugar el 21 de abril de 1918, mientras perseguía el Sopwith Camel del teniente Wilfred May sobre territorio aliado. Ignorando sus propias instrucciones, el «Barón Rojo» se adentró peligrosamente en el campo francés; allí, el capitán canadiense Arthur «Roy» Brown consiguió situarse en la cola del avión de Richthofen. El cazador, resultó cazado. Richthofen viró para desprenderse de su acosador, pero fue alcanzado en el pecho y su Fokker cayó a tierra. Se ignora todavía quién fue el autor del tiro letal. Algunos creen que fue una batería antiaérea australiana situada en tierra, otros, una ráfaga disparada desde lejos por el capitán Brown. Aunque la pregunta ha quedado sin respuesta, el hecho es que el «Barón Rojo» fue enterrado por sus enemigos con honores militares, como muestra de respeto hacia el mayor as de la aviación de la Primera Guerra Mundial, con 80 victorias en combate aéreo.

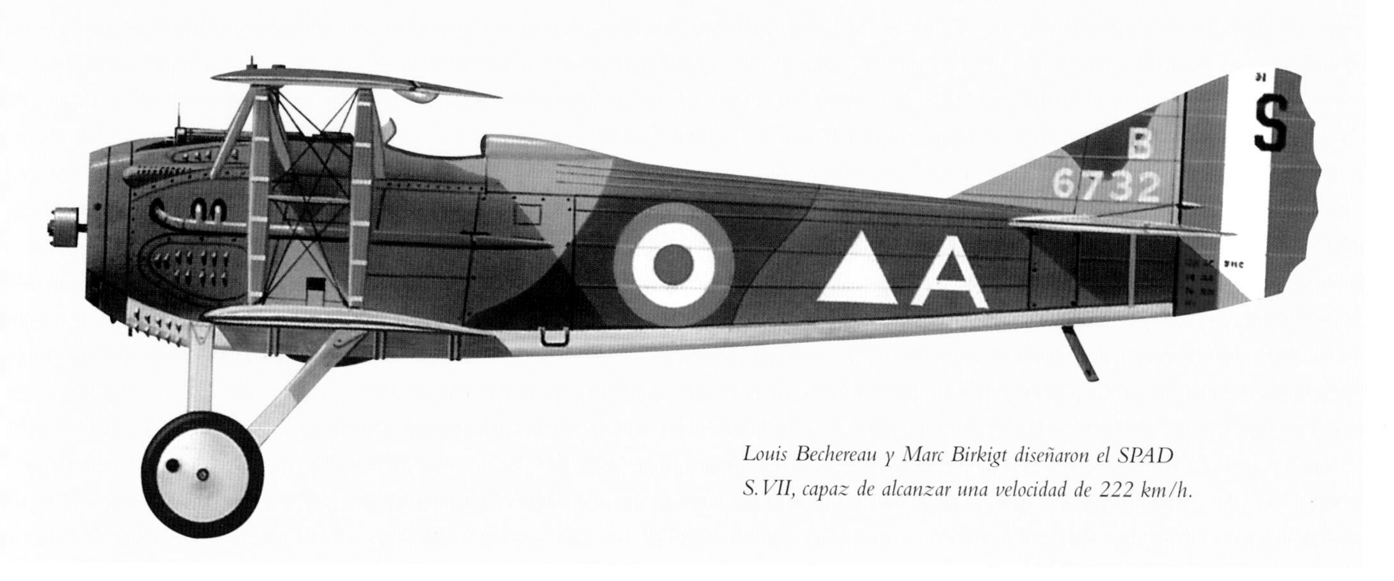

Louis Bechereau y Marc Birkigt diseñaron el SPAD S.VII, capaz de alcanzar una velocidad de 222 km/h.

Un bombardero Sikorsky Ilya Murometz en 1914. Obsérvense la potencia y la estabilidad del aparato, que permiten a los dos hombres mantenerse de pie en el fuselaje.

Lindbergh a un vuelo de Nueva York a París en 1927. A Mannock se le reconocen 73 victorias, aunque él atribuyó algunas de ellas a los pilotos más jóvenes de sus escuadrillas para levantarles la moral. Mannock planificaba sus vuelos hasta el más ínfimo detalle; nunca fue objeto de ningún ataque por sorpresa y se le consideró el mejor jefe de escuadrilla aliado. Su avión se incendió en el aire en julio de 1918 y su cuerpo no fue hallado jamás.

Aunque Estados Unidos no entró en el conflicto hasta 1917, Rickenbacker logró 26 derribos en menos de un año. Automovilista en sus comienzos, se hizo ingeniero al estallar la guerra. Entró a formar parte del Escuadrón Aéreo 94 en marzo de 1918, de modo que consiguió todas sus victorias en tan sólo ocho meses. Más tarde, Rickenbacker entró al servicio de Eastern Air Lines, antes de participar en misiones de combate durante la Segunda Guerra Mundial como observador y consultor.

Los primeros bombarderos

Hacia 1914-1915 los estrategas militares valoraron las posibilidades de la aviación y observaron que el único modo para detener los aviones de reconocimiento y de caza enemigos era destruir las bases donde se encontraban. En la primera fase de la guerra, los pilotos llevaban armas ligeras para defenderse de eventuales ataques en el aire o para usarlas en tierra en el caso de ser derribados. El paso siguiente fue llevar bombas ligeras (los pilotos franceses ya lo habían ensayado antes de la guerra).

El primer bombardero concebido como tal fue el Bolshoi Baltisky B, fabricado en Rusia justo antes de estallar la guerra. No obstante, era demasiado lento (85 km/h) para combatir, de ahí que sólo se construyeran seis ejemplares. Más potente resultó el cuatrimotor Ilya Murometz V, capaz de volar a 125 km/h y de transportar una carga de 508 kg. Los bombarderos británicos y franceses eran demasiado pequeños e ineficaces, no así los italianos, con sus excelentes Caproni. Los bombarderos de Gianni Caproni fueron los mejores de la guerra, y su Ca.46 fue la culminación de muchos años de investigación y desarrollo. Este biplano trimotor volaba con dos ametralladoras rotativas y hasta 500 kg de bombas a una velocidad máxima de 150 km/h, y tuvo tanto éxito que se concedieron licencias para construir diferentes versiones del modelo en el Reino Unido, Francia y EE.UU., además de los 225 ejemplares construidos en Italia durante la guerra.

En un primer momento, Alemania empleó dirigibles a modo de bombarderos. El Alto Mando ale-

Arriba, imagen superior: *El bombardero A.E.G. G.V/18.*
Arriba, imagen inferior: *El Gotha G.V albergaba una carga útil de 500 kg y poseía una autonomía de 835 km.*

Derecha: *Los grandes aviadores aparecían en anuncios por todas partes. Amelia Earhart (también conocida como la Sra. Putnam) y Wiley Post aparecen representados en unos cromos que se podían adquirir con los cigarrillos Carreras.*

Abajo: *Tras cruzar el Atlántico en 1919, el capitán John Alcock y el teniente Arthur Whitten-Brown fueron recibidos en su país como auténticos héroes.*

mán empezó a atacar Londres con estas enormes y silenciosas aeronaves en el verano de 1916. Los cazas británicos y las baterías antiaéreas terrestres sólo lograron abatir los dirigibles a partir del momento en que emplearon balas explosivas y de fósforo, que perforaban los globos y hacían explotar el hidrógeno. A finales de septiembre y principios de octubre de 1916, los dirigibles alemanes efectuaron los últimos *raids* aéreos coordinados sobre Londres, ya que la mejora de las técnicas defensivas costaron a los alemanes tres de sus zepelines de la nueva clase L.30. Los *raids* con dirigibles continuaron hasta el fin del conflicto, aunque sólo de forma esporádica.

En su lugar, los alemanes utilizaron aviones. Como refuerzo aéreo para las tropas terrestres, A.E.G. introdujo el G.IV, que volaba día y noche hostigando las líneas aliadas. Los dirigibles capaces de efectuar ataques aéreos de largo alcance procedían sobre todo de tres fabricantes: Friedrichshafen, Zeppelin y Gothaer Waggonfabrik AG. El Zeppelin Staaken R.VI fue un intento de reivindicar el papel de los bombarderos tras la retirada de los dirigibles. El gigantesco R.VI llevaba siete ametralladoras y hasta 1.996 kg de bombas. Los bombarderos más famosos de la guerra fueron los Gotha, producidos por Gothaer. El Gotha Ursinus GI, el primero de la clase G, hizo su primer vuelo en 1915, y el primer *raid* con aviones Gotha sobre Londres tuvo lugar el 13 de junio de 1917. Aunque estos bombarderos eran más difíciles de abatir que los zepelines, las incursiones aéreas sobre Londres cesaron en mayo de 1918 por la pérdida de muchos aviones en misiones de ayuda táctica en el frente en occidental.

Los innovadores

El mundo de la aviación ya no tiene nada que ver con el que conocieron los hermanos Wright hace algo más de un siglo. Esta evolución ha sido posible gracias al afán de superación de ingenieros y pilotos. La persecución de récords mundiales aceleró el ritmo del desarrollo tecnológico, y algunos especialistas en este campo, como Amelia Earhart, Alcock y Brown o Charles Lindbergh, se convirtieron en personajes muy populares.

Alcock y Brown cruzaron el Atlántico en un Vickers Vimy en 1919. Hoy en día, este avión se conserva en el Museo de la Ciencia de Londres.

Harriet Quimby: la heroína eclipsada

En una época en que los derechos de las mujeres figuraban en el primer plano de la agenda política, Harriet Quimby se convirtió en la primera mujer en obtener la licencia de piloto. Quimby nació en Michigan en 1875 y terminó estableciéndose en Nueva York como fotoperiodista en el *Leslie's Illustrated Weekly*. En octubre de 1910 conoció a John y Matilde Moisant en el Torneo Aéreo Internacional de Belmont Park, en el que John ganó la carrera alrededor de la estatua de la Libertad para el equipo estadounidense. A diferencia de la escuela de vuelo de los hermanos Wright, que no admitía mujeres, el centro que dirigían John y su hermano Alfred no impidió el ingreso de Harriet y Matilde. Había mujeres que pilotaban aviones en exhibiciones y encuentros aéreos, pero ninguna disponía de la licencia de piloto; Harriet la obtuvo el 1 de agosto de 1911.

Después de exhibirse en espectáculos aéreos, Quimby decidió emular la travesía del canal de la Mancha efectuada por Louis Blériot, pero en sentido contrario. Así pues, viajó al Reino Unido en secreto para no despertar el interés de una potencial competidora y pidió prestado uno de los N.º XI de Blériot. Harriet Quimby despegó a las 5:30 h del 16 de abril de 1912 y aterrizó a las 6:29 h a 48 km de Calais, cerca de la localidad costera de Hardelot. Su vuelo duró 20 minutos más que el de Blériot. Por desgracia, su hazaña fue eclipsada por el hundimiento del *Titanic*, ocurrido un día antes. Las celebraciones de Quimby se limitaron a un brindis con champán ofrecido por los vecinos de Hardelot, ya que la tragedia del Atlántico ocupaba los titulares de los periódicos de todo el mundo.

Al regresar a Estados Unidos, Harriet Quimby ganó hasta 100.000 dólares por cada exhibición aérea que realizaba. El 1 de julio de 1912, se presentó al Tercer Encuentro Anual Aéreo de Boston en un monoplano de dos plazas y permitió subir a un pasajero durante unas acrobacias sobre Dorchester Bay. El elegido era el director del certamen, William Willard. En plena actuación, el avión se inclinó en exceso hacia adelante y Willard salió despedido de su asiento; falleció en el acto. Sin el contrapeso de un pasajero, Quimby sólo pudo controlar momentáneamente el avión y también se estrelló contra el suelo. Hay diferentes teorías sobre qué hizo que el avión se tambalera e inclinara de tal manera: ¿el enredo de los cables de la dirección? ¿Algún movimiento brusco del pasajero Willard? No faltaron las críticas sobre la ausencia de cinturones de seguridad. Lo que sí es cierto es que en tan sólo once meses «en el aire», Harriet Quimby fue capaz de abrir el camino a otros pilotos femeninos.

Arriba: *Harriet Quimby arranca manualmente el motor de su avión.* Izquierda: *Harriet Quimby (1875-1912) fue la primera piloto con licencia y la primera mujer en atravesar el canal de la Mancha volando en solitario.*

Antes y después de la Primera Guerra Mundial, el mundo asistió a una carrera frenética de audaces pilotos por conquistar el cielo en busca de fama y récords. El periódico británico *Daily Mail* ofrecía grandes sumas de dinero a los aviadores capaces de realizar las siguientes hazañas:

Travesía del canal de la Mancha = 1.000 libras

Londres-Manchester = 10.000 libras

Vuelta aérea a Gran Bretaña = 10.000 libras

Travesía del Atlántico = 10.000 libras

El 14 de junio de 1919, el capitán John Alcock y el teniente Arthur Whitten-Brown despegaron de Terranova al mando de un bombardero Vickers Vimy cargado con 3.910 litros de combustible; su objetivo era ganar el premio por la travesía transatlántica. Tras 16 horas y 27 minutos y 3.186 km, los dos aviadores aterrizaron el 15 de junio en el condado de Galway (Irlanda).

El 12 de noviembre del mismo año, el capitán Ross Smith y su hermano, el teniente Keith Smith, salieron de Gran Bretaña para emprender un vuelo de 18.175 km a Australia, donde aterrizaron el 10 de diciembre. Por esta hazaña, los Smith reclamaron 10.000 libras. Pronto no quedó casi ninguna travesía o trayecto imaginable por desafiar, intentar y lograr. Cada uno de estos vuelos ocupaba las primeras páginas de los periódicos de todo el mundo. Sin embargo, aún quedaba un reto, un reto que debía demostrar definitivamente que viajar en avión era seguro: la travesía del Atlántico en solitario.

Charles Lindbergh y el *Spirit of St. Louis*

Charles Augustus Lindbergh nació en 1902 y desde muy joven se interesó por la tecnología en general. Empezó a estudiar ingeniería, pero no le apasionó lo suficiente y en 1922 decidió trasladarse a Nebraska para aprender a volar. En 1923, adquirió un Curtiss Jenny y empezó a practicar acrobacias aéreas tales como pasearse por las alas de un avión o lanzarse en paracaídas. Un año más tarde, se inscribió en la escuela de vuelo del Ejército del Aire estadounidense en San Antonio (Texas), en la que se graduó con el número uno de su promoción en 1925. Siendo aún miembro del Ejército del Aire, Lindbergh empezó a trabajar como piloto en vuelos postales entre Chicago y St. Louis.

Poco después, Lindbergh se sintió atraído por los récords aéreos. En 1919, el hotelero Raymond Orteig había ofrecido 25.000 dólares al primer piloto capaz de volar de Nueva York a París sin realizar escalas. La obsesión de toda una nación acabó siendo también la de Lindbergh. René Fonck, piloto de caza francés durante la Primera Guerra Mundial, ya había efectuado algunos intentos infructuosos en 1926. Lindbergh se lanzó en busca de apoyos financieros.

Con el respaldo financiero de un grupo de empresarios de St. Louis, Lindbergh intentó llegar a un acuerdo con Charles Levine por el uso de su Wright Bellanca. No obstante, el trato nunca se

Un vuelo de prueba del Spirit of St. Louis *sobre San Diego (mayo de 1927).*

Spirit
of
St. Louis

Página anterior: *La primera travesía aérea del Atlántico: Charles Lindbergh con el* Spirit of St. Louis.
Arriba: *Al tomar tierra en Le Bourget, centenares de entusiastas fueron a recibir a Lindbergh y el* Spirit of St. Louis.
Abajo: *El Fokker F. VII America de Richard Byrd. Byrd nunca alcanzó París: su intento, en junio de 1927, terminó cuando debió efectuar un aterrizaje forzoso cerca de Ver-sur-Mer, en medio de una densa niebla.*

cerró por culpa de una disputa acerca de quién debía pilotar el avión. Lindbergh se vio obligado a seguir buscando patrocinadores.

En 1927, el premio de Orteig de 25.000 dólares atrajo a nuevos aspirantes. Charles Levine y Clarence Chamberlain pilotarían su *Columbia*, Fonck preparó un biplano Sikorsky, Richard Byrd un Fokker trimotor llamado *America* y Noel Davis y Stanton Wooster también entraron en el juego. Lindbergh partió hacia San Diego para pactar con la compañía Ryan la construcción de un nuevo diseño. Por 6.000 dólares más el motor, Ryan fabricaría para Lindbergh el *N-X-211 RYAN NYP*, más conocido como *Spirit of St. Louis*. Transcurridos dos meses, y con un coste final de 10.850 dólares, Lindbergh disponía del avión que le debía permitir atravesar el Atlántico.

Antes de que Lindbergh emprendiera el vuelo, los demás rivales habían probado ya sus aviones. El *Columbia* de Levine y Chamberlain rompió su tren de aterrizaje, el *America* de Byrd sufrió un fallo estructural y tres miembros de su tripulación resultaron heridos; Davis y Wooster murieron en las pruebas. Dos franceses, Charles Nungesser y François Coli, despegaron de París en mayo de 1927 a bordo de *L'Oiseau Blanc* con el fin de llevar a cabo la travesía en sentido contrario, pero nunca llegaron a Nueva York.

El carácter de monoplaza del *Spirit of St. Louis* y la consiguiente ausencia de un copiloto que pudiera relevarle obligaba a Lindbergh a encargarse también de las labores mecánicas y a mantenerse alerta durante todo el vuelo. No obstante, todo parecía ir viento en popa, pues piloto y aparato habían establecido un nuevo récord de velocidad transcontinental al volar de San Diego a Nueva York en sólo 21 horas y 20 minutos.

Derecha: *Al regresar a Estados Unidos, Lindbergh fue obsequiado con desfiles triunfales y homenajes por doquier. En la foto, el recibimiento que le dispensaron en Omaha.*
Página siguiente: *Amelia Earhart apoyada en el motor Pratt & Whitney de su Lockheed 10.*
Doble página siguiente: *El* Winnie Mae *con las etapas de su primera vuelta al mundo rotuladas en el fuselaje. Este famoso Lockheed Vega está expuesto permanentemente en el Smithsonian National Air and Space Museum.*

El 20 de mayo de 1927, con 2.050 litros de combustible y cinco bocadillos, un cansado Charles Lindbergh despegó de Roosevelt Field (Nueva York). Tras superar todos los obstáculos e inconvenientes, 33 horas y 30 minutos más tarde su avión aterrizaba en Le Bourget (París) y él se convertía en héroe de toda una nación. Poco después de su hazaña, emprendió una gira europea.

A su regreso a Nueva York, a bordo del USS Memphis, Lindbergh fue dispensado con el mayor desfile triunfal de todos los tiempos, recibió la Medalla de Honor del Congreso, fue ascendido a coronel del Ejército del Aire y recibió la Distinguida Cruz de Vuelo. Además, recibió ofertas de promociones comerciales, pero él siempre las rechazó, alegando que él era un piloto, no un anunciante. Por el contrario, empezó a escribir su historia, que se convirtió en un gran éxito de ventas. Más tarde, Lindbergh emprendió con el *Spirit of St. Louis* una gira de «buena voluntad» por las Américas. En una de las etapas, en México, conoció a su futura esposa, Anne Morrow.

Sus vuelos al mando del *Spirit of St. Louis* demostraron que el avión era un medio de transporte seguro y fiable. Las acciones de las empresas aeronáuticas subieron rápidamente y el interés del público por volar fue en aumento. En 1927, Lindbergh fue consultor técnico en la Pan American World Airways y contribuyó a la fundación de la Trans-continental and Western Airlines (TWA).

Amelia Earhart

Amelia Earhart fue otra pionera legendaria. Tras el vuelo en solitario de Lindbergh de Nueva York a París, en 1928 Earhart se convirtió en la primera pasajera femenina en cruzar el Atlántico (a bordo del *Friendship,* el hidroavión Fokker del comandante Wilmer Stultz). Earhart no se conformó con haber efectuado la travesía como pasajera y decidió hacerlo como piloto en solitario. Así, la tarde del 20 de mayo de 1932, Earhart se subió a bordo de un Lockheed Vega escarlata en Harbour Grace (Terranova), el cual le trajo no pocos problemas. Cuatro horas después del despegue, una sección del colector de escape se agrietó y empezaron a salir gases calientes, al tiempo que las llamas envolvían el capó del motor. Aunque éstas se apagaron, Earhart se percató de una fuga de combustible, a raíz de la cual su altímetro falló. Mientras ascendía para no estrellarse contra el mar, el colector acabó por romperse del todo, pero el Vega continuó su vuelo rumbo a Irlanda. Al ver que se hallaba sobre tierra firme, Earhart descendió para echar una mirada más cercana a Donegal (aunque no sabía exacta-

HAMILTON STANDARD

NR105W
THE
WINNIE MAE
OF OKLAHOMA
LOS ANGELES TO CHICAGO · 9 HRS. 9 MIN. 4 SEC. · AUG. 27. 1930
AROUND THE WORLD · 8 DAYS. 15 HRS. 51 MIN. · JUNE 23 TO JULY 1. 1931
AROUND THE WORLD · 7 DAYS. 18 HRS. 49 MIN. · JULY 15 TO JULY 22. 1933

U.S. MAIL
TWA
A·M·2
Phillips
77

Abajo, imagen superior: *Amelia Earhart y su avión en Londonderry (Irlanda del Norte), el 21 de mayo de 1932.*
Abajo, imagen inferior: *El Lockheed Vega de Earhart, de color escarlata.*

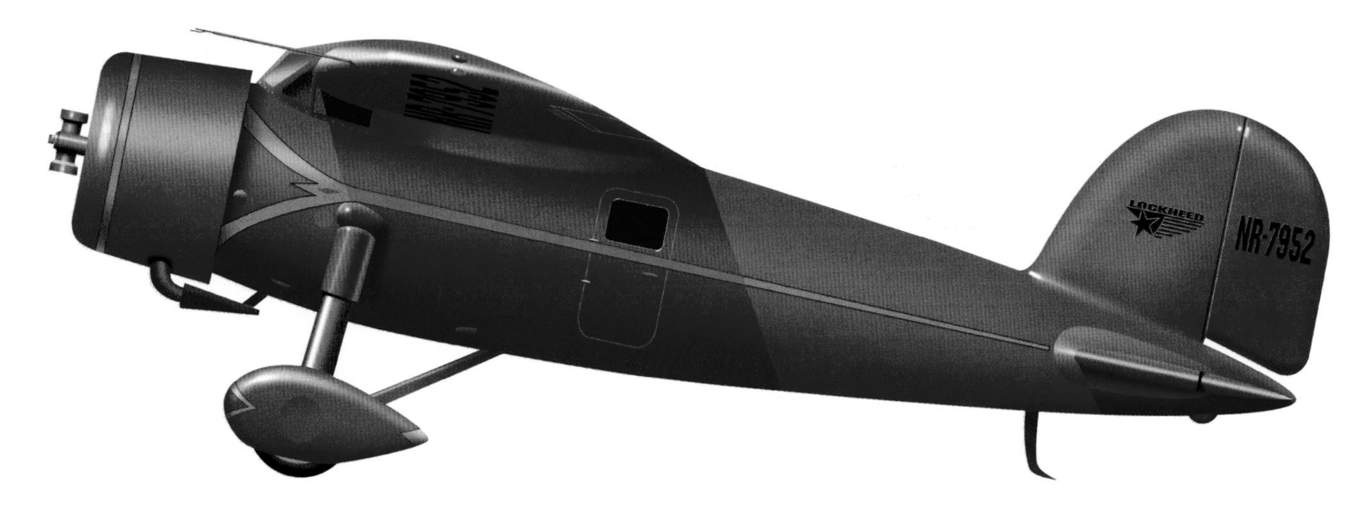

mente dónde se encontraba) antes de dirigirse hacia el norte, más allá de Londonderry. Después de 13 horas y media en el aire, Amelia Earhart aterrizó y se convirtió en la tercera persona en sobrevolar el Atlántico, la primera mujer de la historia, y además en menos tiempo que sus predecesores.

No obstante, la mera travesía del Atlántico no satisfacía por completo los deseos de Earhart, de ahí que se fijara como objetivo los récords transcontinentales estadounidenses de Ruth Nicholls. De nuevo al mando de un Lockheed Vega, Earhart despegó de Los Ángeles (California) el 24 de agosto de 1932 y aterrizó en Newark (Nueva Jersey) 19 horas más tarde tras recorrer 4.023 km. El hambre de éxitos de Earhart era insaciable. La siguiente hazaña fue el arriesgado vuelo de 3.875 km desde Honolulu (Hawai) a Oakland (California), en 18 horas y 16 minutos, llevado a cabo el 11-12 de enero de 1935.

En junio de 1937, Earhart y el capitán Fred Noonan decidieron circunnavegar el globo. El 2 de julio, tras haber cubierto más de 30.000 km y unos dos tercios de su ruta, su avión se perdió en algún lugar del océano Pacífico entre la Nueva Guinea Británica y la isla de Howland. Amelia Earhart había tomado el relevo de Harriet Quimby y consiguió llevarlo más lejos.

La circunnavegación del globo

El primer equipo en circunnavegar el globo fue el formado por Wiley Post y su tripulante Harold Gatty, y se llevó a cabo en 1931, también a bordo de un Lockheed Vega. Post nació en Texas pero acabó estableciéndose en Oklahoma. Interesado en la mecánica, trabajó en yacimientos petrolíferos hasta que un accidente le costó el ojo izquierdo. Con los 1.800 dólares de indemnización, Post compró un avión y se convirtió en el piloto personal de F.C. Hall, un magnate del petróleo. Hall, a su vez, adquirió un Vega y lo bautizó *Winnie Mae* en honor de su hija. Con este avión, el 27 de agosto de 1930 Post ganó la carrera aérea Los Ángeles-Chicago en 9 horas, 9 minutos y 4 segundos.

Wiley Post se propuso objetivos aún más ambiciosos: el 23 de junio de 1931, a las 16:55 h, él y su tripulante Harold Gatty partieron de Roosevelt Field (Nueva York) con la intención de dar la vuelta al planeta, previas escalas en Canadá, Reino Unido, Alemania, la URSS, Alaska y Canadá antes de regresar a Nueva York. A causa del mal tiempo en el Atlántico, Post debió recurrir a su instrumentación para vuelos sin visibilidad, que comprendía un horizonte artificial y un indicador de inclinación lateral y viraje. Tras las escalas en el Reino Unido y Alemania, el viaje volvió a torcerse debido a una intensa lluvia sobre Prusia Oriental, la cual dificultó el vuelo hacia Moscú. La bienvenida a la capital soviética fue más que cordial, ya que la Ossoaviakhim (Sociedad de Aviación y Defensa Química) les obsequió con una gran celebración que les robó varias horas de sueño. Los problemas no terminaron allí, ya que el repostaje del *Winnie Mae* se hizo en galones imperiales y no en galones estadounidenses, con el consiguiente sobrepeso del Vega. El vuelo no fue mejor en la siguiente escala (Blagovestchensk), ya que el avión se hundió en la pista, que era demasiado blanda. Atravesando el mar de Ojotsk, vientos huracanados obligaron a Post a volar a tan sólo 23 m por encima de las olas. En Alaska, el *Winnie Mae* volvió a tener problemas con el embarrado suelo de la pista de aterrizaje, y cuando Post aceleró para despegar, la hélice chocó contra el suelo y su punta se dobló. Una vez reparada, la hélice fue a caer sobre la cabeza de Gatty cuando éste intentaba arrancar el motor. Algo magullado, Gatty regresó a bordo y Post despegó desde una carretera cuyo firme era más sólido que el de la pantanosa pista del aeródromo. Cuando los intrépidos exploradores llegaron por fin a Nueva York, una escolta de numerosos aviones salió a saludarles. Su vuelta al mundo duró 8 días, 15 horas y 51 minutos. Como era de esperar, y en recuerdo de *La vuelta al mundo en ochenta días* de Julio Verne, el libro que se publicó sobre esta nueva hazaña se tituló *La vuelta al mundo en ocho días*. Post repitió la hazaña en solitario dos años más tarde, esta vez en sólo 7 días, 18 horas y 49 minutos.

Como muchos de los pioneros de la aviación, Wiley Post murió en un accidente aéreo. El 15 de agosto de 1935, el motor del avión en el que Post y el humorista Will Rogers viajaban falló y el aparato se estrelló en un punto cercano a Point Barrow (Alaska). Antes de morir, la viuda de Post acordó la venta del *Winnie Mae* al Smithsonian National Air and Space Museum de Washington.

Los pioneros y los ases contribuyeron de modo decisivo a popularizar los viajes en avión y arriesgaron sus vidas para mejorar la tecnología aeronáutica. Estos hombres y mujeres se convirtieron en héroes de la aviación y en fuente de inspiración para las generaciones sucesivas.

TWA

el desarrollo de la aviación comercial

los beneficios de un nuevo mercado

Nada más despegar, el hombre se propuso como siguientes etapas atravesar el mundo y desarrollar el tráfico aéreo con fines lucrativos. Los pioneros de la década de 1920 habían entusiasmado al mundo con sus hazañas, pero la creación de un servicio de pasajeros seguro y fiable era algo muy diferente.

Izquierda: *Los aviones de pasajeros abrieron el mundo a quienes podían permitirse pagar el viaje. Esta imagen de dos azafatas de TWA junto a un Boeing 307 es un ejemplo perfecto del glamour de la época.* Arriba: *¿Negocios o placer? Las líneas aéreas permitieron a la gente conocer culturas nuevas o disfrutar de sus aficiones en el extranjero. En la foto, un empleado carga los palos de golf de un pasajero en un Lockheed Electra de British Airways.*

La primera línea aérea del mundo se creó en enero de 1914 entre las ciudades de St. Petersburg y Tampa, separadas por 32 km. El viaje con el hidroavión Benoist duraba sólo 20 minutos, muy poco en comparación con las dos horas que tardaba un coche. No obstante, los pequeños Benoist sólo podían llevar al piloto y a un pasajero. Aunque el negocio se fue a pique al cabo de cuatro meses, el experimento dejó entrever los potenciales beneficios de los viajes en avión, por bien que en aquellos momentos aún fueran imperceptibles.

El verdadero nacimiento de la aviación comercial tuvo lugar después de la Primera Guerra Mundial. En este período, la potencia de los motores de los aviones se llegó a triplicar. Los motores de 100 CV, usuales en los aviones de la preguerra, habían sido reemplazados por otros modelos de hasta 300 CV.

Europa vivió un notable incremento de compañías que ofrecían vuelos comerciales, la mayoría de ellos a través del canal de la Mancha. La primera aerolínea, Aircraft

Arriba: *La St. Petersburg-Tampa fue la primera línea aérea del mundo. Un hidroavión biplaza Benoist cubría la ruta de 32 km.*
Derecha: *La bestia de carga de las primeras rutas centroamericanas de Pan Am fue el Sikorsky S-38. Apodado «Flying Duck», el S-38 alcanzaba una velocidad de crucero de 200 km/h.*

Transport and Travel Ltd., fue registrada en el Reino Unido por George Holt Thomas en octubre de 1916, e inauguró su primer servicio de pasajeros en agosto de 1919. Los vuelos de Londres a París con la compañía de Thomas se convirtieron en la primera línea regular de la posguerra. Para realizar este servicio se empleó un antiguo avión militar, el De Havilland D.H.4A, con base en el aeródromo de Hounslow.

A la compañía de Thomas le siguieron muchas otras: en el Reino Unido, Handley Page Transport y S. Instone and Co.; en Francia, Compagnie des Messageries Aériennes y Compagnie des Grands Express Aériens. En Europa se produjo un hecho curioso: llegó a haber casi más aerolíneas que viajeros potenciales. Muchas de ellas quebraron, pero otras se fusionaron y formaron grandes compañías aéreas, como la británica Imperial Airways, la francesa Air France, la alemana Deutsche Lufthansa, la neerlandesa KLM o la belga Sabena.

Los *clippers* de Pan Am

Pese a que durante muchos años fue una de las aerolíneas más importantes del mundo, Pan American tuvo unos inicios humildes. Pan American World Airways se estrenó el 19 de octubre de 1927 con un vuelo postal de 145 km entre Cayo Oeste (Florida) y La Habana (Cuba). El éxito de este modesto servicio animó a la compañía, que en 1929 abrió nuevas rutas a América Central.

El legendario Charles Lindbergh estudió las líneas potenciales y apostó desde un principio por los aviones convencionales, aunque Pan Am terminó decantándose por los anfibios, más aptos para los nuevos destinos. El aparato elegido fue el Sikorsky S-38, un hidroavión bimotor de ocho plazas del que Pan Am llegó a utilizar 38 unidades en sus rutas centroamericanas.

El verdadero triunfo de Pan Am se produjo con su expansión hacia el Pacífico, que vino precedida por un vuelo de prueba efectuado el 16 de abril de 1935 entre Alameda (California) y Honolulu (Hawai), de 18 horas y 37 minutos de duración. El 21 de octubre de 1936, Pan Am inauguró la línea San Francisco-Manila.

Fue la era de los *clippers,* llamados así en recuerdo de unos barcos muy veloces construidos en Virginia y Maryland en el siglo XIX. Pan Am empleó tres modelos de hidroaviones en el Pacífico: el Martin M-130, el Sikorsky S-42 y el Boeing 314. El M-130 *China Clipper* estrenó el servicio de correos entre San Francisco y Manila, mientras que el S-42 *Samoa Clipper* hizo lo propio en el servicio postal y de carga entre Honolulu y Auckland en diciembre de 1937. El *Samoa Clipper* se estrelló en enero de 1938 y sus siete ocupantes murieron en el acto.

Las únicas rutas aéreas que aún parecían resistirse eran las del Atlántico norte. Una nueva era empezó con la entrega del primer *Boeing 314* a Pan Am en Baltimore el 24 de febrero de 1939. El 3 de marzo, la esposa de Franklin D. Roosevelt, presidente de EE. UU., lo bautizó como *Yankee Clipper.*

CHINA CLIPPER
27·A·85

La era del clipper. *Hacia el final de la década de 1930 y durante la de 1940, el hidroavión Martin M-130* China Clipper *cubría las rutas postales entre San Francisco y Manila.*

Concebido en un principio para efectuar el servicio postal, el *Yankee Clipper* llevaba una tripulación de 11 miembros y tenía capacidad para 10 pasajeros. En los meses de marzo y abril de 1939, este famoso avión voló de Baltimore a las Azores, Lisboa, Burdeos, Marsella y Southampton, antes de regresar a Baltimore pasando de nuevo por Lisboa y las Azores. Su primer vuelo postal a Europa, efectuado por el capitán A. E. LaPorte entre Baltimore y Lisboa el 20 de mayo de 1939, duró 26 horas y 54 minutos. El 28 de junio de 1939, el *Dixie Clipper* hizo el primer servicio regular de pasajeros en el Atlántico norte, entre Nueva York y Southampton.

En comparación con los vuelos de veinte años atrás, los que se hacían a bordo de los *clippers* de Boeing resultaban mucho más cómodos. Las versiones del Boeing 314 preparadas para el transporte de pasajeros disponían de 74 plazas para vuelos de día, mientras que en los vuelos nocturnos se ofrecían 40 plazas en asientos reclinables. El coste

Arriba: *Tras la inauguración de la ruta postal transatlántica por parte del Boeing 314* Yankee Clipper, *el* Dixie Clipper *inauguró el servicio transatlántico de pasajeros. Aquí aparece después del primer y exitoso viaje.*

Página anterior, arriba: *Los* clippers *de la Pan Am abrieron el camino a los posteriores vuelos transoceánicos hasta mediados de la década de 1940.*

Página anterior, abajo: *En esta imagen se aprecia la nitidez de las líneas del Boeing 314. El* California Clipper *fue el segundo Boeing 314 en entrar en servicio y uno de los últimos en ser retirado.*

del billete de ida era de 375 dólares, mientras que el de ida y vuelta ascendía a 675 (traducido a los precios actuales correspondería a 4.000 y 7.500 dólares, respectivamente). No obstante, el servicio transatlántico fue cancelado tres meses después de su inauguración al estallar la guerra en Europa, durante la cual el Ejército del Aire y de la Marina estadounidenses llegaron a emplear un total de cinco *clippers*.

Europa mira hacia el sur

Mientras las compañías aéreas americanas establecían rutas a través del Atlántico y del Pacífico, las empresas europeas centraban su atención en el hemisferio sur. Algunos aviones de fabricación británica se habían diseñado para vuelos de larga distancia entre el Reino Unido y las colonias británicas. En el período de entreguerras, el Ministerio del Aire británico abrió una convocatoria para la presentación de proyectos de un nuevo hidroavión cuatrimotor de largo alcance. Respondiendo a ella, Short Brothers fabricó el S.23, que podía transportar dos toneladas de correo o 17 pasajeros a más de 800 km de distancia. Cuando obtuvo la concesión del correo aéreo imperial, Imperial Airways (Qantas se encargaba de las rutas entre el Reino Unido y Australia) adquirió 42 aviones S.23, uno de los cuales, en agosto de 1938, efectuó el primer vuelo postal regular entre Southampton y Sydney.

Francia también miraba hacia el sur con el propósito de comunicarse por aire con sus territorios de ultramar. Fue así que René Couzinet construyó su avión más famoso. Aunque difícil de pilotar, el trimotor Couzinet 71 cruzó el Atlántico en

1933, y el 28 de mayo de 1934 hizo el primer vuelo de la ruta postal regular entre Toulouse y Sudáfrica, con escala en Senegal. El Couzinet 71 fue retirado del servicio en 1937 y no se empleó en los vuelos comerciales efectuados durante la posguerra en esta misma ruta.

Para alcanzar tierras lejanas, Alemania apostó por los aerostatos. De acuerdo con el tratado de Versalles de 1919, estaba prohibido poseer aviación militar, de manera que los experimentos realizados en el período de entreguerras con dirigibles de pasajeros adquirieron una gran relevancia. La compañía Zeppelin construyó los dos dirigibles más famosos del mundo, el *Graf Zeppelin* y el *Hindenburg*, con los que Alemania lanzó sus vuelos comerciales a Sudamérica. El 18 de mayo de 1930, el *Graf Zeppelin* despegó de Friedrichshafen en un vuelo de prueba a Río de Janeiro. La ruta se convirtió en un servicio regular desde marzo de 1932. Mientras estas impresionantes aeronaves operaban en el Atlántico, los hidroaviones Dornier lo hacían en otras regiones. Los aviones convencionales llevaban a los pasajeros hasta los muelles de los hidroaviones en África, desde donde los Dornier completaban el viaje hasta Sudamérica. El vuelo transatlántico con un único aeroplano no fue posible hasta la llegada del Dornier Do 26, un avión de transporte postal con cuatro motores, dos orientados hacia adelante y otros dos hacia atrás. De entre las ventajas de este avión destacaban la posibilidad de ser catapultado desde un barco y la de poder repostar en vuelo. Al estallar la Segunda Guerra Mundial, y después de haber efectuado únicamente 18 servicios postales, los Do 26 abandonaron el Atlántico sur y entraron a formar parte de la Luftwaffe, que los utilizó para la vigilancia de las costas.

También en Europa hubo intentos de cruzar el Atlántico norte con pasajeros, el primero de ellos en 1919, año de aparición del Caproni 60. Gianni Caproni, su constructor, presumía de que este enorme hidroavión triplano de ocho motores era capaz de transportar 100 pasajeros al otro lado del Atlántico. Se efectuaron dos vuelos de prueba con él: en el primero logró atravesar un lago, mientras que en el segundo alcanzó una altitud de 18 m antes de que un fallo, cuyo origen se desconoce, provocara la inclinación hacia adelante del morro y la rotura de las alas centrales; el prototipo acabó precipitándose a un lago. Se hicieron planes para reconstruirlo, pero un incendio acabó definitivamente con todas las esperanzas.

Alemania empleó varios aviones para atravesar el Atlántico norte, y los construyó en cantidades mayores que los grandes fabricantes británicos y franceses, aunque en el marco del rearme clandestino de la futura Luftwaffe. El Dornier Do X era una versión gigante y más moderna de los logrados hidroaviones de la clase *Wal*. Diseñado en 1927 y presentado dos años más tarde, contaba con 12 motores y tenía capacidad para 100 pasajeros en rutas transatlánticas. Su primer vuelo tuvo lugar el 12 de julio de 1929. Al cabo de poco tiempo, el Do X realizó un vuelo de exhibición sobre el lago de Constanza con 150 pasajeros y una tripulación de 10 miembros a bordo (así como algunos polizones). El éxito del vuelo parecía augurarle un buen futuro a esta aeronave. No obstante, pese a efectuar un vuelo satisfactorio a Sudamérica y de una gira de «buena voluntad» hasta Nueva York, Dornier no logró encontrar un comprador para su «creación» por culpa de su elevado consumo de combustible. Del Do X sólo se fabricaron dos unidades más, pero aún así fijó los estándares de los hidroaviones alemanes sucesivos.

Los Dornier Do 18 se construyeron para relevar los aviones de la clase *Wal*. De estos aviones de largo alcance para el servicio postal se construyeron 152 ejemplares, la mayoría de los cuales presta-

Abajo: *A pesar de su potencia, autonomía y rendimiento, el Do X fue rechazado por muchas compañías aéreas por su elevado consumo de combustible.*

Página siguiente, arriba: *La foto muestra a la perfección el innovador sistema con hélices delanteras y traseras utilizado por el Dornier Do 26, un aparato que la Luftwaffe emplearía en la Segunda Guerra Mundial.*

Página siguiente, abajo: *Gianni Caproni construyó el impresionante Ca 60 con el fin de transportar a 100 pasajeros a través del Atlántico. En el segundo vuelo de prueba, sin embargo, el ala central del triplano se rompió, y el sueño de alcanzar América se desvaneció.*

SEEADLER
LUFTHANSA

El original. La clase Wal *de Dornier (en la foto) produjo el Do 18 y estableció las bases de todos los demás hidroaviones alemanes de éxito.*

ron servicio en la Segunda Guerra Mundial en misiones de reconocimiento o de búsqueda y salvamento.

Sin lugar a dudas, el avión civil alemán más elegante de la preguerra fue el Focke Wulf Fw 200 Condor, que llevó a cabo su primer vuelo en 1937. Con una autonomía de 6.500 km, el Condor (25 plazas) era el único avión civil capaz de volar sin escalas de Berlín a Nueva York. Su logrado diseño hizo que Adolf Hitler lo eligiera como su avión particular. Durante la Segunda Guerra Mundial, los Condor se utilizaron con resultados satisfactorios como aviones de patrulla marítima y de reconocimiento en busca de objetivos para los submarinos alemanes.

El hidroavión francés Latécoère 521, de seis motores, efectuó su primer vuelo en enero de 1935. Este modelo único sufrió un terrible revés un año más tarde, cuando una tormenta caída sobre el atracadero en el que se encontraba le causó daños muy graves. Una vez reconstruido, el avión estableció una serie de marcas de carga útil por altitud. Además de mercancías, su enorme esqueleto podía alojar a 30 pasajeros.

Imperial Airways también empleaba sus hidroaviones S.23 en vuelos transatlánticos desde el Reino Unido a Terranova, con escala en Irlanda. Su autonomía era tan sólo 1.300 km, por lo que debían ser alimentados en pleno vuelo por bombarderos reformados Handley Page Harrow. En agosto de 1939 se inauguró un servicio entre Southampton y Nueva York, pero un mes más tarde se suspendió al estallar la guerra.

El destino de los vuelos que salían de Europa en el período de entreguerras reflejaban las preferencias de los gobiernos: las colonias de África, Sudamérica y Asia. El desafío de cruzar el Atlántico sólo cuajó entre las aerolíneas europeas desde mediados de la década de 1930. Al comenzar la guerra, en 1939, las mejoras técnicas habían hecho del mundo un lugar más pequeño y accesible.

TAIFUN
LUFT HANSA

El Latécoère 521 ofrecía un confortable espacio para 30 pasajeros distribuidos entre dos cubiertas, así como una excelente vista panorámica.

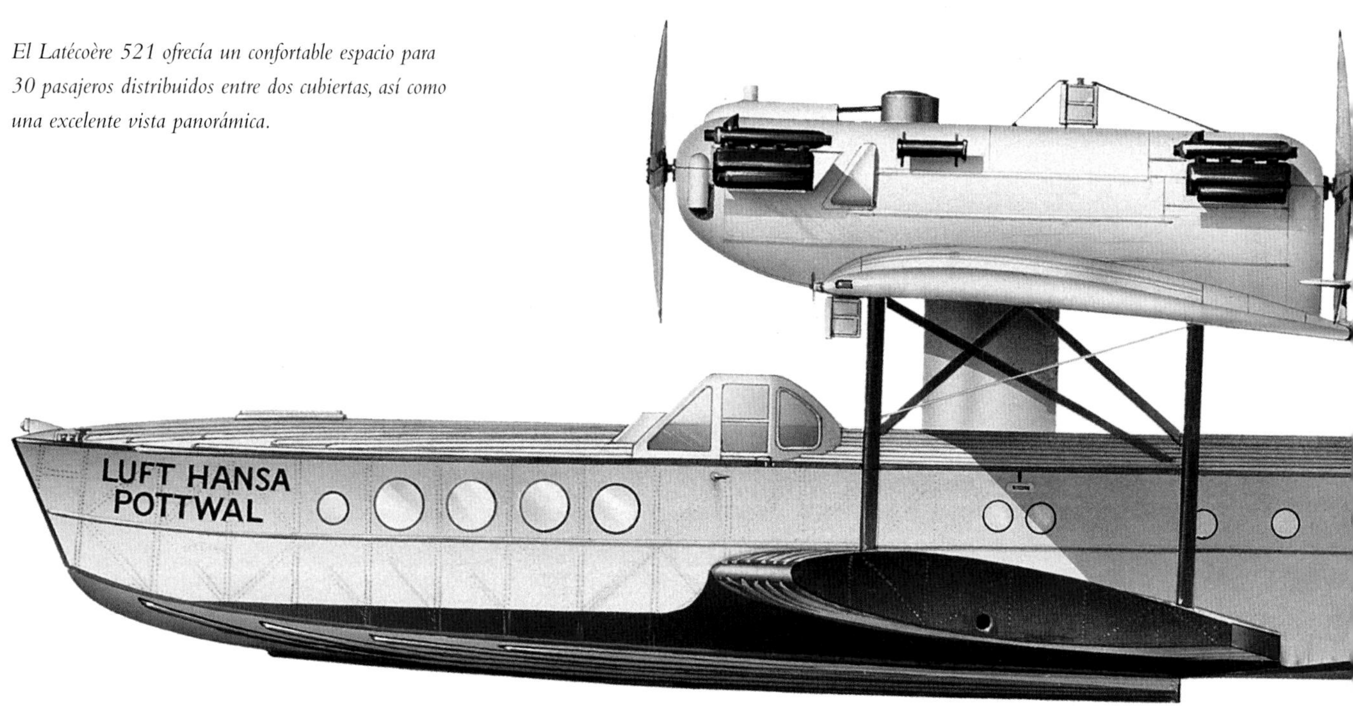

Arriba: *El 10-11 de agosto de 1938, el prototipo Focke Wulf Fw 200 Condor toma tierra en el aeródromo neoyorquino de Floyd-Bennett Field después de un vuelo ininterrumpido de 24 horas y 57 minutos desde Berlín.*
Abajo: *Dornier fue el mejor fabricante de hidroaviones de Alemania durante el período de entreguerras. Modelos como el Superwal (ilustración) prestaron un enorme servicio a la Luftwaffe durante los primeros años de la Segunda Guerra Mundial.*

Los aviones en el período de entreguerras

En este período de tiempo, los ingenieros se centraron básicamente en mejorar el diseño y la construcción de los aviones, ya que el nivel de potencia de los aparatos era satisfactorio. Durante toda la década de 1920, los fabricantes de la Europa continental probaron monoplanos, mientras que el Reino Unido apostó con fuerza por los biplanos. En los primeros momentos, ambas máquinas presentaban un rendimiento parecido. El biplano cuatrimotor británico Handley Page HP.42 podía alcanzar los 161 km/h, mientras que el monoplano más grande de la época, el alemán Junkers G-38, llegaba a 185 km/h, pese a disponer de 1.000 CV más de potencia que el primero.

Las viejas costumbres no se pierden fácilmente. El cuatrimotor británico Handley Page HP.42 resistió bien el envite lanzado por los primeros monoplanos de línea que empezaban a emerger en el continente europeo, aunque su resistencia fue efímera.

La progresiva pérdida de importancia de los biplanos en beneficio de los monoplanos empezó a finales de la década de 1920 y principios de la de 1930. Este hecho se reflejó especialmente en el Trofeo Schneider, donde diseñadores e ingenieros presentaban sus novedades. La mayoría de los aviones participantes en esta carrera aérea anual eran monoplanos. En 1927, el Supermarine S.5 demostró que los monoplanos eran el futuro, ya que alcanzó una velocidad de 452 km/h, un 70% mayor que la de la mayoría de los cazas del momento. En 1931, el Reino Unido se adjudicó de manera definitiva el Trofeo Schneider gracias al modelo Supermarine S.6, el cual aportó un conocimiento tecnológico decisivo para que la compañía desarrollara su diseño más famoso: el Spitfire.

Una segunda innovación fue el desarrollo del avión de línea totalmente metálico. El monoplano de ala alta Ford Tri-Motor, apodado «Tin Goose», fue el primero en aparecer; poseía un fuselaje corrugado y alas de duraluminio, un metal tan ligero como el aluminio pero dos veces más resistente. El apodo se debía al hecho de que cuando se deslizaba por la pista sus tres motores graznaban como gansos. De 1925 a 1933, Ford produjo 197 unidades trimotor para el mercado comercial, que se emplearon como aviones postales y de carga o para el transporte de pasajeros (capacidad máxima 17). Respaldado por el prestigio de la marca Ford, el «Tin Goose» se convirtió en 1930 en uno de los primeros aviones en emplear azafatas para servir las comidas y bebidas durante el vuelo. Aunque su producción cesó en 1933, la vida de los Ford Trimotor continuó. En la actualidad, existe un modelo «Tin Goose» que continúa prestando servicio en el Kalamazoo Air Zoo, donde efectúa vuelos de recreo sobre Michigan.

Servicio a bordo

La primera aerolínea en contar con azafatas entre su tripulación fue Boeing Air Transport, predecesora de la United Airlines. Estas primeras azafatas debían ser enfermeras cualificadas para atender urgencias médicas a bordo. En 1930, Boeing contrató a ocho enfermeras para trabajar en sus modelos 80A. A raíz de este ensayo nació la profesión de azafata, ya que este servicio se fue extendiendo en otras compañías. Aparte de servir comida y bebida

El Ford 4-AT de siete plazas fue el primer trimotor construido por Ford. Una variante militar, el C-4, se fabricó para el transporte de tropas durante la Segunda Guerra Mundial. Teniendo en cuenta todas las modalidades, se construyeron un total de 80 unidades 4-AT.

a los pasajeros, las azafatas también se encargaban de comprobar los billetes, llevar maletas y mantener limpio el interior del avión.

Las aspirantes a azafatas estaban sometidas a restricciones muy estrictas: además de tener el título de enfermeras, debían tener una edad comprendida entre 20 y 26 años, una altura inferior a 1,63 m y un peso inferior a 53,5 kg.

Los primeros aviones civiles modernos

La corta e intensa vida del «Tin Goose» fue consecuencia de la rápida evolución del mercado aeronáutico. En 1933, cuatro años después de la aparición del Ford Tri-Motor, entró en escena el Boeing 247, el primer avión civil moderno.

El Boeing 247 era un bimotor que desplazó al obsoleto trimotor, ya que su avanzada tecnología nada tenía que ver con la de los trimotores y bipla-

Derecha: *Para competir con los Boeing 247 de la United Airlines, Douglas lanzó una nueva serie de aviones de línea para TWA. El DC-2 (en la foto) fue el precursor del famoso DC-3 e inauguró una rivalidad que duraría medio siglo.*

Abajo: *La cabina del Boeing 247 ofrecía una serie de comodidades que en aquella época se consideraban de superlujo.*

ASTERN
AIR

nos, los cuales aún prestaban servicio por todo el mundo. Avión de ala baja y totalmente de metal, el Boeing 247 contaba con piloto automático, tren de aterrizaje retráctil, *flaps* (el primer aparato en disponer de estas superficies flexibles en las alas), equipo de deshielo, hélices de paso variable y dos motores en estrella Pratt & Whitney Wasp de 550 CV. Su capacidad era de diez pasajeros, los cuales disponían de servicio de azafatas, cabina insonorizada, lavabo (aunque no todavía con agua corriente), ventiladores individuales y refrigeración y calefacción controlada por termostato. El Boeing 247 se presentó en la Exposición Universal de Chicago: acababa de nacer el avión civil moderno.

La flota de TWA no podía competir con los Boeing 247 de United Airlines, así que decidió pedir la colaboración de Douglas. Su primer bimotor civil, el DC-1, voló en julio de 1933; el segundo, el DC-2, un poco más tarde. Sin embargo, la verdadera competencia para los Boeing 247 apareció en diciembre de 1935, cuando el Douglas Sleeper Transport, también conocido como DC-3, realizó su vuelo inaugural. Este nuevo aparato podía transportar cómodamente 21 pasajeros, 11 más que el Boeing 247, y era más rápido que su competidor. En los vuelos nocturnos, las plazas se reducían a 14, ya que los asientos eran reclinables. El DC-3 pasó a dominar los vuelos comerciales y se convirtió en el avión civil más famoso del mundo. En 1938, estos modelos llevaban a cabo el 95% de los vuelos nacionales de Estados Unidos, y un año más tarde formaban parte de la flota de más de 30 aerolíneas de todo el mundo. El 90% del tráfico aéreo mundial corría a su cargo. Al estallar la Segunda Guerra

Un Douglas DC-3 de la compañía PCA (Pennsylvannia-Central Airlines) hacia el final de la década de 1940.

Mundial se habían vendido más de 450 ejemplares a operadores civiles, y a pesar del conflicto bélico la «carrera» del avión no se vio perjudicada.

Douglas recibió encargos para suministrar a Estados Unidos y el Reino Unido versiones militares para el transporte de tropas. Bajo las denominaciones de C-47 Skytrain, C-53 Skytrooper o RAF Dakota, el DC-3 se ganó los honores militares en el norte de África, Normandía, Birmania, el Himalaya y Arnhem. Después de la guerra, algunas variantes del modelo se emplearon en el puente aéreo de Berlín y la guerra de Vietnam (con la versión armada AC-47 Spooky).

En total se construyeron 803 unidades del DC-3 para uso civil, 10.123 para fines militares y otras 2.700 bajo licencia soviética (Lisunov Li-2). Incluso se llegó a fabricar una versión japonesa, el Showa L2D «Tabby». Estas importantes cifras no son más que el reflejo de la durabilidad y capacidad de adaptación del DC-3. A mediados de la década de 1990 aún operaban en 44 países 400 DC-3 y C-47.

Vuelos a altitudes elevadas

La respuesta de Boeing al *DC-3* fue contundente. Según un estudio efectuado por Tommy Tomlinson, piloto de TWA, un avión civil podía viajar a más de 4.000 m de altitud, lo que conllevaría un aumento del confort para los pasajeros y una reducción del consumo de combustible. Se estima que Tomlinson llevaba más horas de vuelo por encima de los 30.000 pies (9.140 m) que todos los demás pilotos de la época juntos. Por lo tanto, su teoría debía de estar bien fundada. Uno de los principales problemas de volar a gran altitud es la menor presión del aire, que en la cima del Everest (8.848 m) ni siquiera es un tercio de la presión normal al nivel del mar. A medida que decrece la presión del aire, también lo hace la cantidad de oxígeno. A elevadas altitudes, el cerebro humano puede experimentar una falta de oxígeno de consecuencias fatales. Todo ello, unido a las temperaturas extremamente bajas, hace que los aviones que vuelan a gran altitud deban mantener una presión

Como respuesta al DC-3, Boeing introdujo una primicia mundial. El modelo 307 Stratocruiser fue el primer avión de línea con cabina presurizada, cuyas características permitían realizar vuelos a gran altitud.

y una temperatura artificiales en su interior. El resultado de las recomendaciones de Tomlinson fue el *Boeing 307 Stratoliner,* el primer avión civil del mundo en contar con una cabina presurizada, gracias a la cual podía volar más alto que cualquier otro avión entonces en servicio.

El *Stratoliner* efectuó su primer vuelo el 31 de diciembre de 1938 y empezó a prestar servicios transcontinentales con TWA en julio de 1940. Realizó el vuelo de Los Ángeles a Newark (Nueva Jersey) en 13 horas y 40 minutos, dos horas menos que el *DC-3.* Pan Am adquirió tres unidades de este nuevo modelo para sus vuelos a Sudamérica, TWA un total de cinco y Howard Hughes uno.

El Lockheed 14-N2 de Hughes, en el que circunnavegó el mundo en 1938 a una velocidad media de 332 km/h.

Los primeros sistemas de navegación aérea

Los primeros vuelos eran cortos y los pilotos apenas requerían mapas, experiencia en navegación aérea o asistencia técnica. Sin embargo, cuando aumentaron las rutas continentales e intercontinentales y el cielo se llenó de aviones, los sistemas de navegación se volvieron imprescindibles.

Los vuelos de día no ofrecían dificultades, ya que los pilotos se orientaban por detalles paisajísticos como carreteras y ferrocarriles. No obstante, hubo quien empezó a preguntarse si algún día el avión podría llegar a ser un verdadero competidor del tren con este único método de navegación.

La navegación nocturna con balizas luminosas comenzó en EE. UU. en la década de 1920. En 1923, el Ejército del Aire estableció una hilera de 129 km de largo con balizas luminosas entre Columbus y Dayton (Ohio) como referencia para los pilotos. Este sistema fue adoptado por el servicio postal en 1924, que dispuso un tramo iluminado de forma similar entre Chicago y Cheyenne (Wyoming) como primera etapa de una ruta transcontinental. La construcción de este primer tramo estaba pensada para que los aviones despegaran de la costa con luz de día, atravesaran este sector iluminado y aterrizaran en la costa opuesta de nuevo con luz diurna. Las balizas estaban formadas por una torre de acero de 15,5 m de altura y un generador. Ésta alojaba una baliza giratoria visible a lo largo de 64 km y dos balizas fijas que señalaban la procedencia y la dirección. El generador tenía sus propias señales, visibles de día. A mediados de 1925, el tramo iluminado de la ruta partía de Rock Springs (Wyoming) y llegaba a la ciudad de Nueva York.

Aunque el único vuelo del Spruce Goose *sólo duró un minuto, el aeroplano pasó a la historia de la aviación.*

Un pionero excéntrico: Howard Hughes

Howard Hughes Jr. era hijo de un magnate del petróleo de Houston (Texas, Estados Unidos). El invento de su padre, un trépano de 166 dientes para perforadora rotativa, le reportó a la muerte de éste, en 1923, una herencia de unos 900.000 dólares, que Hughes reinvirtió en dos de las industrias más sólidas de California: la cinematográfica y la aeronáutica. Después de adquirir cierto prestigio con películas como *Los ángeles del infierno,* Hughes desvió su atención hacia las competiciones aéreas, en las que estableció varios récords. En 1935, construyó con Dick Palmer el H-1, un avión de competición que con 576 km/h batió el récord de velocidad en el aire. En 1937, el H-1 estableció un récord transcontinental de velocidad al volar de Los Ángeles a Newark (Nueva Jersey) en sólo 7 horas y 28 minutos. Por último, Hughes fijó su punto de mira en la vuelta al mundo, y en 1938 circunnavegó el planeta en 3 días, 19 horas y 17 minutos a bordo de un Lockheed 14, con lo que redujo a la mitad el tiempo de Wiley Post y la duración del trayecto Nueva York-París establecida por Charles Lindbergh.

La Segunda Guerra Mundial cambió el destino de Hughes. Mientras que otros fabricantes aeronáuticos de California produjeron una enorme cantidad de aparatos militares, Hughes sólo contribuyó con el avión de reconocimiento XF-11 –en el que sufrió un grave accidente en 1946– y con el *Spruce Goose,* aunque ninguno de ellos voló hasta después de la conclusión de la guerra.

El Hercules HK-1, o *Spruce Goose,* tan sólo voló en una ocasión. El nombre del mayor avión jamás construido provenía de su construcción completamente de madera, motivada por la escasez de metales en tiempos de guerra. El 2 de noviembre de 1947, Hughes hizo volar el *Spruce Goose* durante una milla a través de Long Beach Harbour a la velocidad de 130 km/h y a 20 m de altitud sobre el agua antes de aterrizar un minuto más tarde. El HK-1 fue devuelto a su hangar y nunca volvió a aparecer mientras Hughes estuvo vivo.

La vida de Howard Hughes empezó entonces una espiral descendente. La mayoría de sus iniciativas terminaron con pérdidas económicas importantes. Adicto a los analgésicos, en 1958 Hughes sufrió una crisis nerviosa y se recluyó en sus hoteles de Beverly Hills y Las Vegas. En 1973 fue elegido para formar parte del Hall de la Fama de la Aviación, pero Hughes no asistió a la ceremonia; en su lugar, acudió uno de los miembros de la tripulación que en 1938 había compartido con él la vuelta al mundo.

Hughes murió el 5 de abril de 1976 en el aire, donde había pasado buena parte de su vida: ocurrió en una ambulancia aérea que le trasladaba desde su casa de Acapulco a Houston.

Basado en el diseño del P-38 Lightning y del D-2, el avión de reconocimiento de gran velocidad XF-11 podía alcanzar los 724 km/h.

Arriba: *En los primeros tiempos del tráfico aéreo, la tripulación de un aeroplano se reducía al piloto. Las distancias récord y los vuelos intercontinentales convirtieron al navegante, u operador de radio, en un importante miembro del equipo.*
Página siguiente: *La navegación asistida por radio es más fiable que el cálculo manual, pero requiere un navegante experimentado. En la foto, el navegante de un Boeing 314 traza el rumbo a partir de la posición de las estrellas.*

El 20 de mayo de 1926, el Congreso de Estados Unidos aprobó el Acta del Comercio Aéreo, según la cual la responsabilidad del desarrollo y la seguridad del tráfico aéreo recaían en el gobierno del país. En agosto del mismo año se fundó la Sección de Aeronáutica del Departamento de Comercio, cuyo primer dirigente fue William P. MacCracken Jr. Hasta entonces, el gestor de las rutas aéreas y de los aeródromos había sido el Departamento de Correos, ya que la misión principal de los aviones era transportar la correspondencia; desde aquel momento, en cambio, pasaban a formar parte de la jurisdicción federal. Desde julio de 1927, la sección de MacCracken se encargó de terminar la ruta iluminada, constituida entonces por un sistema de balizas luminosas, 95 aeródromos de emergencia y 17 estaciones de radio. La última baliza se encendió en Miriam (Nevada) en enero de 1929.

El siguiente invento relacionado con la navegación aérea de larga distancia fueron los radiofaros. En la década de 1920, el gobierno de EE.UU. introdujo el radiofaro direccional. Este simple pero ingenioso sistema estaba compuesto por un transmisor con dos antenas de cuadro dispuestas entre sí en ángulo recto. Una antena emitía «A» en morse (punto-raya) y otra «N» (raya-punto). Cuando el avión volaba directamente entre las antenas, el piloto oía un tono continuo. El punto-raya o raya-punto oídos le indicaban dónde estaba y adónde debía dirigirse para enderezar el rumbo. Hacia el fin de la Segunda Guerra Mundial, había unos 200 transmisores de este tipo funcionando en Estados Unidos. En la década de 1920 también se habían empleado otros sistemas similares por radio, pero eran de uso limitado, ya que las condiciones meteorológicas adversas causaban interferencias.

Desde finales de la década de 1940, el radiofaro direccional fue desbancado por otros sistemas de navegación. El relevo directo fue el VOR (iniciales inglesas de radiofaro omnidireccional VHF), que emitía señales más fuertes y proporcionaba una información más exacta a los sistemas de navegación de los aviones. Las estaciones VOR transmitían diferentes tipos de señales según la altitud a la que volaba el avión receptor: las terminales VOR cubrían un alcance de 25 millas náuticas; los VOR de baja altitud tenían un alcance 40 millas náuticas e iban destinados a aviones que volaban a menos de 5.500 m de altitud; los VOR de gran altitud tenían un alcance de 200 millas náuticas y estaban dirigidos a aviones que volaban a una altitud de entre 5.500 y 18.000 m .

Estos sistemas de navegación aérea habrían sido de gran utilidad para Alcock y Brown, quienes en 1919 cruzaron el Atlántico con la única ayuda de un compás y un sextante. Al estallar la Segunda Guerra Mundial, muchos aviones contaban ya con instrumentos para volar sin visibilidad. De entre éstos, los más comunes eran un indicador de inclinación lateral y viraje y otro para la velocidad del aire, un altímetro de precisión, un indicador de velocidad vertical, un giroscopio direccional y un horizonte artificial. También se fundaron escuelas especializadas en el vuelo «a ciegas». En este campo, la Imperial Airways, con sus colegios de Croydon y Southampton, fue pionera.

Del aeródromo al aeropuerto

Los primeros aviones eran tan ligeros, que sólo necesitaban una franja de hierba lisa para despegar y aterrizar. Las primeras pistas solían ser circuitos de carreras o campos de golf, y a veces la aviación

PAA

Página anterior: *Tripulantes aéreos aprenden los sistemas de navegación por radio.*
Derecha: *En comparación con el puesto de mando del Vickers Vimy (arriba), los del Boeing 247 (centro) y Lockheed Super Electra (abajo) son bastante complejos, al tiempo que hacen posible el pilotaje con visibilidad nula gracias a unos instrumentos de vuelo más precisos.*

atraía a tantos espectadores como en un espectáculo deportivo. Los primeros aeropuertos especialmente concebidos como tales se empezaron a construir en Alemania, en 1910, y estaban destinados a los dirigibles. Hacia 1912, Estados Unidos disponía de 20 aeropuertos. En sólo siete años, sin embargo, se establecieron aeropuertos municipales sobre zonas cubiertas de hierba en Atlantic City (Nueva Jersey), Tucson (Arizona) y Albany (Nueva York).

Las primeras pistas de superficie dura se construyeron en Estados Unidos en 1928, y aún perdura la polémica acerca de cuál fue la primera, si la de Newark (Nueva Jersey) o la de Henry Ford en Dearborn (Michigan). En todo caso, las pistas de hormigón de 400 a 900 m de longitud se difundieron en la década de 1930 al compás marcado por la expansión del tráfico aéreo.

Con el fin de otorgar un aspecto familiar y disipar el miedo de los viajeros, los primeros aeropuertos se parecían mucho las estaciones de ferrocarril. Algunas aerolíneas construyeron sus propios aeropuertos en lugares adecuados a sus intereses. Así ocurrió con el Pan American Field de Florida, el primer aeropuerto internacional.

El primer gran aeropuerto europeo, que se convirtió en el modelo a seguir para la mayoría de países, fue el de Tempelhof (Berlín). Su construcción data de 1938 y en su momento fue uno de los edificios más grandes del mundo: comprendía una sala de espera de 101x49 m y un hangar de más de 1,5 km de longitud. Tempelhof tenía un tráfico de 300.000 pasajeros al año, al que había que añadir 100.000 visitantes, que pagaban por ver el despegue y el aterrizaje de los aviones. El miedo y la incertidumbre del público por viajar en avión cada vez eran menores.

El control del tráfico aéreo

El aumento del tráfico aéreo en Estados Unidos hizo que en 1934 la Sección Aeronáutica cambiara su nombre por el de Oficina de Comercio Aéreo y añadiera a sus funciones la supervisión de la creación de los tres primeros centros para el control del tráfico aéreo (ATC), cuyo mando asumió por completo en 1936. Inicialmente, el aterrizaje en un aeródromo implicaba seguir la bandera y las señales luminosas del personal de tierra. Con el tiempo, sin embargo, las comunicaciones por radio ayudaron a los pilotos a descender hasta la pista de aterrizaje. La primera torre de control equipada con radio se construyó en Cleveland (Ohio), en 1930. El aterrizaje por instrumentos, un sistema en el que el avión era dirigido por radio durante toda la maniobra, se introdujo en la década de 1950. Según la visibilidad, el sistema podía guiar al piloto en un aterrizaje «a ciegas».

En 1938, la aviación civil se independizó del Departamento de Comercio para formar la Autoridad Aeronáutica Civil, un organismo autónomo. Dos años más tarde, éste fue dividido entre la Administración Aeronáutica Civil (CAA), con competencias sobre seguridad, centros ATC y desarrollo de rutas aéreas, y la Comisión Aeronáutica Civil (CAB), que se ocupaba de investigar los accidentes y de la regulación financiera de las compañías aéreas.

La era de las aerolíneas había empezado de verdad. Aunque la Segunda Guerra Mundial provocaría la cancelación temporal de muchas rutas comerciales, la tecnología aeronáutica, los sistemas de navegación aérea y las mentes innovadoras hacían presagiar una época dorada para este transporte.

Página siguiente: *Con la aparición del Lockheed Constellation (en la foto, en una pista de Nueva York en 1956), el mundo pareció encogerse.*

Abajo, imagen superior: *Un Boeing 247 de la United Airlines. Después de la Segunda Guerra Mundial, las grandes compañías aéreas y los constructores hicieron que el mundo resultara más accesible.*

Abajo, imagen inferior: *Tempelhof en 1928. El aeropuerto de Berlín sirvió de modelo a muchas otras ciudades.*

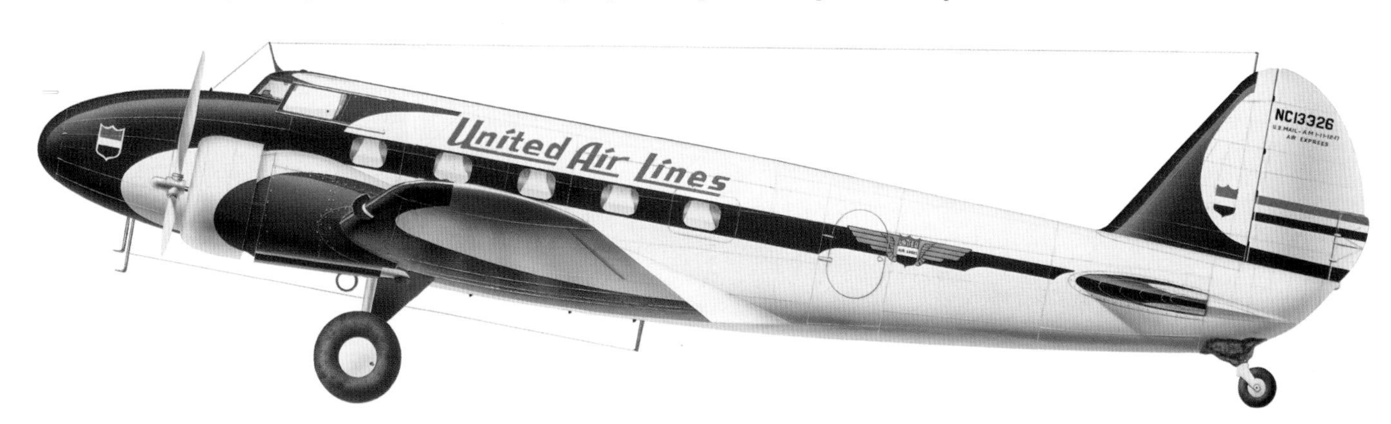

TWA

las fuerzas aéreas en la Segunda Guerra Mundial

lluvia destructiva

El 26 de abril de 1937, durante la Guerra Civil Española, más de 40 bombarderos de la Luftwaffe destruyó la ciudad de Guernica y mató a un tercio de su población. El mundo tomó conciencia de los horrores que podían venir del aire. Este bombardeo, por desgracia, no fue más que un preludio de lo que sucedería en la guerra más destructiva de toda la historia.

Izquierda: *Un bombardero Short Stirling de la RAF se prepara para una misión. El Short Stirling entró en servicio en 1941 y dio un buen resultado, aunque la aparición del Avro Lancaster lo desplazó a un segundo plano.*
Arriba: *Las ruinas de Guernica. Ciudades de toda Europa fueron devastadas por los bombarderos pesados construidos desde el fin de la Primera Guerra Mundial.*

Dos años más tarde, Polonia vivió una experiencia aún más desagradable. El 1 de septiembre de 1939, 366 aviones de la Luftwaffe, entre ellos bombarderos en picado Junkers Ju 87 «Stuka» y tres grupos de 100 bombarderos pesados Heinkel He 111, se lanzaron sin piedad contra las tropas terrestres polacas, pero también contra fábricas, aeródromos y ciudades de todo el país. La aviación polaca ofreció una resistencia valerosa pero inútil, ya que sus anticuados aviones no tenían nada que hacer frente a los alemanes, que incorporaban la tecnología más moderna.

Cuando el Reino Unido declaró la guerra a Alemania el 3 de septiembre, la Royal Air Force (RAF) tenía una flota de bombarderos que comprendía diez escuadrillas de Vickers Wellington, diez más de Handley Page Hampden y nueve de Armstrong Whitworth Whitley. El Wellington fue el primer bombardero de la RAF en atacar Alemania. El 18 de diciembre, 24 Wellingtons de las escuadrillas 9ª, 37ª y 149ª atacaron

Página siguiente, arriba: *Una formación de Bristol Beaufighters sobrevuela la costa de Inglaterra.* Página siguiente, abajo: *Hermosa foto de un Handley Page Hampden de la RAF. Este bombardero de cuatro plazas también fue empleado como torpedero y lanzaminas.* Abajo: *Bombarderos Vickers Wellington de la Unidad de Entrenamiento Operativo Nº. 30 de la RAF. Este bombardero de principios de la Segunda Guerra Mundial fue proyectado por el legendario diseñador aeronáutico sir Barnes Wallis.*

barcos alemanes anclados en los puertos del país. La mitad de los aviones no regresó.

Más al norte, Finlandia recibió un duro castigo por parte de los aviones soviéticos. El 30 de noviembre, el Ejército Rojo atacó con más de un millar de aviones, entre ellos bombarderos veloces Tupolev SB-2, bombarderos medios Ilyushin DB-3, bombarderos pesados Tupolev TB-3 y cazas Polikarpov I-16. La aviación finlandesa respondió con sólo 114 aviones, entre ellos anticuados cazas Fokker D.XXI y Bristol Bulldog, hidroaviones Blackburn Ripon y bombarderos ligeros Junkers K.43. Los finlandeses lucharon con valentía, pero sucumbieron ante la aplastante ofensiva soviética y el 13 de marzo de 1940 firmaron un armisticio.

Tres días más tarde, en una acción menor si se compara con lo que estaba por llegar, la Luftwaffe llevó a cabo un ataque en las islas Orcadas a raíz del cual murió un civil. Cuatro noches más tarde, como represalia, aviones británicos Whitley y Hampden atacaron una base de hidroaviones alemanes en la isla de Sylt. Por tierra, los germanos prosiguieron su expansión, y el 9 de abril invadieron Dinamarca y Noruega. Las fuerzas aéreas danesas, formadas por cazas Gloster Gauntlet, Hawker Nimrod y Fokker D.XXI, se manifestaron ineficaces para detener la Luftwaffe. Al otro lado del estrecho de Skagerrak, los cazas Gloster Gladiator noruegos también lo pasaron muy mal.

La captura de los aeródromos de las ciudades noruegas de Trondheim y Stavanger permitió a la Luftwaffe emplear sus bombarderos marítimos de largo alcance Focke Wulf Fw 200 Condor contra los barcos británicos del Atlántico, que más tarde también serían acosados desde puertos franceses. En la batalla del Atlántico, los Fw 200 contaron con el apoyo adicional de los bombarderos cuatrimotor Heinkel He 177, que podían lanzar torpedos, bom-

T UB

Página anterior: *Un Focke Wulf Fw 200 Condor de la Luftwaffe. Este avión fue utilizado para bombardear buques mercantes en el Atlántico y en misiones de reconocimiento en busca de objetivos para el ataque posterior de los submarinos.*
Arriba: *Uno de los mejores cazas de la Segunda Guerra Mundial: el Messerschmitt Bf 109.*

bas e incluso el misil antibuque HS-293A, que se utilizó por primera vez el 27 de agosto de 1943 en el hundimiento la corbeta británica HMS *Egret*.

Los aliados en retirada

Una vez terminada la conquista de Dinamarca y Noruega, Hitler fijó su mirada en Francia. Para evitar la línea Maginot, una línea de fortificaciones construida a lo largo la frontera francoalemana, el dictador germano ordenó lanzarse sobre Países Bajos y Bélgica. En el ataque, iniciado el 10 de mayo de 1940, tomaron parte más de 4.000 aviones, entre ellos Ju 87 «Stuka», bombarderos ligeros Junkers Ju 88, bombarderos medios Dornier Do 17 y He 111, así como cazas Messerschmitt Bf 109 y Bf 110. En la operación contra Países Bajos participaron por primera vez planeadores para el transporte de tropas y de equipo militar. Las fuerzas aéreas combinadas de Países Bajos, Bélgica y Francia, así como las escuadrillas de la RAF con base en el continente europeo, les hicieron frente con 2.330 aviones, dos tercios de los cuales eran obsoletos. Al mismo tiempo, el Reino Unido intensificó sus bombardeos en Alemania atacando las instalaciones petrolíferas y las industrias siderúrgicas de la cuenca del Ruhr.

Bélgica cayó el 26 de mayo, y su fuerza aérea fue aplastada. Acto seguido, la guerra relámpago se volvió contra los 400.000 soldados británicos y franceses rodeados en Dunkerque. Cazas aliados Supermarine Spitfire, Hawker Hurricane, Boulton Paul Defiant y Blenheim intentaron impedir que la Luftwaffe masacrara a los soldados mientras éstos eran evacuados por una flota de la Armada británica y barcos privados. El 4 de junio, 336.000 soldados desembarcaron en el Reino Unido, aunque la mayor parte del equipo se quedó atrás. Apenas se había rendido Dunkerque, cuando empezó el ataque a París, que terminó cayendo el 14 de junio.

La batalla de Inglaterra

Con la mayor parte de Europa ocupada por los alemanes, Hitler centró su interés en el Reino Unido, a pesar de que era consciente de que el desembarco en las Islas Británicas, operación denominada «León Marino», entrañaba serios peligros. Para dicho ataque se reunieron casi 3.000 aviones de la Luftwaffe, entre ellos 1.300 bombarderos He 111, Ju 88 y Do 17, 280 bombarderos en picado Ju 87 y 790 cazas Me Bf 109 y Bf 110. La RAF sólo disponía de 640 cazas Hurricane y Spitfire para defender el país, si bien la poderosa arma del radar, gracias a la cual se podían prever los ataques aéreos, terminaría inclinando la balanza a favor del débil. Los destructivos bombardeos de la Luftwaffe comenzaron su actividad el 8 de agosto. Los pilotos de los Me Bf 109 no tardaron en quejarse a Hermann Göring, jefe de la Luftwaffe, de que su papel como escoltas de los bombarderos les impedía enfrentarse a los cazas de la RAF. No obstante, lo que hizo cambiar de estrategia a Göring fueron las pérdidas ocasionadas por los bombarderos, hasta entonces únicamente aeródromos y objetivos militares. La nueva orden de Göring fue la de atacar directamente a la población. Un tremendo error. Aunque los bombarderos alemanes llevaron a cabo una destructiva acción contra Londres el 7 de septiembre, los aeródromos de la RAF quedaron relativamente libres de los *raids* de la Luftwaffe y los cazas británicos pudieron salir en busca del enemigo. Los alemanes sufrieron bajas considerables y la «Operación León Marino» fue aplazada *sine die*. La RAF, con

Pág. anterior, arriba: *Un Heinkel He 111 lanza sus bombas sobre Varsovia.* Pág. anterior, abajo: *Exiliados polacos pilotaron cazas Spitfire en el R. Unido.* Abajo: *Los torpederos Fairey Swordfish de la aviación naval británica desempeñaron un papel decisivo en el hundimiento del acorazado alemán* Bismarck.

numerosos pilotos procedentes de Canadá, Estados Unidos, Polonia y Checoslovaquia, había ganado la batalla de Inglaterra.

Objetivos clave

No obstante, los bombardeos no cesaron en el Reino Unido. Desde noviembre de 1940, la Luftwaffe empezó a atacar de noche centros urbanos e industriales de todo el país. Con la ayuda de radiogoniómetros, los bombarderos alcanzaron ciudades como Coventry, arrasada la noche del 14 de noviembre en un bombardeo que causo más de 1.100 víctimas. Londres, Southampton, Bristol, Plymouth y Liverpool sufrieron un trato similar. Hasta mayo de 1941, unas 40.500 personas fallecieron a causa de más de 18.000 toneladas de bombas explosivas.

Con todo, la fuerza aérea de la Armada siguió hostigando a las potencias del Eje (coalición enca-

bezada por la Alemania nazi, la Italia fascista y Japón). Italia, bajo el dictador fascista Benito Mussolini, había declarado la guerra al Reino Unido el 10 de junio de 1940. La noche del 11 de noviembre, 21 torpederos Fairey Swordfish atacaron la flota italiana en el puerto de Tarento. El acorazado *Littorio* fue hundido (aunque reflotado más tarde) junto a los acorazados *Conte di Cavour* y *Caio Duilio*.

Grecia y los Balcanes

Una vez concluida la conquista de Europa occidental, Hitler se dirigió hacia el sur. El 1 de marzo de 1941, las tropas alemanas entraron en Bulgaria. Cinco escuadrillas de Hurricane de la RAF fueron enviadas con urgencia a Grecia para evitar el avance alemán. Tan sólo 500 aviones, de procedencia griega, yugoslava y británica, pudieron salir al encuentro de los 1.200 aparatos alemanes. A finales de abril, Grecia se rindió y la mayoría de las fuerzas británicas fueron evacuadas a Creta. El 20 de mayo, sin embargo, aviones de transporte Junkers Ju 52 lanzaron paracaidistas, y 650 bombarderos y cazas atacaron los aeródromos de la isla. Sólo se salvaron siete cazas de la RAF.

Mejoras en los aviones

La victoria en la batalla de Inglaterra significó para la RAF una notable inyección de moral y la entrada en servicio de nuevas armas. Así, en 1941, se estrenó la versión renovada Mk VC del caza Spit-

La batalla de Tarento. El Swordfish también participó en el ataque a este puerto italiano la noche del 11 de noviembre de 1940. Una fuerza de 21 Swordfish hundió tres navíos de guerra italianos que se encontraban anclados en el puerto.

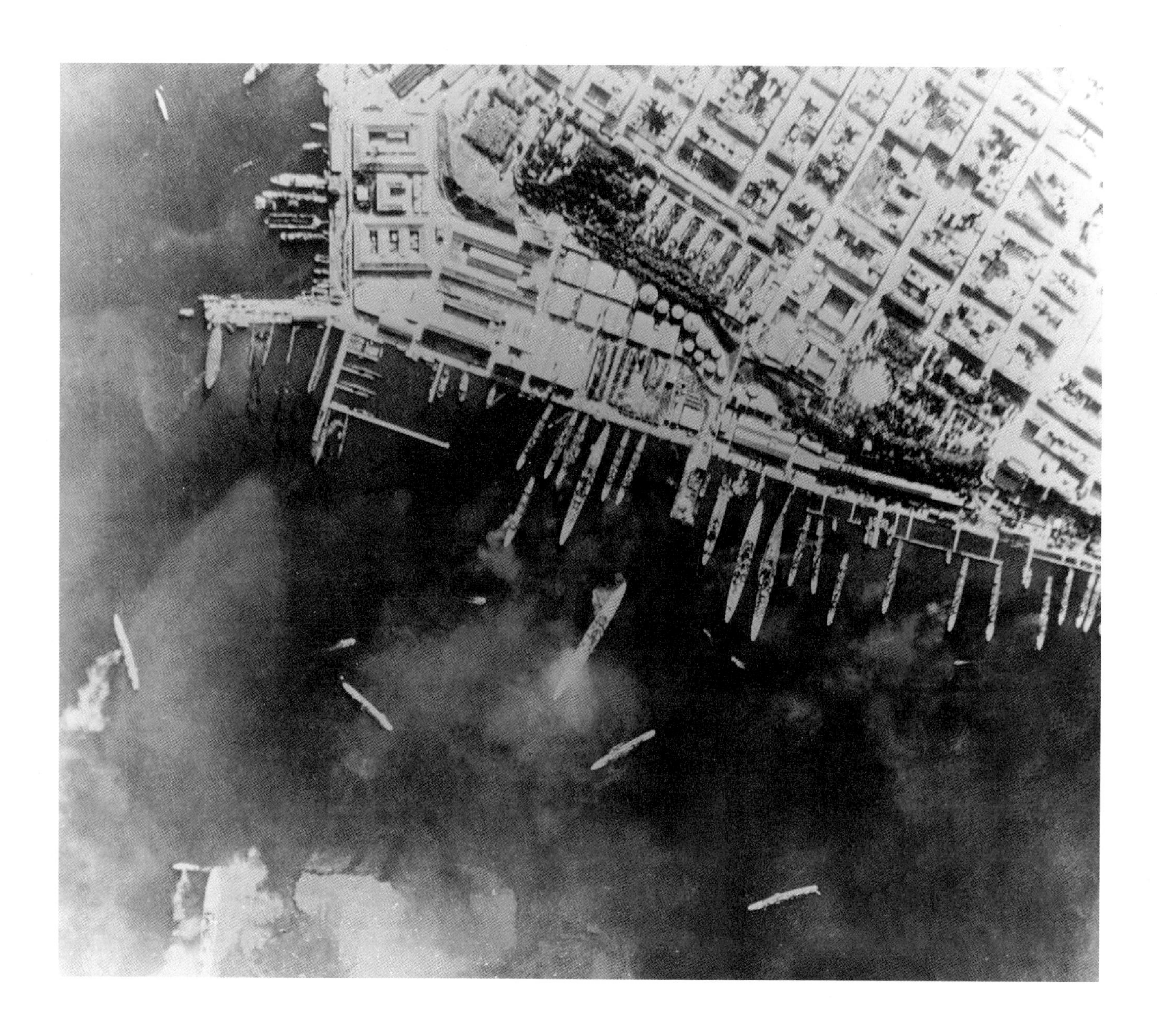

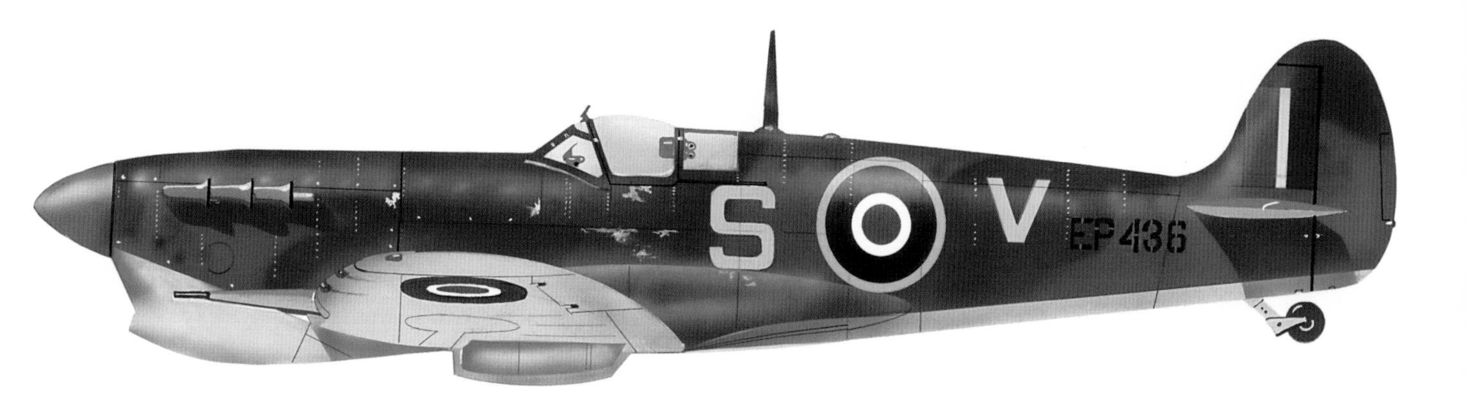

Izquierda: *Los anticuados aviones soviéticos, como este Polikarpov I-153, fueron barridos por la aviación del Eje cuando éste invadió la URSS en junio de 1941.* Arriba: *Probablemente, el caza más famoso de la Segunda Guerra Mundial. El Supermarine Spitfire, obra de Reginald J. Mitchell, empezó su guerra particular el 16 de octubre de 1939 abatiendo dos bombarderos alemanes Junkers Ju 88 que atacaban la base naval de Rosyth (Escocia).*

fire, empleada en 71 escuadrillas, y el cazabombardero Hurricane Mk IIC, que podía llevar 454 kg de bombas. Estos aviones fueron utilizados para acosar la aviación de la Luftwaffe y las bases situadas en Francia y Países Bajos. En el oeste, el Comando Costero de la RAF había perfeccionado su defensa contra los submarinos alemanes que atacaban convoyes británicos de barcos mercantes. Aviones Whitley dotados de radares coordinados con los barcos podían avistar de noche y de día los submarinos que se desplazaban por la superficie del mar. Los hidroaviones Consolidated PBY Catalina, adquiridos a Estados Unidos, llevaban radares de este tipo, así como cargas de profundidad. Gracias a la gran autonomía del Catalina, la RAF podía vigilar zonas muy extensas del Atlántico, por bien que algunas todavía quedaran fuera de su alcance.

La «Operación Barbarroja»

La «Operación Barbarroja» se inició el 22 de junio de 1941. Tres grupos del ejército alemán penetraron 80 km en el interior de la URSS respaldados por 200 Ju 87 «Stuka», 500 bombarderos Ju 88, He 111 y Do 17, y 600 cazas Me Bf 109E/F. A su encuentro, tan sólo salieron algunos cazas I-16 obsoletos. El primer día de las hostilidades, los soviéticos reconocieron haber perdido 1.200 avio-

Erich Hartmann: un as de ases

Erich Hartmann es el piloto de caza más laureado de todos los tiempos. Al final de la guerra, había abatido 353 aviones enemigos con su Messerschmitt Bf 109. Hartmann confesó que el secreto de su éxito radicaba en «acercarse (y disparar) cuando la presa ocupa todo el parabrisas». Cuando su aparato era atacado por detrás, Hartmann solía enviar a su avión de flanco acompañante a descender frente a él mientras él recibía por detrás al enemigo. Estas tácticas podrían no haber funcionado de no haber sido por su excelente vista, sus rápidos reflejos y su temperamento calmado durante el combate.

Las hazañas de Hartmann le hicieron merecedor de la más alta condecoración concedida por el Tercer Reich, la Cruz de Caballero con Hojas de Roble, Sables y Diamantes. A medida que la guerra se acercaba a su fin y los soviéticos, a Berlín, Hartmann se dirigió al oeste para rendirse a las tropas británicas y estadounidenses, tal y como hicieron muchos otros pilotos alemanes. Los británicos, no obstante, lo entregaron a los soviéticos, quienes le trataron como a un criminal de guerra y le condenaron a diez años de trabajos forzados. En 1955, Hartmann regresó a Alemania y no tardó en incorporarse a las fuerzas aéreas de la RFA, donde llegó a mandar su primer escuadrilla de cazas a reacción. Falleció en 1995.

Erich Hartmann, el piloto de caza más laureado de la Segunda Guerra Mundial, conversando con el comandante Gerhard Barkhorn, otro as de la Luftwaffe que se anotó 301 victorias en 1.104 misiones.

Página anterior, arriba: *Uno de los aviones más famosos del frente oriental fue el Ilyushin Il-2 «Sturmovik». Aunque muy vulnerable al ataque de los cazas, el Sturmovik se convertiría en una terrible amenaza para los tanques y vehículos alemanes.*
Arriba: *Un torpedero Nakajima B5N «Kate» se posa sobre la pista de aterrizaje de un portaaviones japonés en los primeros días de la guerra del Pacífico.*

nes. Esta aplastante superioridad aérea permitió a los bombarderos He 111 y Ju 88 atacar Moscú con bombas incendiarias y de gran poder explosivo.

El 6 de diciembre, Georgi Zhukov, comandante del grupo central del Ejército Rojo, repelió el avance alemán hacia la capital soviética. Recuperado de la sorpresa del ataque a traición, los soviéticos pusieron en servicio aviones nuevos, como los cazas LaGG-3, MiG-3 y Yakovlev Yak-1, los aviones de ataque terrestre Ilyushin Il-2 «Sturmovik» y los bombarderos Il-4. La Luftwaffe, sin embargo, no se quedó atrás e introdujo versiones modernizadas de Do 217, He 111, Ju 88 y Ju 52. Una guerra larga y despiadada estalló a lo largo del vasto frente oriental. Aunque el Ejército Rojo se vio inicialmente sorprendido, Hitler nunca debió haber menospreciado la tenacidad soviética.

La guerra en el Pacífico

Siguiendo el ejemplo de la guerra relámpago llevada a cabo por Hitler, el 7 de diciembre de 1941 los japoneses lanzaron un espectacular ataque contra la base naval estadounidense de Pearl Harbor (Hawai): Japón declaraba la guerra al país más potente del mundo.

El ataque se inició a las 6:00 de la mañana y lo lideró el comandante Mitsuo Fuchida al mando de una primera oleada formada por bombarderos en picado Aichi D3A1, bombarderos Nakajima B5N2 y cazas Mitsubishi A6M2 Zero. Una segunda oleada dirigida por el capitán Shigekazu Shimazaki y formada por aviones D3A1, B5N2 y A6M2 golpeó Pearl Harbor a las 7:15. Como consecuencia del ataque fueron destruidos los acorazados *Arizona* y *Oklahoma*, mientras que el *Nevada*, el *West Virginia*,

Pearl Harbor (Hawai), 7 de diciembre de 1941. Navíos de guerra estadounidenses en llamas mientras la armada japonesa lleva a cabo uno de los ataques más audaces de la historia.

Bombarderos Handley Page Halifax del Escuadrón 35 de la RAF en pleno vuelo. Este aparato se convirtió en el primer bombardero británico cuatrimotor en atacar Alemania; ocurrió la noche del 12 de marzo de 1941, durante una incursión aérea en Hamburgo.

el *California*, el *Tennessee*, el *Maryland* y el *Pennsylvania* sufrieron daños muy graves. También resultaron destruidos otros barcos más pequeños, seis hidroaviones Catalina y 42 aviones de las Fuerzas Aéreas de Estados Unidos (United States Army Air Force, USAAF). Más de 3.500 soldados estadounidenses resultaron muertos o heridos. Al cabo de poco, Alemania se unió a su aliado del Eje y declaró la guerra a Estados Unidos. El mismo día 7 de diciembre, Japón atacó a las fuerzas británicas de Malasia desembarcando en Kota Bharu. Los Blenheim, los Lockheed Hudson y los Vickers Vildebeest de la RAF no lograron detener a los japoneses. Tres días más tarde, aviones de la Flota Imperial Japonesa atacaron barcos británicos que intentaban evitar un desembarco japonés en Malasia. El acorazado HMS *Prince of Wales* y el crucero HMS *Repulse* fueron hundidos por los bombarderos japoneses.

Esta derrota ignominiosa significó el fin de los navíos pesados como arma decisiva en los combates navales. La guerra en el Pacífico la decidirían los aviones y los portaaviones. Los japoneses avanzaron por toda la península malaya y el día 15 de febrero de 1942 ocuparon Singapur.

Los aliados se refuerzan

La RAF se vio reforzado con la llegada en 1941 de los bombarderos Avro Manchester, Short Stirling y Handley Page Halifax. Asimismo, el 22 de febrero de 1942 se produjo otro hecho que contribuyó a consolidar este refuerzo: *sir* Arthur «Bomber» Harris asumió el Mando de Bombarderos. Harris instó a acelerar la introducción de los nuevos cuatrimotores Avro Lancaster, una variante perfeccionada de los bimotores Manchester, así como de los nuevos equipos de navegación y de bombardeo.

La lucha contra Hitler en la zona oeste recibió un nuevo impulso con la llegada al Reino Unido de las primeras unidades de la USAAF. Desde mayo de 1942 empezaron a desplegarse por los aeródromos del este de Inglaterra bombarderos Boeing B-17 Flying Fortress y Consolidated B-24 Liberator. La estrategia de la USAAF consistía en efectuar incursiones diurnas con bombarderos capaces de defenderse sin la ayuda de cazas. La RAF, en cambio, optó por los *raids* nocturnos: así, la noche del 10 de marzo, los Avro Lancaster entraron en combate bombardeando la ciudad industrial alemana de Essen.

Bombardeos en el Sol Naciente: los *raids* de Doolittle

Con el fin de vengar el ataque japonés a Pearl Harbor, los estadounidenses decidieron asaltar las islas japonesas el 18 de abril de 1942. Para ello, el teniente coronel de la USAAF Jimmy Doolittle reunió varios bombarderos B-25 Mitchell en la cubierta del USS *Hornet,* listos para castigar Tokio. Hasta entonces, nunca se había intentado lanzar bombarderos bimotores desde un portaaviones. Los B-25 podían despegar desde la nave, pero no aterrizar, por lo que debían dirigirse a los aeródromos situados en China.

Las operaciones empezaron a las 8:00 de la mañana. Durante los preparativos, un avión de reconocimiento de la Marina divisó un barco de pesca japonés. Temerosos de que éste pudiera haber visto el avión y de que, por tanto, el elemento sorpresa se fuera al traste, los estadounidenses optaron por hundirlo. En la cubierta del *Hornet,* el vicealmirante William F. Halsey, el oficial al mando de la operación, dio la orden de salida a las tripulaciones de los bombarderos; a las 9:20 éstos ya estaban de camino. Todos ellos alcanzaron sus objetivos, es decir, fábricas e instalaciones militares situadas alrededor de Tokio, Yokohama y Nagoya, aunque el daño infligido fue poco menos que testimonial. A continuación, los aviones se dirigieron a China y a la URSS.

Los *raids* causaron poco daño físico, pero levantaron la moral de la opinión pública de Estados Unidos. Los japoneses perdieron su sensación de invulnerabilidad y los altos mandos se vieron obligados a reservar algunos de sus aviones de guerra para la defensa de la madre patria. Japón nunca llevó a cabo ataques significativos contra la parte continental de Estados Unidos, y no porque no lo intentaran. El 3 de noviembre de 1944, más de 9.000 globos con bombas adosadas fueron lanzados a las altas capas de la atmósfera para que los vientos dominantes los arrastraran hasta Estados Unidos. Un millar alcanzó su destino y aterrizó en varios estados, como Alaska, Washington y Oregon. El 9 de septiembre de 1942, un hidroavión japonés, lanzado desde la superficie de un submarino, intentó incendiar los bosques de Oregon con la esperanza de originar una catástrofe, pero el intento resultó infructuoso.

Arriba: *Varios B-25 Mitchell en la cubierta de vuelo del* Hornet. *Tras la orden de «¡Pilotos, a vuestros aviones!», los bombarderos tomaron rumbo hacia sus objetivos en Japón. Los nipones respondieron a esta operación atacando la parte continental de Estados Unidos mediante globos provistos de bombas y algunas acciones aisladas llevadas a cabo por hidroaviones.* Izquierda: *Un B-25 Mitchell estadounidense se eleva desde la cubierta del portaaviones* Hornet.

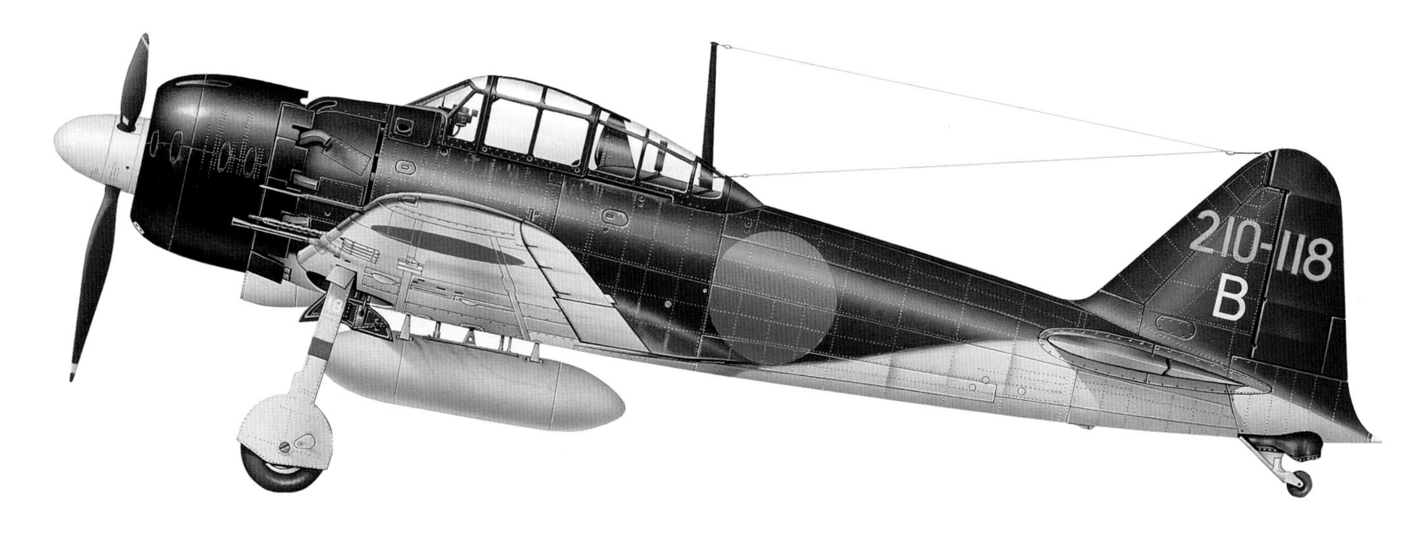

Arriba: *El Mitsubishi A6M3 «Zero», el caza japonés más famoso de la Segunda Guerra Mundial, estuvo en servicio desde el ataque a Pearl Harbor hasta el fin de la guerra en el Pacífico.*

Abajo: *Bombarderos en picado Douglas SBD Dauntless alineados sobre la cubierta del USS* Yorktown.

Página siguiente: *El comandante de vuelo da las últimas instrucciones a la tripulación de un bombardero Avro Lancaster de la RAF antes del despegue.*

Los reveses de la flota estadounidense

Ansiosa por vengarse del ataque a Pearl Harbor, la flota del Pacífico de Estados Unidos ordenó al portaaviones USS *Langley* lanzarse contra la Flota Imperial Japonesa. El 28 de febrero de 1942, día en que los japoneses desembarcaron en la costa septentrional de Java, el *Langley* se dirigía a esta isla indonesia con 32 cazas Curtis P-40E Warhawk en su cubierta. Los movimientos del portaaviones fueron detectados por aviones japoneses, los cuales acabaron hundiéndolo. El 19 de febrero de 1942, en un fulminante avance hacia el sur, los nipones habían atacado el puerto australiano de Darwin con aviones lanzados desde los portaaviones *Akagi* y *Kaga*. Devastaron la ciudad y lograron destruir un barco para el transporte de tropas, un mercante, un depósito de armas, un destructor estadounidense y un portahidroaviones, así como varias corbetas y buques cisterna.

La batalla del mar del Coral

El primer gran enfrentamiento entre las flotas estadounidense y japonesa tuvo lugar el 7-8 de mayo de 1942 durante la batalla del mar del Coral, al nordeste de Australia. Fue la primera batalla naval de la historia en la que dos flotas no se vieron las caras. Los portaaviones japoneses *Shokaku, Zuikaku*

y *Shoho* contaban con 267 aviones B5N, D3A y A6M, así como con una flota suplementaria de aviones con base en Rabaul (Nueva Guinea Papúa). Los estadounidenses, para hacerles frente, disponían de 103 aviones, entre ellos los torpederos Douglas TBD Devastator, los bombarderos en picado Douglas SBD Dauntless y los cazas Grumman Wildcat de los portaaviones USS *Lexington* y USS *Yorktown*. Estos aviones lograron hundir el *Shoho*, pero los aparatos lanzados desde los poartaaviones *Shokaku* y *Zuikaku* dañaron seriamente al *Lexington*, que más tarde fue hundido por los torpedos lanzados desde el USS *Phelps* después de haber puesto a salvo su tripulación. El *Yorktown* también sufrió serios desperfectos, con lo que el USS *Enterprise* y el USS *Hornet* se convirtieron en los únicos portaaviones estadounidenses del Pacífico aptos para el combate. No obstante, la batalla no había traído únicamente desgracias, pues los norteamericanos habían evitado un avance japonés hacia Port Moresby, en el sur de Papúa Nueva Guinea. De haberse llevado a cabo, habría supuesto la conquista de una zona clave para llevar a cabo la invasión japonesa de Australia.

Mientras tanto en Europa, Harris, reforzado con nuevos aviones, organizó el primer gigantesco *raid* contra Alemania la noche del 30 de mayo de 1942. Así, en la «Operación Millenium», la RAF atacó Colonia con 1.046 aviones, 898 de los cuales alcanzaron sus objetivos, a costa de perder 40 de ellos.

Midway

Mientras la RAF incrementaba sus acciones contra el Tercer Reich, Estados Unidos se preparaba para una batalla decisiva en el Pacífico. Los japoneses codiciaban la estratégica isla de Midway para agregarla a un cinturón defensivo que debía abarcar desde las islas Aleutianas, en el norte, hasta la isla de

Wake y las islas Marshall y Gilbert, en el sur. También debía extender la red de alarma japonesa y servir de base de operaciones contra Hawai.

No obstante, los estadounidenses habían interceptado los mensajes japoneses y descifrado sus claves. Cuando el almirante japonés Isoroku Yamamoto, comandante de la Flota Combinada Japonesa, dispuso los portaaviones *Akagi, Kaga, Hiryu, Soryu* y *Junyo* junto a numerosas naves ligeras, acorazados, destructores y escoltas, la Marina de Estados Unidos ya estaba lista para rechazar el ataque. El *Enterprise*, el *Hornet* y el *Yorktown* (tras ser reparado de urgencia) les esperaban provistos con 203 torpederos, bombarderos y cazas. Al final, los aviones estadounidenses atacaron y hundieron el *Soryu* y el *Kaga* el 4 de junio. El *Hiryu* y el *Akagi*, también dañados, se hundieron un día más tarde.

Exaltado por la victoria, EE.UU. emprendió la invasión de Guadalcanal, en las islas Salomón, el 7 de agosto de 1942. Una vez en la isla, los marines estadounidenses construyeron un aeródromo desde el que los cazas Grumman F4F Wildcat y Dauntlesses pudieran repeler los ataques aéreos japoneses.

La lucha en los cielos europeos

En el verano de 1942, la ofensiva aérea contra la Europa ocupada por los nazis se intensificó. El 17 de agosto, bombarderos B-17E de la USAAF atacaron la ciudad francesa de Rouen en la que fue la primera misión de bombardeo efectuada por aviones estadounidenses desde el Reino Unido. Sin embargo, dos días más tarde se produjo el desastre de Dieppe, donde los aliados habían planeado desembarcar tropas, en su mayoría canadienses, con el fin de invadir Francia. Cazas Spitfire Mk V y bombarderos ligeros Blenheim y Douglas Boston se lanzaron sobre Dieppe para respaldar a sus tropas mientras los B-17 atacaban el aeródromo de la Luftwaffe en Abbeville. Al principio, sólo aparecieron algunos cazas Me Bf 109 y cazabombarderos Focke Wulf Fw 190; pero por la tarde, los alemanes enviaron grandes formaciones de bombarderos Do 217 y

terminaron con el intento de invasión. La fuerza aérea falló en Dieppe debido a las deficiencias en la comunicación entre la infantería y la aviación. Por añadidura, el número de aviones de ataque terrestre para destruir las defensas alemanas fue insuficiente.

África del Norte

Dos semanas más tarde, en África del Norte, Erwin Rommel, comandante del Afrika Korps alemán, había lanzado una ofensiva contra las fuerzas aliadas en Egipto. El comandante en jefe de la RAF en Oriente Medio, el mariscal del Ejército del Aire *sir* Arthur Tedder, ordenó proteger el 8º Ejército británico cuando las fuerzas de Rommel avanzaban hacia Tobruk, al oeste de El Alamein. El 23 de octubre, el general Bernard Montgomery, comandante del 8º Ejército británico, atacó las posiciones alemanas e italianas en El Alamein respaldado por seis escuadrillas de aviones Wellington, a las que se unieron aviones antitanque Hurricane Mk IIC de la RAF y de la South African Air Force (SAAF). El 4 de noviembre, las líneas del Eje cayeron y los aliados avanzaron hasta Mareth, que fue liberada en marzo de 1943. El Eje se quedó sin suministros, ya que los barcos que los transportaban con rumbo a África eran sometidos a incesantes ataques aéreos. La última bolsa del Eje en Túnez se rindió el 12 de mayo de 1943.

Izquierda: *Soldados británicos saludan a los camaradas del avión. La fuerza aérea de los aliados fue crucial en los éxitos cosechados en los desiertos del norte de África. Los cazabombarderos actuaban desde unas posiciones fijas, donde describían círculos a la espera de que los objetivos estuvieran al alcance.*

Abajo: *Durante la Segunda Guerra Mundial, algunos aviones de combate mostraban elementos decorativos tan espectaculares como estos dientes de tiburón pintados en los Curtiss P-40 de la RAF.*

El empleo masivo de la fuerza aérea

Un mes más tarde, el Pacífico vivió otro momento crucial con la batalla de la isla de Santa Cruz, al sudeste de Guadalcanal. El portaaviones *Zuiho* fue atacado por 16 Dauntlesses del *Enterprise*, mientras que el *Shokaku* sufrió graves daños. La Marina de EE.UU. perdió 74 aviones y el *Hornet*. El *Enterprise*, el único portaaviones estadounidense en el Pacífico apto para la lucha, también quedó maltrecho.

El 1 de noviembre, los marines de Estados Unidos desembarcaron en el cabo Torokina, en la costa meridional de la isla de Bougainville, respaldados por 21 bombarderos B-24, que destrozaron los aeródromos de Kahili y Kara. Cazas Curtiss P-40 Kittyhawk, Bell P-39 Airacobra y Lockheed P-38 Lightning se unieron a la batalla, mientras que la Marina puso en servicio dos nuevos portaaviones, el USS *Essex* y el USS *Bunker Hill*, con otros 200 aviones. La invasión de los atolones de Tarawa y Makin, en las islas Gilbert, empezó el 20 de noviembre, el mismo día en que se desplomaron las últimas bolsas de resistencia japonesas en Bougainville. Fue la mayor concentración de fuerzas aéreas navales de toda la historia. La estrategia de hacer retroceder a los japoneses tomando sólo los emplazamientos clave empezaba a dar resultado.

Las primeras derrotas alemanas

Mientras los japoneses perdían terreno en el Pacífico, los alemanes tenían problemas en el frente oriental. En el otoño de 1942, el 6º Ejército alemán atacó a las tropas soviéticas en Stalingrado, las cuales opusieron una desesperada resistencia. El 23 de noviembre, los soviéticos contraatacaron, rodeando a las fuerzas enemigas y asediando la ciudad. Los alemanes intentaron abastecer por aire a su ejército, pero las zonas de aterrizaje se vieron sometidas a un intenso ataque por parte de la artillería soviética. Los aviones de la URSS atacaban los aeródromos e

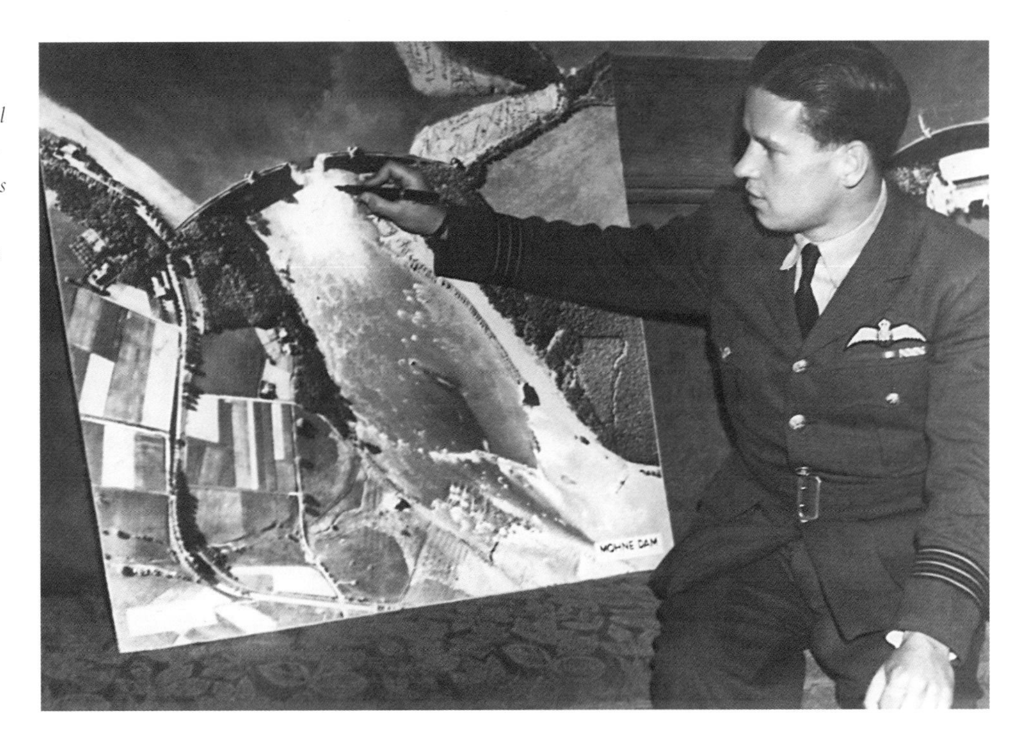

Página anterior: *Una formación de Flying Fortresses (fortalezas volantes) de la USAAF. Estos aviones, también al servicio de la RAF, podían llevar trece ametralladoras de 12,7 mm para el combate en altitud y alojar hasta 7.893 kg de bombas.*

Derecha, arriba: *Un Lancaster con su revolucionaria «bomba rebotadora». Bautizada con el nombre clave de «Upkeep» (continuación), esta arma diseñada por Barnes Wallis resultó decisiva en la «Operación Chastise», la destrucción de presas para el abastecimiento hidroeléctrico de la cuenca del Ruhr, el corazón industrial de Alemania.*

Derecha, abajo: *El teniente coronel Guy Gibson de la 617ª Escuadrilla de la RAF inspecciona los daños sufridos en la presa de Möhne después del ataque de su formación el 16 de mayo de 1943.*

impedían que los alemanes despegaran o aterrizaran en ellos. Hambriento, congelado y sin suministros, el 6º Ejército alemán se rindió en febrero de 1943.

Unos días antes, 91 bombarderos pesados de la USAAF habían descargado toda su furia contra Wilhelmshaven. Para protegerse mejor entre sí de un posible ataque, los bombarderos adoptaron una formación cerrada. Por otro lado, el 13 de abril de 1943, con ocasión de un ataque aéreo a St Omer (Francia), se estrenaron en el combate los cazabombarderos Republic P-47 Thunderbolt de la USAAF. Al terminar el año, la USAAF y la RAF contaban con 2.200 cazabombarderos Spitfire, Hurricane y Hawker Typhoon, cazas P-38 y P-31 Mustang en los aeródromos del Reino Unido.

Dispuestos a aniquilar la capacidad industrial alemana, Harris llevó a cabo uno de sus ataques aéreos más espectaculares durante la noche del 16 de mayo de 1943, en el que 19 Lancasters de la 617ª Escuadrilla de la RAF, dirigida por el teniente coronel Guy Gibson, atacaron las presas de los ríos Möhne, Eder, Sorpe y Schwelme, donde se ha-

llaban las centrales hidroeléctricas que abastecían las fábricas de la cuenca del Ruhr. En los casos del Möhne y el Eder se utilizaron bombas rebotantes de 4.196 kg. En el ataque se perdieron ocho bombarderos Lancaster.

En la batalla del Atlántico, el empleo de bombarderos B-24 Liberator de gran radio de acción fue de gran ayuda. El tonelaje total de los mercantes destruidos por los submarinos alemanes pasó de 827.000 en noviembre de 1942 a 132.000 en los últimos seis meses de 1943. Los aviones de gran radio de acción, junto con los Catalina, Sunderland y Wellington, pasaron a tener su base en Islandia y se acercaban al Atlántico medio sin ser detectados.

Kursk

En la URSS, las fuerzas del Eje se veían obligadas cada vez más a desplazarse hacia el oeste. El 5 de julio de 1943, en la «Operación Ciudadela», divisiones acorazadas alemanas atacaron al Ejército Rojo en la bolsa de Kursk. Bombarderos en picado «Stuka» y potentes aviones antitanque Henschel Hs 129 respaldaron la ofensiva con eficacia, pero los soviéticos repelieron el asalto alemán y contraatacaron con más de 3.000 tanques –Kursk es la mayor batalla de tanques de toda la historia– y 20.000 piezas de artillería. Al percatarse de la fuerza soviética, los comandantes alemanes pidieron permiso para retirarse, pero Hitler denegó la peti-

Página anterior: *Un Consolidated B-24 Liberator de la RAF protege un convoy en el Atlántico en 1944.* Arriba: *Aunque concebido en sus inicios como bombardero, la mayoría de los servicios prestados por el Armstrong Whitworth Albemarle consistió en el arrastre de planeadores y el transporte de tropas.* Abajo: *Un Lancaster de la RAF suelta las bombas alojadas en su bodega. Este avión podía llevar hasta 6.350 kg de armamento.*

ción. Los soviéticos avanzaron hacia el norte de la bolsa en dirección a Orel. La Luftwaffe, que en la semana que duró la batalla perdió 900 aparatos, vio como se desvanecía la superioridad aérea que hasta entonces había ejercido en el frente oriental.

Se estrecha el nudo

Aunque el *raid* de Dieppe había terminado en un desastre, los aliados acabaron por desembarcar en Europa, concretamente en Sicilia el 10 de julio de 1943. Tedder tenía 104 escuadrillas de Spitfires, Bristol Beaufighters, Hurricanes, Mosquitos, P-38, P-39 y P-51 a su disposición, además de 95 escuadrillas de bombarderos, entre los cuales figuraban Bostons, Martin A-30 Baltimores, Mitchells, Martin B-26 Marauders, Blenheims y Halifax, B-17 y B-24. Los aviones de transporte Halifax, Armstrong Whitworth Albemarle y Douglas DC-3 Dakota también demostraron ser vitales.

Las derrotas de Kursk y Sicilia y la intensificación de los bombardeos contra Alemania provocaron un gran nerviosismo en la Luftwaffe. Muchas unidades de cazas se trasladaron desde Italia o el frente oriental para la defensa de los cielos alema-

Derecha: *Pilotos soviéticos descendiendo de sus cazas Yakovlev Yak-9D.*
Abajo: *Hacia la mitad de la Segunda Guerra Mundial, el Junkers Ju 88, uno de los aviones militares más versátiles de la historia, se convirtió en el bombardero táctico más importante de la Luftwaffe.*
Página siguiente: *Una formación de Grumman F4F Wildcat de la Marina estadounidense. Este avión participó en todos los grandes escenarios del Pacífico, así como en el norte de África.*

nes. En las unidades de ataque terrestre, los Me Bf 109F/Gs sustituyeron los «Stukas», y las operaciones nocturnas aumentaron cuando los alemanes empezaron una campaña absolutamente ineficaz contra la red ferroviaria soviética.

El 3 de septiembre, el 8º Ejército británico, que ya había saboreado el éxito en el norte de África, cruzó el estrecho de Messina desde Sicilia con el respaldo de bombarderos de la RAF y de la USAAF. El día 9 del mismo mes, tropas estadounidenses desembarcaron en Salerno. Un día antes, el gobierno italiano se había rendido a los aliados, pero los alemanes continuaron en el país.

Más al norte, la noche del 18 de noviembre, Harris envió más de 400 bombarderos contra Berlín. Un *raid* de similar dureza se emprendió igualmente contra Mannheim; era la primera vez que se llevaban a cabo de forma simultánea dos *raids* aéreos de gran alcance contra el Tercer Reich. La RAF estaba decidida a destruir las reservas de petróleo alemanas. Tras el frustrado intento de apoderarse de los yacimientos petrolíferos del sur de la URSS, a los alemanes les empezó a faltar combustible, lo que acabó siendo un serio *handicap* para la Luftwaffe.

El 15 de enero de 1944, 1.200 aviones soviéticos consiguieron liberar Leningrado, la segunda ciudad de la URSS. Los cazabombarderos Yakovlev Yak-9 o los cazas Lavochkin La-5FN, entre otros, acabaron por destrozar a la Luftwaffe. Entre las víctimas alemanas destacan los experimentados pilotos Heinz Schmidt y Max Stolz, con 173 y 198 derribos en sus respectivas espaldas.

4
2
5
8

En el Mediterráneo, la relativa facilidad con la que los aliados avanzaban se truncó en Anzio, al sur de Roma. Antes de desembarcar en esta localidad el 22 de enero, los aliados habían atacado los aeródromos de Italia central e impedido que la Luftwaffe efectuara ni una sola misión de reconocimiento. El resultado fue que 30.000 soldados británicos y norteamericanos desembarcaron sin apenas resistencia aérea. No obstante, un retraso en el avance permitió que los alemanes se desplazaran hasta las playas. La Luftwaffe, por su parte, atacó a la infanteria aliada con bombarderos Do 217 y Ju 88. El 15 de marzo, los aliados intentaron forzar las líneas alemanas bombardeando la abadía de Monte Cassino, una de las batallas más duras de la contienda. Los alemanes resistieron hasta mayo. El 4 de junio, Roma fue liberada, lo mismo que la bolsa de Anzio.

La «Operación Flintlock»

El 31 de enero de 1944, con la invasión de Kwajalein y Namur (islas Marshall), se inició la «Operación Flintlock». En esta ocasión, la ayuda aérea la proporcionaron cazas Wildcat y Grumman F6F Hellcat. En los seis días que duró la conquista de las islas Marshall se perdieron 150 aviones japoneses y 49 norteamericanos. El siguiente objetivo eran las islas Carolinas. El atolón de Truk fue la primera isla en recibir el ataque aéreo, en el que los pilotos de la Marina estadounidense destruyeron 125 aviones japoneses estacionados en fila en una pista. Asimismo, otros 30 mercantes, un crucero y tres destructores fueron hundidos. Los japoneses recibieron nuevos aviones, como los cazabombarderos Mitsubishi A6M5 «Zeke», los bombarderos en picado Yokosuka D4Y3 «Judy» y el torpedero Nakajima B6N1 «Jill», sin embargo, tuvieron que ser pilotados por aviadores inexpertos, ya que la mayoría de los veteranos habían caído en combate.

El 1 de junio de 1944 entró en servicio el impresionante Boeing B-29 Superfortress, probablemente el avión con la tecnología más avanzada de la Segunda Guerra Mundial. Cuatro motores de 2.200 CV lanzaban al aparato a 576 km/h de velocidad y a 7.600 m de altitud. Se construyeron un total de 3.970 unidades a cargo de Boeing, Bell y Martin. En vista de su gran radio de acción, esta «superfortaleza» se reservó para el escenario del Pacífico; al cabo de poco, el bombardero sembró el pánico y la destrucción en los centros urbanos e industriales japoneses.

El día D

Cinco días más tarde, el 6 de junio, 145.000 soldados aliados desembarcaban en las playas de Nor-

Página anterior: *Un Boeing B-29 en el aeródromo de una isla del Pacífico.*
Abajo: *Un Spitfire de la 453ª Escuadrilla de la RAF con las franjas distintivas de la invasión el 6 de junio de 1944 (día D).*

mandía. Daba comienzo la «Operación Overlord», la invasión de Europa. Para confundir a los alemanes, los aliados habían diseñado una gran maniobra de engaño. En efecto, la noche del 5 de junio, aviones Lancaster de la 617ª Escuadrilla de la RAF lanzaron miles de tiras de papel de plata que confundieron a los radares germanos. Aviones Halifax y Stirling efectuaron misiones similares en los alrededores de Boulogne que desconcertaron a los alemanes, incapaces de averiguar dónde se produciría la invasión y, por tanto, desplegar con eficacia sus medios defensivos.

Con el asalto en marcha, aviones de transporte de la USAAF, entre ellos varios Douglas DC-3, lanzaron paracaidistas detrás de las cabezas de playa, todo ello mientras los Stirling, Halifax, Albemarles y Dakota de la RAF lanzaban 4.310 paracaidistas y remolcaban 100 planeadores hasta sus objetivos. Los cazas aliados proporcionaron la debida cobertura, si bien la defensa aérea alemana ya había sido debilitada con anterioridad. Para defender Normandía, la Luftwaffe sólo disponía de 500 aviones aptos para el combate, ya que antes de la invasión, los aliados se habían empleado a fondo para desgastar sus fuerzas. Entre enero y junio de 1944, una cuarta parte de los cazas de la Luftwaffe había sido destruida por tierra y aire. Al mismo tiempo, la industria aeronáutica alemana había sido aniquilada.

Antes del desembarco, los aliados habían destruido varios puentes a través de los cuales pudieran llegar los refuerzos alemanes una vez iniciada la invasión. Tres semanas antes del asalto, los aeródromos situados a un radio de 200 km de las playas del desembarco sufrieron duros ataques. Una vez comenzada la acción, la potencia de las fuerzas aéreas combinadas resultó ser inmensa: 15 escuadrillas cubrían las lanchas de desembarco; 54, las playas; 33 escuadrillas de cazas escoltaban bombarderos pesados y formaciones de planeadores; otras 33 atacaban objetivos fuera del área de desembar-

Página anterior: *Con la «Operación Overlord» ya en marcha, tropas aliadas aparecen de buen humor junto al planeador en el que llevarán a cabo su misión.*
Derecha: *Un Martin B-26 Marauder de la USAAF con las franjas distintivas de la invasión.*
Abajo: *En medio de un cielo nublado, un avión japonés en llamas se precipita al mar tras haber intentado atacar el USS* Kitkun Bay.

El desarrollo del motor a reacción

Mientras la guerra hacía estragos, la labor de unos pocos especialistas que trabajaban en el secretismo más absoluto en ambos bandos consistía en moldear la forma de los aviones de guerra.

Frank Whittle nació en Coventry en 1907. Mientras estudiaba en el RAF Staff College de Cranwell, Whittle empezó a enfrentarse con el espinoso dilema de aquellos tiempos: la velocidad y el rendimiento de los aviones era mayor a gran altitud, pero a estas alturas los motores de pistones de la época no podían rendir al máximo, ya que la densidad del aire era muy baja. En 1929, con tan sólo 21 años de edad, Whittle presentó una tesis sobre el motor a reacción. El motor de Whittle expulsaba aire a través de un compresor y lo conducía a una cámara de combustión, donde se mezclaba con el combustible y se encendía. La expulsión de los gases calientes por la parte trasera del motor propulsaba el avión hacia adelante. El escape de los gases hacía girar una turbina que se transmitía a un árbol que, a su vez, hacía funcionar el compresor. A pesar de patentarse en 1930, el concepto no acabó de convencer al Ministerio del Aire. Desde finales de 1935, Whittle comenzó a efectuar diseños detallados de su motor experimental, al que nominó Whittle Unit (WU). Un año más tarde, Whittle fundó la empresa Power Jets Ltd con el fin de construir su «obra», y poco después el Ministerio del Aire empezó a mostrar interés en el proyecto. El proceso de fabricación fue complicado: en el primer test del WU, en abril de 1937, el motor se descontroló debido a una combustión demasiado intensa. Un nuevo diseño con diez cámaras de combustión separadas pareció resolver el problema, que sin embargo volvió a presentarse en el segundo test del WU, llevado a cabo un año más tarde.

La indecisión del Ministerio del Aire británico hizo que Alemania se convirtiera en el primer país en disponer de un avión a reacción. Hans von Ohain, doctorado en el Instituto de Investigación Aerodinámica de la Universidad de Göttingen, desarrolló el diseño de una simple turbina a reacción. En 1933, Max Hahn, propietario de un taller de automóviles, construyó un motor de acuerdo con el diseño de

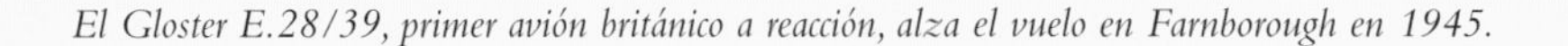

El Gloster E.28/39, primer avión británico a reacción, alza el vuelo en Farnborough en 1945.

Von Ohain. Cuando lo probó por primera vez en 1934, el motor se comportó como si se tratase de un lanzallamas. Impertérrito,Von Ohain se presentó ante Ernst Heinkel. Ambos, junto con Hahn, trabajaron en el Heinkel Sonderentwicklung (desarrollo especial) N.º 1, o motor HeS1. En 1937 y 1938 probaron el motor con combustible hidrógeno y combustible vaporizado, y en 1939 el HeS3, acoplado a la parte inferior de un bombardero Heinkel He 118, se convirtió en el primer motor turborreactor en funcionar en vuelo. El 27 de agosto de ese mismo año, el Heinkel He 178 fue el primer avión en emplear un turborreactor como único sistema de propulsión.

El motor a reacción británico todavía llevaba dos años de retraso; no obstante, a finales de 1939,Whittle había resuelto muchos de los problemas iniciales. Así, se pudo aprobar un avión experimental de un solo motor, y el Gloster E.28/39 despegó de Cranwell el 15 de mayo de 1941. En su primer vuelo, de 17 minutos de duración, el teniente Gerry Sayer logró acelerar el aparato hasta los 545 km/h, mientras que en un vuelo de prueba posterior alcanzó ya los 724 km/h. El Ministerio del Aire encargó un interceptador bimotor y concedió el contrato a otras compañías, al tiempo que nacionalizó Power Jets Ltd y la relegó a un mero papel de investigación y desarrollo. Tras abandonar la empresa que él había fundado, Whittle sufrió una crisis nerviosa y la RAF lo jubiló por motivos de salud.

La investigación de los reactores que los aliados llevaron a cabo durante la guerra culminó en el Gloster Meteor, que hizo su primer vuelo en 1943, y en el Bell XP-59A Airacomet estadounidense, que voló por primera vez en 1942.

Whittle encontró un mayor reconocimiento en Estados Unidos, donde fue profesor de la Academia Naval estadounidense en Annapolis. Murió en Baltimore en 1996.

Arriba: *Uno de los doce primeros prototipos del Gloster Meteor.*
Abajo: *El Gloster Meteor debía llamarse inicialmente «Thunderbolt», pero se desechó esta idea para evitar cualquier confusión con el American Republic P-47.*

co y 36 más proporcionaban apoyo aéreo directo a las tropas invasoras. De la «Operación Overlord», los historiadores han tendido a subrayar la importancia de las fuerzas navales y terrestres y a pasar por alto la aérea. Pero lo cierto es que el aplastante dominio aéreo de los aliados fue clave para el éxito de la invasión de Normandía.

El derrumbamiento del Eje

Cinco días más tarde, en el mar de las Filipinas empezó la batalla decisiva de la guerra en el Pacífico. Las islas en poder japonés de Saipan, Tinian y Guam fueron atacadas por más de 200 Hellcats y Avengers, que destruyeron 36 aviones enemigos estacionados en las bases. Al día siguiente, los buques japoneses que defendían las islas fueron atacados; cuatro días más tarde, los marines estadounidenses desembarcaban en Saipan. El portaaviones *Hiyo* fue alcanzado el 20 de junio y terminó hundiéndose, lo mismo que el *Shokaku* y el *Taiho*. El portaaviones *Junyo* recibió el impacto de dos bombas, mientras que el *Zuikaku* fue atacado junto al portaaviones ligero *Chiyoda*.

En agosto de 1944, las defensas alemanas empezaron a desmoronarse: el 25 de agosto fue liberada París, mientras que el 3 y el 4 de septiembre lo fueron respectivamente Bruselas y Amberes. El avance de los aliados se vio reforzado por el aumento de los bombardeos en Alemania. Aunque el nuevo caza a reacción Messerschmitt Me 262 y el Me 163 empezaron a actuar contra las formaciones de bombarderos, el envío aliado de cazas de gran radio de acción a los aeródromos de Alemania impidió que la aviación enemiga alzara el vuelo. El Tercer Reich quedó reducido a escombros por los ataques aéreos, hasta el punto que en abril de 1945 apenas quedaban objetivos por bombardear.

Tormentas de fuego

La falta de objetivos, sin embargo, no evitó que la ciudad alemana de Dresde fuera reducida a cenizas a raíz de uno de los bombardeos aliados más duros de toda la guerra. El 13 de febrero de 1945, una fuerza de unos 550 Lancasters de la RAF lanzó bombas incendiarias sobre la ciudad y desencadenó una devastadora tormenta de fuego. El trabajo

Arriba: *El Messerschmitt Me 163, un caza defensivo propulsado a reacción, era una de las creaciones del programa «Proyecto X» del Dr. Alexander Lippisch.*
Página anterior: *Fritz Wendel, el piloto de pruebas del primer Messerschmitt Me 262, espera a que le reparen los turborreactores BMW 003 de su aparato.*

de los Lancaster fue rematado el mediodía del 14 de febrero con el ataque de 450 unidades B-17 de la USAAF, que arrasaron por completo la ciudad. Se cree que en el bombardeo murieron entre 130.000 y 200.000 personas, aunque no existen cifras oficiales, ya que muchas de las víctimas fueron literalmente incineradas vivas. Dresde era una ciudad de nula importancia estratégica o militar y antes de la guerra era famosa por la belleza de sus edificios y obras de arte. Un castigo muy similar había recibido la ciudad industrial y portuaria de Hamburgo el 24 de julio de 1943. Durante el ataque, la tormenta de fuego alcanzó una temperatura de 537 °C y provocó la muerte de 40.000 personas, la mayoría de ellas mujeres y niños. El ataque fue bautizado «Operación Gomorra» por las tripulaciones de los bombarderos.

El fin del Tercer Reich

En el frente oriental, la resistencia alemana se endurecía a medida que los soviéticos se acercaban a Berlín. Con el objeto de debilitarla, la URSS decidió lanzar una ofensiva en el sur, en dirección a Rumanía, con dos grupos de ejército y más de 1.700 aviones. Rumanía cayó el 23 de agosto, tres días después del inicio de la ofensiva. Bulgaria hizo lo propio el 8 de septiembre. En los Balcanes, la Luftwaffe opuso una enconada resistencia, pero acabó vapuleada.

La ofensiva final de los soviéticos empezó el 13 de enero de 1945: los soviéticos emprendieron la marcha hacia Prusia Oriental, donde en Königsberg hallaron una dura oposición. Varsovia cayó cuatro días más tarde. En el oeste, el 1er Ejército estadounidense cruzó el Rin, y Colonia cayó en poder aliado el 7 de marzo. El Ejército Rojo capturó Viena el 13 de abril. Tres días más tarde comenzó la batalla por la conquista de Berlín. En el curso de ésta se produjo el encuentro de tropas estadounidenses y las soviéticas en Torgau. El Eje estaba condenado: el 28 de abril, Mussolini fue ejecutado por partisanos; dos días más tarde, Adolf Hitler se suicidaba en su búnker; el 2 de mayo, la ciudad se rendía al Ejército Rojo. La rendición incondicional de las fuerzas alemanas fue firmada por el general Alfred Jodl en Reims, el 7 de mayo de 1945, en representación del nuevo *führer* alemán, el almirante Karl Dönitz.

El acto final en el Pacífico

Pese a la rendición de Alemania, la guerra en el Pacífico continuaba. Fuerzas estadounidenses habían atacado las Filipinas el 9 de enero desembarcando en la isla de Luzón 67.000 soldados al mando del

Arriba: *Un B-29 lanza una lluvia de bombas sobre la ciudad japonesa de Kobe durante un raid aéreo llevado a cabo el 5 de junio de 1945.*

Izquierda: *Una zona de Berlín en ruinas (mayo de 1945). La ciudad quedó destrozada tras el asalto y ocupación de las tropas soviéticas.*

general Douglas MacArthur. Los 262.000 soldados japoneses de la isla opusieron una dura resistencia y una nueva «arma» apareció en el bando nipón: los kamikazes, la primera víctima de los cuales fue el portaaviones escolta USS *Ommaney Bay*. Sin llegar a ser hundidos, el USS *Kitkun Bay* y el USS *Kadashan Bay* sufrieron daños considerables en ataques similares y debieron retirarse del combate. Manila no fue capturada hasta el 4 de marzo. En la operación, Estados Unidos perdió 40.000 soldados y 360 aviones.

Los esfuerzos para convencer al Alto Mando japonés de que la derrota era inevitable recibieron un nuevo impulso el 20 de enero de 1945, con el nombramiento del general de división Curtis E. LeMay como jefe del Mando de Bombarderos de la USAAF. LeMay revisó las tácticas de bombardeo con los bombarderos superpesados a partir de su experiencia en el escenario europeo. Aviones B-29 con base en los aeródromos de Guam y Tinian empezaron a lanzar bombas incendiarias en las ciudades japonesas, en las que se desencadenaron tormentas de fuego similares a las vividas en Europa. Las defensas de los bombarderos se redujeron para poder aumentar la carga de bombas.

La teoría de LeMay se puso en práctica la noche del 9 de marzo de 1945, cuando un *raid* llevado a cabo por 334 aviones B-29 incendió Tokio. Más de 25 km² de superficie fueron reducidos a cenizas por las bombas incendiarias. Las cifras de muertos, la mayoría de ellos civiles, oscilan entre los 80.000 y 200.000. Otras incursiones parecidas se realizaron contra las ciudades de Nagoya, Osaka y Kobe, en las que se destruyeron 75 km² de enclaves industriales. El mayor *raid* aéreo de la guerra efectuado hasta entonces tuvo lugar la noche del 25 de mayo; en esta ocasión, los B-29 arrasaron más de 90 km² de la superficie de Tokio en un ataque con bombas incendiarias. La mitad de la capital japonesa fue completamente destruida.

El 14 de marzo de 1945, las fuerzas armadas estadounidenses estaban listas para el asalto de la isla de Iwo Jima, de gran importancia estratégica. Tras un sangriento combate, el 10º Ejército de Estados Unidos y 16 portaaviones tomaron la isla, que se convirtió en la rampa de lanzamiento para el asalto a Okinawa, que empezó el 23 de marzo con bombardeos aéreos protagonizados por más de un millar de aviones procedentes de 13 portaaviones pesados, 6 de tipo ligero y 19 escoltas. La invasión, la mayor de estas características en el Pacífico, comenzó el 1 de abril de 1945.

Las explosiones finales

El 6 de abril, el acorazado *Yamato* partió desde Japón en un intento desesperado por detener la invasión de Okinawa y destruir el máximo número de barcos y aviones estadounidenses antes de ser hundido. No obstante, aviones de reconocimiento Martin PBM Mariner detectaron la salida del *Yamato*, que fue atacado por 280 aviones, entre

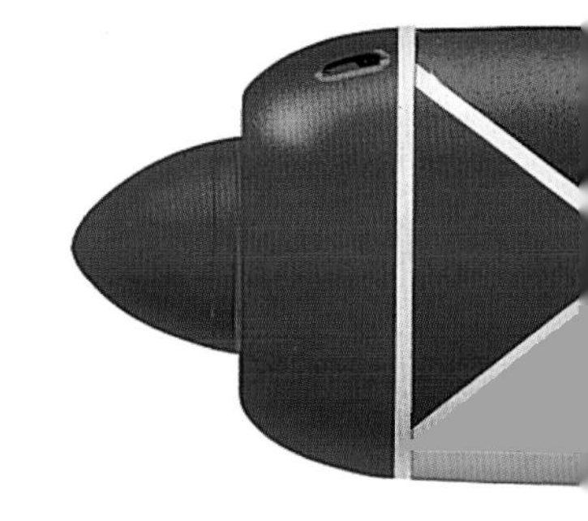

La tripulación de un bombardero japonés durante un descanso en 1945. Al fondo, un bombardero Mitsubishi G4M.

Arriba: *El La-7 soviético era un caza ligero que alcanzaba una velocidad máxima de 680 km/h.*

Abajo: *Una nube en forma de hongo se eleva a 6.000 m de altura sobre la ciudad japonesa de Hiroshima.*

Kokura tuvo más suerte que Nagasaki

El B-29 N.º 44-27297, que había costado cerca de 639.000 dólares, entró al servicio de la USAAF con la 393ª Escuadrilla de Bombarderos el 19 de abril de 1945 y fue trasladado más tarde al 509º Grupo Compuesto. Bautizado como *Bock's Car* en honor de su piloto, Frederick C. Bock, llevó a cabo varios vuelos de entrenamiento, en lo que lanzaba un proyectil naranja denominado «Pumpkin».

El 9 de agosto, el «Pumpkin» fue cambiado por el «Fat Man», una bomba atómica de plutonio que desencadenaría la tercera explosión nuclear de la historia. Poco después de despegar de Tinian, el avión empezó a quemar combustible más rápido de lo que debía. Esto significaba la pérdida de 272 kg de combustible, cuyo consumo debería racionarse. Una vez en el aire, la bomba se armaba conectando los circuitos de encendido con el fusible. El avión debía lanzar la bomba sobre la ciudad de Kokura. El *Bock's Car* tenía previsto citarse con un avión de acompañamiento cargado con material fotográfico. La tripulación del B-29 dio vueltas durante 40 minutos hasta avistar al otro avión.

La espera del *Bock's Car* en Tinian fue difícil; prueba de ello es que el general Thomas Farrell, al mando de la misión, sufrió un mareo debido a la tensión del momento. Kokura era el objetivo inicial, pero cuando el *Bock's Car* llegó a ella, la ciudad estaba tapada por nubes, con lo que el bombardero se dirigió a su segundo objetivo, la ciudad portuaria de Nagasaki. El capitán Kermit Beahan, que ese día cumplía 27 años, estableció la posición de su objetivo y lanzó la bomba de 4.536 kg; la explosión tuvo lugar a las 11:02 a 500 m de altitud sobre la vertical de la ciudad, con una fuerza de 21 kT. 40.000 personas murieron en el acto y otras 60.000 sufrieron heridas de gravedad.

Arriba: *El* Bock's Car, *el avión que lanzó la bomba atómica en Nagasaki.*
Izquierda: *El* Bock's Car *transportó a «Fat Man» hasta su objetivo. La bomba pesaba 4.536 kg y tenía un diámetro de 1,5 m.*

ellos 98 torpederos Avenger. 24 horas más tarde, el efecto de diez torpedos y cinco bombas acabó con este enorme acorazado, que se hundió junto con sus 2.498 tripulantes.

En el Sudeste Asiático, Rangún fue liberada el 2 de mayo después del desembarco de la 26ª División India. En el interior de Birmania había quedado atrapada una cantidad considerable de tropas niponas. Enfermos y malnutridos pero obstinados, los japoneses intentaron abrirse paso a través del río Sittang, en el este de Birmania. Sin embargo, la RAF lo impidió: durante diez días lanzó más de 680.000 kg de bombas –en casi 3.000 acciones– contra los japoneses, que terminaron rindiéndose hacia finales de julio.

Por esas fechas, en Alamogordo (Nuevo México), se probaba la última explosión de la guerra. El 16 de julio, una bomba de plutonio con el nombre clave de «Gadget» fue explosionada en el desierto y liberó una energía equivalente a 20.320 t de TNT. Era la culminación del secretísimo «Proyecto Manhattan», llamado así porque la oficina central del proyecto se hallaba en la ciudad norteamericana de Manhattan.

Apenas un mes más tarde, «Little Boy», una bomba de uranio, fue explosionada a las 8:15 del 6 de agosto sobre la ciudad japonesa de Hiroshima. La bomba fue lanzada por un B-29 especialmente adaptado para la ocasión y bautizado *Enola Gay* en honor de la madre del comandante del avión, el coronel Paul Tibbets. La bomba explotó a 580 m de altitud sobre el puente Aioi con una energía liberada de 15 kilotones, equivalente a 15.000 t de TNT. La onda expansiva mató instantáneamente a 75.000 personas, y muchos miles más fallecieron más tarde por los efectos de la bomba.

Japón se rindió el 14 de agosto. El conflicto humano más letal de la historia terminó como había empezado, con un espectacular y decisivo ataque aéreo. Las explosiones atómicas cerraron un capítulo dramático de la historia de la humanidad, aunque de inmediato abrieron otro. El avión había sido muy importante durante la Segunda Guerra Mundial; en la Guerra Fría, sería vital.

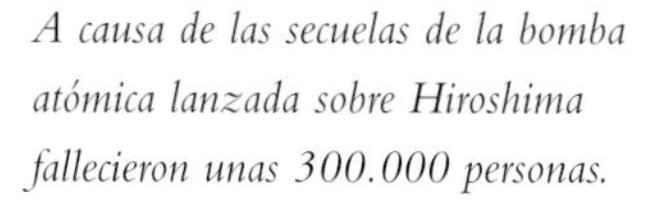

A causa de las secuelas de la bomba atómica lanzada sobre Hiroshima fallecieron unas 300.000 personas.

la evolución del avión de pasajeros moderno

la hora de los reactores

Terminada la Segunda Guerra Mundial, la industria aeronáutica civil experimentó cambios sustanciales: los motores a reacción aumentaron la eficacia de los nuevos aviones y redujeron a la mitad la duración de los vuelos. La era comenzó con el Constellation (500 km/h) y culminó con el Concorde (2.000 km/h).

La Segunda Guerra Mundial cambió la imagen de la aviación. Los miles de pilotos que sirvieron en las fuerzas aéreas durante el conflicto y los millones de personas que vieron pasar los aviones sobre sus cabezas contribuyeron a difuminar el miedo y las dudas existentes hasta entonces. La aplicación más fluida de la tecnología militar a la aviación civil se produjo en Estados Unidos. El conocimiento y la experiencia acumulados en la producción de bombarderos de gran radio de acción como el Boeing B-29, con su cabina presurizada y sus potentes motores, resultaron decisivos para su posterior aplicación comercial en la inmediata posguerra. En 1946, TWA recibió los primeros Lockheed Constellation y Boeing comenzó a desplegar su modelo 377 Stratocruiser, que era una versión renovada del B-29.

Los primeros años de la posguerra fueron la época dorada del avión civil con motor convencional de pistones. Pan Am y TWA inauguraron servicios transatlánticos con aviones Constellation en febrero de 1946. En el Reino Unido, por el contrario, British Overseas Airways Corporation (BOAC) todavía empleaba hidroaviones para sus rutas con la Commonwealth. Los aviones terrestres de construcción británica con motor convencional, como el Bristol Type 170 Freighter, se reservaron para vuelos comerciales cortos (como la travesía del canal de la Mancha); las compañías más grandes, en cam-

Izquierda: *Con más de 4.000 unidades en servicio, el Boeing 737 es uno de los aviones comerciales más populares de todos los tiempos.* Arriba: *El Boeing Stratocruiser se basó en el diseño del bombardero B-29, del cual incorporó muchas innovaciones.*

El Douglas DC-7 fue uno de los mejores aviones de pasajeros con motor convencional de explosión, aunque también uno de los últimos.

bio, apostaron por «lo americano», y BOAC, por ejemplo, encargó el Constellation y el Stratocruiser. Las últimas versiones de este primero y del nuevo Douglas DC-7 eran soberbias; no obstante, y aunque parezca mentira, representaron el principio del fin de los aviones civiles con motor de pistones, ya que los fabricantes y los pasajeros exigían cada vez más de los aviones, y el rendimiento de éstos ya no podía superarse con la tecnología existente.

El problema con los aviones civiles del momento era que habían alcanzado el máximo nivel de rendimiento. El motor de pistones de combustión interna requiere una gran entrada de aire; a elevadas altitudes, el aire es menos denso y la potencia decrece notablemente. En las décadas de 1920 y 1930, los ingenieros habían desarrollado el motor convencional sobrealimentado, que comprimía aire y permitía al avión volar más alto a plena potencia. Aun con el sobrealimentador, no obstante, el rendimiento del motor de pistones disminuye a unos 12.000 m. La potencia de los mejores motores de este tipo alcanza su punto álgido a unos 3.000 CV, lo que limita la velocidad máxima a 800 km/h. Hacía falta un nuevo motor, cuyo desarrollo en Europa ya estaba en marcha.

Los primeros reactores

Hacia el fin de la Segunda Guerra Mundial, los aviones alemanes Heinkel He 178 y Messerschmitt Me 262, así como el británico Gloster Meteor, habían demostrado las ventajas de la tecnología del motor a reacción, que los fabricantes de aviones comerciales no tardaron en incorporar. En este sentido, De Havilland dio un gran salto al presen-

Arriba, imagen superior: *Los aviones con motor convencional de pistones como el Silver City 170 se siguieron empleando en vuelos de carga de corto alcance.*
Arriba, imagen inferior: *Un Lockheed Super Constellation de KLM.*

tar el prototipo de reactor Comet el 27 de julio de 1949. Los planes de fabricación del reactor civil de De Havilland se remontaban a febrero de 1945; la configuración final de cuatro motores y 36 pasajeros para el Mk.1 Comet fue acordada en agosto de 1946, y ya en enero de 1947 se procedió al encargo de dos prototipos. BOAC encargó ocho y British South American Airways adquirió seis Comet Mk.1. El 2 de mayo de 1952, BOAC inauguró su servicio con el Comet entre Londres y Johannesburgo. Gracias a sus 725 km/h de velocidad se redujo a la mitad la duración del vuelo y la empresa obtuvo un beneficio neto desde el primer año de utilización. Con los posteriores Mk.1A y Mk.2, el Reino Unido se convirtió en el líder mundial en la producción de reactores comerciales. El desastre llegó en 1954, cuando tres Comet se estrellaron misteriosamente. Todos los encargos de Mk.2 fueron anulados y todos los Mk.1 y 1A retirados del servicio. Los únicos 1A en activo fueron los de la Fuerzas Aéreas Reales de Canadá (Royal Canadian Air Force, RCAF).

La comisión encargada de investigar los accidentes del Comet concluyó que la causa fue la «fatiga» del metal, que desgastaba la cabina presurizada. Este informe se tuvo en cuenta a la hora de mejorar el diseño del Comet, del que se hizo una versión Mk.4 a partir del prototipo Mk.3. BOAC encargó 19 Comet Mk.4, un avión con capacidad para 144 pasajeros. El primer servicio de BOAC con el Mk.4 entre Londres y Nueva York tuvo lugar el 4 de octubre de 1958.

Aunque los encargos siguieron llegando, la reputación del Comet nunca se repuso por completo. Cuando Capitol Airlines cursó un pedido de cuatro Mk.4 y diez Mk.4A se pensó que De Havilland había logrado un gran éxito. Pero Capitol entró en crisis y en 1961 fue adquirida por United Airlines,

Dos mecánicos trabajan en las unidades de presurización y en los motores de un De Havilland Comet Mk.1 en el aeropuerto londinense de Heathrow.

De Havilland fue el primer fabricante en comercializar reactores de pasajeros. Esta fotografía subraya la nitidez y la elegancia que presentaban las líneas del Comet Mk.4C.

الخطوط الجوية السودانية
SUD

La culminación del trabajo de De Havilland fue el Comet Mk.4C. Sólo se construyeron 74 ejemplares del total de variantes del Mk.4; la mayoría de ellos entraron al servicio de compañías aéreas de Oriente Medio, como la Sudan Airways.

Arriba: *El Vickers Viscount fue el primer turbohélice de pasajeros. El rendimiento de los turbohélice se encontraba a caballo entre el de los aviones con motores convencionales de explosión y el de los reactores.*
Página siguiente, arriba: *Vickers fabricó el Vanguard (139 plazas), el VC-10 (151 plazas) y el Super VC-10 (163 plazas) para reivindicar su liderazgo en el diseño y la producción de la aeronáutica británica.*
Página siguiente, abajo: *El Antonov An-22, un avión con motor de turbohélice, estableció en 1967 catorce récords, entre ellos, el de máxima carga útil por altitud. El An-22 podía alojar tres autobuses o entre 15 y 20 tractores.*

que anuló el pedido. El Mk.4A nunca fue construido. Se abrió un mercado para los Mk.4B y Mk.4C, capaces de alcanzar 850 km/h, pero sólo se fabricaron un total de 74 Mk.4, Mk.4B y Mk.4C. El último servicio del Comet con BOAC tuvo lugar en 1965, si bien De Havilland lo utilizó como base para el Nimrod, avión de reconocimiento y patrulla marítima de la RAF. Pese al complicado desarrollo del Comet, De Havilland había demostrado que el futuro de la aviación civil pertenecía a los reactores, retando así a la competencia americana.

El Boeing 707

El 15 de julio de 1954, Boeing estrenó para la USAF su reactor cisterna 367-80. Con la denominación KC-135, el avión fue todo un éxito, hasta el punto que algunas de las 732 unidades producidas aún continúan prestando servicio. En 1956, la USAF autorizó que el 367-80 se transformara en una versión comercial: el Boeing 707.

El Boeing 707 fue el primer reactor civil estadounidense y se vendió en grandes cantidades por todo el mundo. El primer ejemplar destinado a la fabricación en serie voló el 20 de septiembre de 1957 y fue aprobado por la Administración Federal de Aviación (FAA) un año más tarde. Pan Am se convirtió en el primer cliente del 707 al encargar 20 unidades (al mismo tiempo que adquiría 20 Douglas DC-8), que empleó por primera vez en la ruta Nueva York-Londres en octubre de 1958. El 707, del que se fabricaron versiones de fuselaje corto y largo, según fuese su uso, era un cómodo avión de pasajeros con asientos en filas de a seis. El primer modelo de largo alcance fue la serie 707-320 Intercontinental, que Pan Am utilizó en sus vuelos transatlánticos desde el 26 de agosto de 1959. Contando las versiones militares se construyeron 878 unidades de 707 y 154 de 720, una variante de 707 más corta y ligera.

Los turbohélice europeos

A finales de la década de 1940 apareció en el Reino Unido una novedad mundial: el Vickers Viscount, el primer avión turbohélice civil. La turbohélice funciona de un modo muy similar al motor a reacción, salvo que en ella existe una turbina que mueve el eje de una hélice. Su ventaja es que tiene mayor rendimiento que un motor convencional de pistones y menor consumo que un reactor a bajas velocidades. El Viscount, avión de corto y medio alcance, realizó su primer vuelo el 16 de julio de 1948, y su vuelo inaugural en servicio fue en julio de 1950 con British European Airways (BEA). Con capacidad para 47-60 pasajeros, el Viscount 700 fue el primer avión civil británico construido en grandes cantidades para el mercado americano (Capitol Airlines adquirió 60 unidades). También algunos otros fabricantes británicos explotaron el diseño de la turbohélice. Los dos grandes dominadores del mercado fueron el avión de alcance medio Bristol Britannia (74 plazas), que efectuó su primer servicio en 1957, y el Handley Page Herald, de corto alcance y menores dimensiones, cuyo prototipo apareció en marzo de 1958. Para competir con el Britannia, Vickers propuso dos soluciones. Las exigencias de diseño de BEA y Trans-Canada Air Lines (ahora Air Canada) se tradujeron en el Vickers Vanguard (139 plazas), que BEA puso en servicio en 1961. Otro nuevo competidor fue el VC-10 (151 plazas), que empezó a transportar pasajeros en 1964 y terminó derivando en el Super VC-10 (163 plazas) un año más tarde.

Super VC10

СССР-46191
СЛУЖЕБНЫЙ

En EE.UU, no obstante, la impresión causada por los turbohélice civiles británicos no fue suficiente para que los fabricantes de ese país desafiaran a Vickers y Bristol. Beech, Convair y Fairchild construyeron turbohélices de corto y medio alcance para pasajeros y carga, pero no eran útiles para las rutas transatlánticas. Los nuevos diseños de estos aviones vinieron de Antonov, en la URSS, y de Fokker, en Países Bajos: el primero construyó el más grande; el segundo, uno de los más vendidos.

Mientras su colega Tupolev se centraba en desplegar una flota de reactores comerciales y presentaba el Tu-104 en 1957, Antonov producía una serie de logrados turbohélice, entre ellos el An-22, aparecido en 1965. Con 57,9 m de largo, el An-22 continúa siendo el mayor turbohélice jamás construido. Concebido inicialmente como avión de carga, podía alojar a hasta 29 pasajeros y llevar una carga útil de 80.000 kg. Se estudió la posibilidad, luego desechada, de construir una versión para pasajeros con 724 plazas. El An-22 entró al servicio de Aeroflot en 1967 y en octubre de ese año estableció 14 récords de carga útil por altitud, al alcanzar 7.848 m con 100.018 kg de carga. Del An-22 se construyeron 66 unidades.

A principios de la década de 1950, Fokker diseñó el Fo27 Friendship para relevar el veterano Douglas DC-3. También se firmó un contrato con Fairchild Engine and Airplane Corporation (más tarde Fairchild Hiller) en Estados Unidos para construirlo bajo licencia como F-27. El primer prototipo de Fokker F.27 realizó su primer vuelo el 24 de noviembre de 1955, y el primer modelo de serie hizo lo propio el 23 de marzo de 1956. El primer vuelo regular con un F-27 lo firmó Aer Lingus el 15 de diciembre de 1958. El F.27 y el F-27, de los que más de 200 unidades continúan en activo, prestaron servicio en las compañías aéreas más importantes del mundo. Fokker construyó 579 F.27 y Fairchild, 207 ejemplares F-27.

Con una autonomía de 11.000 km, el Antonov An-22 puede llevar su carga a casi cualquier parte del mundo. En la foto, un An-22 durante una operación de ayuda humanitaria a raíz de un terremoto en Georgia.

Imagen artística del Hurel-Dubois HD.45, uno de los tres diseños tenidos en cuenta por el Comité du Matériel Civil francés en 1952 para la fabricación del primer reactor comercial francés.

La época dorada del reactor comercial

Mientras el desarrollo del motor a reacción avanzaba a ambos lados del Atlántico, los turborreactores mantenían su ventaja sobre los turbohélice. Aún así, el fabricante francés SNCA Sud-Est presentó un concepto absolutamente innovador. En octubre de 1951, el Comité du Matériel Civil se dirigió a los fabricantes franceses para que construyeran un reactor civil sin especificar formalmente ni el número de motores ni cómo debían ser éstos. En marzo de 1952, los diseños en concurso fueron reducidos a tres: el bimotor Hurel-Dubois, el X-210 de Sud-Est, con tres motores agrupados en la cola, y el cuatrimotor S.0.60. Cuando Rolls-Royce presentó su motor a reacción R.A.16, más potente que el anterior (el Avon), Sud-Est retiró el tercer motor del avión, si bien mantuvo el diseño con los dos motores restantes en la parte trasera del fuselaje. El proyecto de Sud-Est de lo que más tarde sería el Caravelle fue presentado de nuevo en julio de 1952 y aceptado en septiembre del mismo año.

La disposición del motor en el fuselaje aportaba muchos beneficios, pero era muy extraña en aquellos tiempos, ya que lo habitual era montarlos en el ala. Desde un punto de vista aerodinámico, las alas sin motor eran más «limpias», y el flujo de aire hacia el motor, más fácil, ya que el aire sigue el contorno del fuselaje y el rendimiento del motor se ve beneficiado. También se mejoró el rendimiento en el despegue y el aterrizaje, pues la posición del motor suministraba una mayor potencia en las pistas cortas. Con los depósitos de combustible de las alas, los motores montados en la popa redujeron el riesgo de incendio. También los pasajeros salieron ganando, ya que el ruido disminuyó considerablemente.

Braniff International abrió el camino (1928-1982)

Era una época en la que el motor a reacción era la primera apuesta de la mayoría de aerolíneas, y de entre ellas cabe destacar a una en particular. En junio de 1928, los hermanos Paul Revere y Thomas E. Braniff fundaron Paul R. Braniff Inc. y establecieron un servicio aéreo entre Oklahoma City y Tulsa. Al cabo de poco tiempo, la compañía se vendió. No obstante, en 1930 los hermanos Braniff decidieron refundar su línea aérea independiente como Braniff Airways Inc. A principios de la década de 1930, Braniff se expandió y obtuvo contratos de transporte postal desde Chicago hasta Dallas y, más tarde, de Texas a México. Paul vendió su participación en la empresa a su hermano en 1936. En junio de 1942, Thomas trasladó la sede de la compañía de Oklahoma City a Dallas como reflejo del cambio de orientación de la empresa.

Durante toda la década de 1940, Braniff diversificó sus actividades en el mercado centroamericano y caribeño. En 1943, Braniff obtuvo la concesión de Aerovías Braniff para sus servicios en México, y tres años más tarde obtenía el permiso para operar en las rutas de América del Sur, Central y el Caribe. Ese mismo año, Braniff cambió su nombre por el de Braniff International. La expansión continuó cuando la empresa adquirió Mid-Continent Airlines, con lo que el número de rutas pasó de 38 a 70.

Thomas Braniff murió en un accidente aéreo en enero de 1954 y Charles Beard le sucedió al frente de Braniff International. Beard vivió un período de grandes cambios y emociones: en diciembre de 1959, Braniff puso en servicio el Boeing 707-727, y en abril del año siguiente inauguró un servicio regular con reactores entre Estados Unidos y América Latina.

En julio de 1964, Troy Post, de la Greatamerica Corporation, y tres accionistas de Braniff se hicieron con el control del 57,5% de las acciones de la sociedad y decidieron convertirla en un escaparate del arte y de la moda contemporáneos. En marzo de 1965, Braniff adquirió el primer BAC One-Eleven, y Jack Tinker and Partners, un gabinete publicitario, se encargó de crear una nueva imagen para la empresa. Formó parte de esta iniciativa la colección de alta costura de Emilio Pucci para las azafatas de Braniff. En 1973, el artista Alexander Calder creó su obra «Flying Colors of South America» para un DC-8. En octubre del mismo año, el avión fue presentado al público en el aeropuerto de Dallas-Fort Worth. Calder también fue el autor de «Flying Colors of America», creado para un 727-200 de Braniff con ocasión del bicentenario de Estados Unidos.

A principios de 1966, las acciones de Braniff se habían multiplicado por ocho y la aerolínea se encontraba en expansión. A comienzos de 1967, Braniff había adquirido Panagra, una parte de la poderosa alianza entre W.R. y Pan Am. En 1969, la flota de Braniff estaba constituida enteramente por aviones a reacción, entre ellos Boeing 707, BAC One-Eleven y Douglas DC-8. En 1971 se encargaron 35

Arriba: *El Boeing 727, aquí con los colores de Braniff, fue el primero y el único trirreactor de Boeing.*
Abajo: *Los Boeing 747 de Braniff International se hicieron famosos por su color naranja.*

Boeing 727 y algunos 747 para ampliar la flota. El cincuenta aniversario de Braniff hacía presagiar un servicio aún mayor y mejor. A raíz de la liberalización del tráfico aéreo en Estados Unidos en 1978, la compañía solicitó a la Comisión de Aeronáutica Civil la apertura de 620 nuevas rutas.

El principio del fin de Braniff International se produjo en 1979. A pesar de que en octubre de ese mismo año había recibido una solicitud de compra de aparatos Boeing 727 y 747 por valor de 700 millones de dólares, fue imposible salvar la situación financiera de la empresa. Braniff había ido demasiado lejos. 1979 fue un mal año: una recesión nacional unida al incremento de precios del combustible provocaron el descenso del número de pasajeros. Al final del año, Braniff anunció pérdidas de 44 millones de dólares. En 1980 redujo los vuelos a Europa y al Pacífico, que finalmente también fueron suprimidos. En febrero de 1982 se anunciaron pérdidas por valor de 128,5 millones de dólares. Al cabo de poco tiempo, se eliminó la primera clase de todos los Boeing 727 y se sustituyó por una única denominada «Clase Texas». El 12 de mayo de 1982, tras 54 años de servicio, Braniff International se convertía en la primera gran compañía aérea estadounidense en declararse en quiebra.

Arriba: *La flota de Braniff estaba formada por numerosos Boeing 727, así como 707 y 747.*

Abajo: *El Douglas DC-8 «Flying Colors of South America» de Alexander Calder.*

Arriba: *Alitalia fue la primera compañía aérea en adoptar el Sud-Aviation Caravelle con el sistema de aterrizaje automático de Lear.* Derecha: *Scandinavian Airlines System (SAS) fue el primer cliente extranjero del Caravelle I y recibió su primer avión en 1959.*

El primer prototipo de Sud-Est voló el 27 de mayo de 1955. Su éxito hizo que a principios de 1956 Air France encargara 12 ejemplares con opción a 12 más. El Caravelle I se empezó a fabricar ese mismo año. Sud-Est y SudOuest se fusionaron en marzo de 1957 para formar Sud-Aviation. Los Caravelle I fueron entregados a Air France y Scandinavian Airlines Systems (SAS) en 1959; al cabo de poco también se inició la producción del IA, una versión perfeccionada que se entregó a Finnair en febrero de 1960. Al concluir este año se habían encargado 105 Caravelle I, IA, III y VII. Con todo, el modelo más popular del Caravelle fue el de la serie VI. El VI-N realizó su primer vuelo el 10 de septiembre de 1960 y United Airlines encargó 20 unidades.

Otra novedad del diseño del Caravelle era el sistema de aterrizaje automático. El primero de éstos fue efectuado por el prototipo 01 el 29 de septiembre de 1962 en unas pruebas llevadas a cabo con el piloto automático Lear 102 y el aterrizaje automático Smith. El estadounidense Elmer Ambrose Sperry había inventado el piloto automático y lo había presentado al público en París en 1914; no obstante, William Powell Lear desarrolló la tecnología hasta un punto en que el invento se volvió indispensable. A finales de la década de 1940, Lear perfeccionó el piloto automático F-5, que podía captar señales y aterrizar con visibilidad casi nula. Para un aterrizaje automático, el piloto seleccionaba la función a 8 km de la pista, tras lo cual el piloto automático mantenía con precisión el rumbo y la altitud del aeroplano durante toda la maniobra de aterrizaje. El primer Caravelle en entrar en servicio con el sistema de aterrizaje automático Lear fue un avión de Alitalia, en 1966.

Competencia transatlántica

Los tres grandes fabricantes estadounidenses (Boeing, Douglas y Lockheed) desarrollaron varias configuraciones de reactores de dos y tres motores a finales de la década de 1950 y principios de la de 1960. Por contra, el primer reactor civil Douglas, presentado por Delta Air Lines en 1959, fue un cuatrimotor. Douglas construyó 556 DC-8 en sus siete variantes, siendo la más solicitada la serie DC-8-60, que podía atravesar el Atlántico con 260 pasajeros a bordo. En 1964, Eastern Air Lines empezó a operar con el primer trirreactor de Boeing, el modelo 727, un avión de 189 plazas con la misma configuración que el Caravelle original y con un motor central sobre el fuselaje y dos más a cada lado de la popa. El éxito del 727 estimuló el desarrollo de bimotores civiles con reactores montados en la popa en Estados Unidos y el Reino Unido. El BAC One-Eleven (89 plazas) efectuó su servicio inaugural con British United Airways (BUA) en abril de 1965. En diciembre del mismo año, Delta comenzó a operar con el Douglas DC-9 (139 plazas). De este bimotor se fabricaron 976 unidades, por sólo 239 del One-Eleven.

Del Baby al Jumbo

A partir de este momento, Boeing volvió a montar los motores en las alas. Conocido como «Baby Boeing», el modelo de corto alcance 737 realizó su primer vuelo el 9 de abril de 1967. La versión original entró en servicio con Lufthansa en febrero de 1968, mientras que una versión «alargada» de 150 plazas apareció seis meses más tarde. Gracias a su poco peso y, por consiguiente, a su bajo consumo de combustible (sólo 0,034 litros por asiento y kilómetro), el 737 fue todo un éxito. Una ulterior ventaja de su bajo peso radicaba en la inferior cuantía

El interior de un Douglas DC-8 de finales de la década de 1950. En comparación con los primeros aviones civiles, los asientos reclinables, las luces y los ventiladores individuales ofrecían un lujo desconocido.

Boeing vendió más de 1.800 unidades del 727, entre ellas, los 727-100 de 129 plazas (en la imagen). La mayoría de los aviones fabricados, sin embargo, fueron 727-200 de 189 plazas.

de las tasas aeroportuarias de aterrizaje, rodaje y estacionamiento que el Baby Boeing debía abonar. En todo el mundo se han vendido más de 4.000 unidades del modelo 737.

El primer reactor del mundo de fuselaje ancho, el Boeing 747 «Jumbo», conservaba la convencional disposición de los motores bajo las alas. Los orígenes de este aparato se remontan a unos estudios preliminares para construir un avión militar de transporte. En abril de 1966, Pan Am efectuó un pedido de 25 Boeing 747, lo que dio inicio al proyecto comercial. Dos años más tarde estaba listo el primer prototipo, que realizó su primer vuelo el 9 de febrero de 1969. El 747 fue presentado oficial-

Arriba, imagen superior: *El 737 es el avión más fabricado de Boeing.*
Arriba, imagen inferior: *El Boeing 747* Air Force One, *empleado por el presidente de EE.UU., sobrevuela el monte Rushmore y los 4 rostros esculpidos de antiguos presidentes del país.*

Arriba: *Con una capacidad de más de 500 pasajeros, el Boeing 747 ha prestado servicio en todas las grandes compañías aéreas del mundo.*

Izquierda: *El Boeing 747, presentado en el Salón Aéreo de París de 1969, junto a su predecesor, el 707, que a su lado parece un avión en miniatura.*

mente al público en el Salón Aeronáutico de París, en junio de 1969, antes de empezar su servicio regular con Pan Am el 21 de enero de 1970.

Dos 747-200 conocidos como «Air Force One» se encuentran al servicio del presidente de Estados Unidos. Otros actuaron en la «Operación Tormenta del Desierto» en 1991 como aviones cisterna o para el transporte de tropas y equipo militar, así como en la «Operación Devolver la Esperanza», en Somalia entre diciembre de 1992 y enero de 1993, como aviones de carga. Hasta 2002 se habían entregado casi 1.300 Boeing 747. Actualmente, sigue en marcha el desarrollo de un nuevo modelo, el Boeing 747-400ER, tanto para uso civil como militar.

Trirreactores estadounidenses

Para competir con el Boeing 747, Douglas y Lockheed empezaron a producir sus primeros aviones de fuselaje ancho. El Douglas DC-10 y el Lockheed L-1011 Tristar se desarrollaron a partir de un encargo de American Airlines, que deseaba tener un bimotor de este tipo. No obstante, los dos fabricantes convencieron a la aerolínea para que considerara un trirreactor de mayor capacidad. El DC-10 realizó su primer vuelo en agosto de 1970, tres meses antes que el Tristar. Las principales compañías estadounidenses dudaron entre ambos, pero el poco tiempo que transcurrió desde el inicio del programa del DC-10 hasta su primer vuelo hizo tomar la decisión. El primer servicio de American Airlines con DC-10 se inauguró en agosto de 1971. No obstante, el avión sufrió algunos reveses iniciales, entre ellos un accidente en 1972, cuya causa fue un fallo en la puerta de carga de popa que hizo perder toda la capacidad hidráulica y de dirección del aparato. Aunque el avión aterrizó sin daño alguno, el mismo fallo en marzo de 1974 hizo que un DC-10 de Turkish Airlines se estrellara en París. Con la fiabilidad del DC-10 puesta en duda, el Tristar fue adquiriendo relevancia, y en la década de 1980 la aerolínea TWA lo promocionó como uno de los aviones más seguros del mundo. Pese a este impulso, Lockheed era un fabricante especializado más en aviones de transporte militar que en aviones civiles, y el proyecto Tristar no anduvo exento de problemas. Aunque TWA, Eastern Airlines y Delta realizaron pedidos notables, la producción era lenta. Uno de los principales problemas del Tristar eran los motores de turbina RB.211 que debía suministrar Rolls-Royce. Cuando esta compañía se declaró en quiebra en 1970, el gobierno británico exigió garantías de que el contrato de Lockheed se cumpliría como condición para conceder ayuda financiera. En 1971 se fundó una nueva compañía, Rolls-Royce Motors Ltd; no obstante, como consecuencia de esta disputa política y financiera, el primer Tristar no entró en servicio con Eastern hasta abril de 1972, ocho meses después que el DC-10. American Airlines nunca operó con el Tristar. Una combinación de retrasos y deficiencias hizo que Douglas vendiera casi el doble de ejemplares que Lockheed (446 DC-10 –incluido el avión cisterna militar KC-10–, por 250 Tristar). Lockheed, que necesitaba vender

American Airlines prestó su primer servicio con un Douglas DC-10 trirreactor en 1971.

Un motor de turbina moderno, el Rolls-Royce Trent 700, empleado actualmente por 23 compañías de todo el mundo.

500 aviones para recuperar la inversión, no ha fabricado modelos comerciales desde entonces y ha optado por los aparatos militares de transporte.

La entrada en escena de la turbina

La aparición de aviones cada vez más modernos vino acompañada por la de grupos motores cada vez más eficiente. Así, hoy en día, los aviones civiles cuentan con un sistema propulsor derivado del motor a reacción: la turbina. El rendimiento de la turbina a velocidades intermedias es tan eficaz como lo son el turborreactor y la turbohélice a altas y bajas velocidades, respectivamente. El funcionamiento de una turbina es muy parecido al de un turborreactor: un motor a reacción en el núcleo, una turbina en la parte delantera y una tobera detrás. Una parte del aire que entra se dirige hacia el núcleo para la compresión, como en un turborreactor normal, mientras que la parte restante lo hace alrededor del núcleo. La propulsión, por tanto, se produce gracias a la potencia suministrada por el núcleo del motor a reacción, pero también a la que proporcion la turbina. Gracias a este doble sistema de propulsión, los aviones con turbinas aprovechan mejor el combustible que los turborreactores y pueden alcanzar velocidades de entre 400 y 1.045 km/h.

Del 757 al 777

A finales de la década de 1970, Boeing continuó ampliando su gama de aviones civiles sacando al mercado aparatos configurados de la forma tradicional, es decir, con los motores bajo las alas. En abril de 1978, United Airlines efectuó un encargo a Boeing que supondría la aparición de un nuevo modelo: el Boeing 767. Este avión con capacidad para 350 pasajeros y del que se construyeron seis variantes, con un total de 851 unidades, realizó su primer vuelo con United Airlines el 8 de septiembre de 1982. Le siguió en 1983 el Boeing 757, de dimensiones más reducidas (289 plazas). Este reactor de medio alcance presenta los costes de explotación más bajos de entre todos los aviones comerciales de su clase. Pese a los más de mil aparatos vendidos, Boeing no ha vuelto a recibir más encargos del 757 desde el año 2001. A raíz del retroceso de la industria aeronáutica estadounidense desde los ataques terroristas del 11 de septiembre de 2001, Boeing ha tenido que revisar sus planes de producción.

El último avión de pasajeros lanzado por Boeing es el 777, un modelo de largo radio de alcance con el que se propone rellenar el vacío existente entre el 747 y el 767. El primer servicio con un 777, del que hasta ahora se han vendido 367 ejemplares, fue efectuado por United Airlines entre Londres y Washington el 7 de junio de 1995.

Europa recupera terreno

Los principales competidores del Boeing 777 son los Airbus A330 y A340. Airbus es un conglomerado de fabricantes europeos constituido por Aérospatiale, Deutsche Airbus, CASA y British Aerospace. El primer Airbus fue el A300 (361 plazas), que llevó a cabo su vuelo inaugural el 28 de octubre de 1972. Durante los siguientes treinta años, Airbus se ha hecho con un importante segmento en el mercado de los aviones comerciales de corto y medio alcan-

Arriba: *El Boeing 777 está concebido para reemplazar el 747 como avión para grandes distancias y para cubrir el «vacío» entre el 747 y el 767.*

Abajo: *Un Boeing 767-ER de la compañía Air Seychelles. Esta variante para largas distancias cuenta con depósitos suplementarios de combustible en sus alas que le proporcionan una autonomía de 11.000 km.*

El Airbus 320 fue el primer avión de línea regular en incorporar el sistema de pilotaje mediante mandos electrónicos.

ce, con más de 2.000 aparatos de esta clase vendidos en todo el mundo. Con una tecnología avanzada, el Airbus A320 fue el primer avión comercial de pasajeros en emplear el sistema de pilotaje electrónico, en el que no existe ninguna conexión directa entre los controles de la cabina de mando y los deflectores y el timón del aeroplano. En su lugar, las instrucciones del piloto se transmiten a un sistema de control que convierte la señal en acción. El sistema de pilotaje electrónico puede anular una orden del piloto que considere peligrosa. Pese a las ventajas, hoy se debate sobre si con ello el piloto ha perdido en exceso el control del aparato, tan necesario, por ejemplo, para evitar una colisión en el aire.

Tras haber vendido hasta el año 2002 alrededor de 2.500 aviones (incluyendo los A318 todavía en construcción), el mayor logro de Airbus ha sido diseñar aviones capaces de competir con la elite de los fabricantes estadounidenses. El A330 y el A340 fueron lanzados al mismo tiempo, el 5 de junio de 1987. El A340 realizó vuelos de prueba a finales de 1991 y principios de 1992 antes de que entraran en servicio con Lufthansa en enero de 1993 las variantes A340-200 y A340-300. El A330 experimentó con los motores General Electric y Rolls-Royce Trent desde noviembre de 1992 antes de entrar en servicio con Air Inter, en enero de 1994. En los primeros años del siglo XXI, Airbus ha logrado que Boeing deba replantearse su política de diseños.

La ruptura de la barrera del sonido

Los primeros experimentos serios con los vuelos supersónicos se remontan a 1943, año en que el gobierno británico emitió la disposición E.24/43 para producir un «avión transónico» capaz de alcanzar una velocidad 1,5 veces superior a la del sonido (Mach 1.5), unos 1.060 km/h en altitud. En febrero, cuando el avión (el Miles M.52) estaba casi

terminado, el programa fue cancelado. El primero en romper la barrera del sonido en vuelo horizontal fue el estadounidense Chuck Yeager, quien el 14 de octubre de 1947 alcanzó la velocidad Mach 1.06 con el Bell X-1. En febrero de 1948, el Douglas D-558-2 Skyrocket logró el Mach 2. El primer vuelo supersónico de un aparato británico se produjo el 6 de septiembre de 1948, día en que John Derry alcanzó los 1.127 km/h en un picado entre los 12.200 y los 9.000 m con un avión de alas en flecha De Havilland D.H.108 Swallow.

El concepto de avión supersónico civil (SST) surgió hacia la década de 1950. Pese a perder la supremacía en los vuelos supersónicos en favor de Estados Unidos, el Reino Unido continuó liderando la investigación y en 1956 creó el Comité Consultor para el Transporte Supersónico (STAC). Con relación al diseño de un avión supersónico, una de las primeras decisiones en tomarse fue la relativa a la forma de las alas, que debían proporcionar un rendimiento aerodinámico a cualquier velocidad y altitud. Para la velocidad perseguida (Mach 2), el mejor diseño del ala era el de una flecha muy pronunciada; no obstante, para el control a altitudes bajas se requería un borde de salida recto. El ala en delta era la solución natural. La decisión de emplear alas en delta fue tomada de forma independiente por investigadores franceses, soviéticos y estadounidenses. Tres de los principales impulsores del STAC (Bristol, English Electric y Vickers) se fusionaron en 1960 en la British Aircraft Corporation (BAC). Se instó a todos los fabricantes a presentar diseños. El elegido fue el 223 de BAC, aunque una condición impuesta por BAC fue que se autorizaran las consultas con ingenieros y fabricantes extranjeros. Estados Unidos decidió investigar por su cuenta, Alemania no estaba interesada y Francia ya tenía un proyecto en marcha. A principios de 1961 se presentaron los diseños del BAC 223 (125 plazas) y del Super Caravelle de Sud-Aviation (70-80 plazas). Los dos modelos eran muy parecidos en todos los aspectos. En junio de 1961, BAC y Sud-

El 6 de septiembre de 1948, el De Havilland D.H.108 Swallow se convirtió en el primer avión británico en romper la barrera del sonido, once meses después de haberlo hecho por primera vez en la historia el Bell X-1 de Chuck Yeager.

Página anterior: *Todo lo relacionado con el Concorde está específicamente diseñado para el vuelo supersónico. El largo morro cónico debe bajarse al aterrizar a fin de que el piloto tenga una visión nítida de la pista de aterrizaje.*
Derecha: *La combinación de alas en flecha para alta velocidad y de borde de salida recto para el control a baja altitud dio como resultado la famosa ala delta del Concorde.*
Abajo: *British Airways fue uno de los dos únicos operadores del Concorde: la economía mundial y las restricciones medioambientales echaron por tierra los sueños de un éxito de ventas internacional.*

Aviation iniciaron conversaciones con vistas a una posible colaboración. El acuerdo formal tuvo lugar el 29 de noviembre de 1962 y condujo en último término a la fabricación del Concorde.

Empezó desde aquel instante una carrera por los cielos, y con un competidor inesperado. En el Salón Aeronáutico de París (1965), la URSS presentó su propio modelo supersónico, el Tupolev Tu-144. En consonancia con los aviones comerciales de la década de 1960, Tupolev había producido birreactores y trirreactores con los motores montados en la popa. Por su parecido con el proyecto francobritánico, el Tu-144 fue apodado «Concordski».

En Estados Unidos, también estaba en marcha un proyecto de estas características. Según la Administración Federal de Aviación, el programa conllevaría la producción de más de 500 aviones. Boeing y Lockheed presentaron respectivamente el 733 y el L-2000 en diciembre de 1966. Aunque el L-2000 era más fácil de construir, también era más lento y ruidoso que el Boeing. Por tanto, el 1 de mayo de 1967, Boeing recibió el encargo de dos unidades del 733, denominado ya 2707. La solución estadounidense al problema de las alas fue un diseño de geometría variable, en el que una ala de formas convencionales podía retirarse hacia atrás para producir un ala en delta a altas velocidades. A pesar de todo, problemas derivados de la ambiciosa velocidad deseada (Mach 3), tales como el ablandamiento de las superficies de aluminio o la contaminación acústica causada por los aviones supersónicos, indujeron al Senado a cancelar el programa en 1971. Desde ese momento, Europa pasó a tener el mando en el desarrollo de los aviones supersónicos.

El primer prototipo francobritánico, el Concorde 001, se presentó en las instalaciones de Aérospatiale de Toulouse, el 11 de diciembre de 1967. Tras la confusión inicial debida al nombre (Concord, según BAC; Concorde, según Aérospatiale), se eligió «Concorde» como denominación oficial. El

Arriba: *El Challenger 300, cuyo precio en el mercado es de 14,25 millones de dólares, es uno de los nuevos reactores privados «super midsize» (super tamaño medio). Su fabricante es Bombardier y tiene capacidad para efectuar vuelos transcontinentales.*
Derecha: *El confort también viaja: en la foto, el «salón» de un Global Express de Canadair.*

primer vuelo tuvo lugar el 2 de marzo de 1969, nueve semanas más tarde que el Tu-144. Concorde alcanzó Mach 1 el 1 de octubre de 1969 y Mach 2 el 4 de noviembre de 1970. Su velocidad máxima fue Mach 2.05 (2.179 km/h) a 17.500 m de altitud.

El Tu-144 volvió a adelantarse en la carrera y en diciembre de 1975 entró en servicio como avión postal y de carga entre Moscú y Alma Ata, como paso previo a su posterior empleo en el transporte de pasajeros. El Concorde (128 plazas) comenzó a volar con British Airways y Air France el 21 de enero de 1976. Con todo, la demanda de aviones supersónicos fue sobrestimada, en parte a causa de los problemas medioambientales que no se habían tenido en cuenta a principios de la década de 1960. Únicamente se construyeron 14 unidades del Concorde, que prestaron servicio con BA y Air France durante casi treinta años.

Un adelantado a su tiempo: *sir* Freddie Laker, padre de las aerolíneas de bajo coste

Fundada en 1966, Laker Airways fue una de las primeras aerolíneas de bajo coste en una época de expansión de los viajes aéreos. Freddie Laker introdujo su Douglas DC-10 «Skytrain» en noviembre de 1972 para vuelos chárter a islas del Mediterráneo. Estos aparatos no fueron aprobados para el servicio estadounidense hasta 1977, cuando un billete individual entre Londres y Nueva York con un «Skytrain» costaba sólo entre 118 dólares (sólo ida) y 150 dólares (ida y vuelta). El negocio era espléndido.

Para que las demás compañías aéreas estadounidenses no perdieran dinero, el Comité del Senado para el Comercio aprobó un decreto de liberalización de las rutas y de las tarifas aéreas, lo que permitió a las aerolíneas actuar con mayor libertad, aunque a costa de sentenciar a muerte la compañía de Laker. Las aerolíneas bajaron sus precios para atraer a los pasajeros. Ni siquiera la inauguración de una ruta Londres-Los Ángeles sin escalas por parte de Laker en 1979 logró sostener la compañía.

Freddie Laker recibió más de un millón de libras procedentes de donaciones particulares. Pero fue inútil: el 5 de febrero de 1982, Laker Airways se declaró en bancarrota con una deuda de 270 millones de libras. Todos los aviones de Laker recibieron la orden de regresar al Reino Unido aquella misma noche. En el aeropuerto de Gatwick fue requisado un DC-10 para sufragar las tasas de aterrizaje y estacionamiento. 6.000 pasajeros de Laker Airways tuvieron que regresar a sus casas en aviones de British Airways, Pan Am, British Caledonian y Air Florida.

Durante más de un decenio, Freddie Laker hizo mucho más que vender vuelos baratos, ya que inspiró a otros emprendedores. Así, siguiendo sus pasos, Richard Branson fundó Virgin Atlantic en 1984. Ryanair e EasyJet también deben buena parte de su existencia a la decidida apuesta de Freddie Laker. Como reconocimiento a su contribución y valentía, Freddie Laker recibió el título de *sir* en 1978.

1982 no fue el final de Laker, ya que en septiembre de 1995 anunció la refundación de Laker Airways. Un año más tarde, Laker Airways Bahamas empezó un servicio chárter con aviones Boeing 727-200 desde Fort Lauderdale. En 1997 se intentó establecer un servicio transatlántico, sin embargo, en la actualidad sólo perduran los vuelos al Caribe.

Arriba: *Un BAC One-Eleven de Laker Airways a principios de la década de 1970.*
Abajo: *Con la puesta en servicio de su «Skytrain», Laker Airways se convirtió en el primer operador europeo en tener Douglas DC-10.*

Arriba: *La flota de Soutwest Airlines está formada únicamente por aviones Boeing 737. En la imagen, un 737-300 con los colores tradicionales de la compañía.* Abajo: *Cuando Ryanair pasó a operar únicamente con aviones Boeing 737, Michael O'Leary ofreció sus aparatos como «carteles publicitarios voladores».*

La vida del Tu-144 no fue tan larga, ya que se retiró del servicio en junio de 1978 tras dos graves accidentes en 1973 y en 1978. Incluyendo el prototipo, sólo se construyeron 17 ejemplares. En la década de 1990, la NASA modificó uno de ellos con el fin de usarlo como banco de pruebas de una segunda generación de aviones supersónicos que debían construirse en el marco del Programa de Investigación Comercial de Alta Velocidad. El proyecto fue cancelado en 1999 y el Tupolev vendido.

Tras un espectacular accidente en Francia, en julio de 2000, todos los Concorde fueron retirados para incorporarles nuevas medidas de seguridad. Los vuelos se reanudaron en noviembre de 2001; sin embargo, el 10 de abril de 2003 se anunció su retiro definitivo, fechado en octubre de aquel mismo año. Air France dejó de prestar servicio con el Concorde el 31 de mayo.

Reactores privados

No todos los vuelos civiles son efectuados por aviones supersónicos de grandes aerolíneas; una cuota importante del mercado la ocupan los reactores privados de 8-10 plazas. Después del 11 de septiembre de 2001, la pérdida de confianza en la seguridad aérea hizo que la venta de reactores privados se disparara. Desde entonces, la demanda ha caído de forma espectacular, hasta el punto que 2003 fue el peor año para los principales fabricantes (Bombardier –que produce el Learjet, el Challenger y el Global– Cessna y Gulfstream). Los expertos, sin embargo, auguran una pronta recuperación del sector. Hoy en día, el precio de un reactor privado moderno oscila entre los 19 millones de dólares de un Cessna Citation X y los 43 millones de un Gulfstream V, si bien la tendencia actual es la de la propiedad compartida, un sistema que representa el 40% del volumen de negocio del sector.

Las primeras aerolíneas de bajo coste

En 1971, Rollin King y Herb Kelleher establecieron vuelos entre Dallas, Houston y San Antonio con la compañía Southwest Airlines, la primera aerolínea de bajo coste estadounidense. La estrategia era simple: atraer a la clientela con un servicio barato y fiable. En 1973, Southwest ya presentaba beneficios; cuatro años más tarde, ya cotizaba en la bolsa de Nueva York. En 1990, la compañía valía 1.000 millones de dólares; diez años más tarde, era la quinta mayor aerolínea de Estados Unidos.

En Europa, las fortunas de Laker, King y Kelleher dieron alas a la creación de compañías de bajo coste. En 1985, Ryanair inauguró un servicio con aviones turbohélice entre Waterford (Irlanda) y Londres Gatwick. Un año más tarde, Ryanair adquirió London European Airways e inauguró la ruta Dublín-Londres. Las grandes aerolíneas empezaron a tomar nota. Por entonces, British Airways y Aer Lingus pedían 209 libras por un vuelo entre ambas ciudades, mientras Ryanair lo ofrecía por sólo 95. No obstante, esta última compañía, vícti-

Uno de los Baby Boeing de EasyJet. La cola naranja de los Boeing 737 de esta compañía forma parte del paisaje actual de los aeropuertos de toda Europa.

ma de su ambición, entró en crisis a finales de la década de 1980. Para afrontarla, decidió convertirse en una compañía de bajo coste al estilo de Southwest y estandarizó su flota para operar sólo con Boeing 737. Ryanair también ofreció sus aviones como espacio publicitario al servicio de empresas como Jaguar y Kilkenny o periódicos como *News of the World*. El éxito de esta reorganización fue tal, que en enero de 2002 el jefe ejecutivo Michael O'Leary efectuó un encargo de 100 ejemplares Boeing 737-800, el mayor pedido de estas características. O'Leary arrendó algunas de estas unidades a otras aerolíneas y recuperó parte del dinero.

Tras el 11 de septiembre de 2001, muchas compañías aéreas entraron en crisis; no obstante, Ryanair pasó a ofrecer vuelos a 15 libras. Esta promoción, vista como una reacción a los ataques terroristas desde el aire, contó con una gran acogida del público. En enero de 2003, Ryanair compró Buzz, otra aerolínea de bajo coste, y eliminó sus rutas improductivas. Pese a las quejas de mal servicio y del mal estado de los aviones, Ryanair está considerada la segunda mejor compañía aérea de Europa, sólo por detrás de Lufthansa.

Otra aerolínea que ha querido «apuntarse» al bajo coste es EasyJet. La introducción de tales servicios se debe en gran parte a los cambios en la legislación europea, así como a los pioneros en este campo de las décadas de 1960 y 1970. En 1987, la Unión Europea inició una política de «cielos abiertos» y liberalizó el tráfico aéreo. Con anterioridad, las rutas, las tarifas y la capacidad se decidían en acuerdos intergubernamentales; desde 1987, cualquier aerolínea con un Certificado de Operador Aéreo puede fijar rutas propias, establecer precios a su antojo y transportar tantos pasajeros como desee. EasyJet esperaba con ansia esta liberalización. Su fundador, Stelios Haji-Ioannou, quien empezó con sólo dos Boeing 737 y definió la compañía como una «aerolínea virtual», contrató pilotos y personal desde sus primeros vuelos en 1995. La primera aerolínea completamente de propiedad no fue adquirida hasta abril de 1996. La empresa también causó sensación en todo el Reino Unido por sus impactantes documentales *Airline*. Casi nueve millones de telespectadores siguieron la quinta serie, emitida en la primavera de 2001.

No obstante, ¿por qué King, Kelleher, O'Leary y Haji-Ioannou han tenido éxito donde Freddie Laker fracasó? Uno de los factores más importantes para las compañías europeas de bajo coste fue la liberalización del tráfico aéreo en 1987, que abrió literalmente el cielo a todo aquel que tuviera dinero e iniciativa para crear una aerolínea. En segundo lugar, y de una manera más global, Internet ha revolucionado el modo en que la gente prepara los viajes. La World Wide Web permite que la gente compare precios entre compañías antes de reservar sus billetes *online* sin tener que recurrir a una agencia de viajes. Southwest fue la primera de estas aerolíneas en abrir una página en Internet. Estos dos factores le han dado a las nuevas compañías más oportunidades que las que tuvo Freddie Laker en la década de 1970 y principios de la de 1980.

Aunque el 11 de septiembre del 2001 paralizó la industria aeronáutica, cierto oportunismo y la capacidad emprendedora de algunos han logrado mitigar la crisis y beneficiar de paso a los pasajeros.

Blackburn
BEVERLEY

la evolución del avión de transporte

la cenicienta de la aviación

Aunque sin el brío y el *glamour* de los aviones de combate o las naves espaciales, el transporte aéreo ha tenido un papel fundamental. La idea de explotar el potencial de los aviones para el transporte de mercancías y personas surgió justo después del primer vuelo de la historia, efectuado por los hermanos Wright en Kitty Hawk, en 1903.

Izquierda: *El Blackburn Beverly entró al servicio de la Royal Air Force en 1965 como avión de transporte de cargas pesadas y ofreció un excelente rendimiento en Asia, África y Oriente Medio.* Arriba: *En 1918, el Departamento de Correos de Estados Unidos reforzó su flota de Curtiss JN-4 con un centenar de biplanos De Havilland DH.4 procedentes del ejército estadounidense.*

Los aviones de carga eran más lentos que los nuevos modelos de pasajeros. En 1910, se transportó por aire un rollo de seda de Dayton a Columbus; ése fue seguramente el primer envío aéreo de la historia. El desarrollo de la aviación de carga empezó de una manera formal cuando el Departamento de Correos de EE.UU. utilizó el avión como medio de transporte. El 15 de mayo de 1918 se inauguró el servicio aéreo postal de Nueva York a Washington. Un año más tarde, la compañía American Railway Express experimentó con un bombardero Handley Page, que transportó 550 kg de carga de Washington a Chicago. Hacia la década de 1920, las empresas estadounidenses se percataron de que la velocidad con la que los aviones podían distribuir las mercancías les permitía librarse de las existencias guardadas en sus almacenes, lo cual significaba poder aprovechar mejor el espacio y ahorrar costes laborales. A finales de esta misma década, el transporte aéreo de mercancías vivió un rápido crecimiento en América. En 1931, los aviones transportaban 581.177 kg de carga, cantidad muy superior a los 20.801 kg de 1927.

La mula de carga de la Luftwaffe

En 1932 entró en escena el Junkers Ju 52/3m, un avión que abrió un nuevo capítulo en el transporte aéreo. Equipado con un motor de tres cilíndros y un fuselaje metálico corrugado, el Ju 52 sirvió en la Legión Cóndor, la fuerza aérea nazi que participó en la Guerra Civil Española al lado del bando nacional. Durante la Segunda Guerra Mundial, este avión se convertiría en la «mula de carga» de la Luftwaffe. Pese a su tosca apariencia, la «Tía Ju», como era apodado, continuaría en activo durante más de cuarenta años. Así, el Ju 52 prestó servicio en Ecuador hasta 1971 y las fuerzas aéreas españolas lo emplearon hasta 1975.

Mientras el Ju 52 efectuaba su vuelo inaugural, Douglas presentaba su DC-2. Este avión estaba concebido básicamente para transportar pasajeros, si bien la Marina y el Cuerpo de Marines estadounidenses encargaron pequeñas cantidades de C-33, la versión de carga del DC-2, con unas superficies de cola más grandes. El sucesor del DC-2 fue el legendario DC-3, conocido también como C-47. Este versátil y resistente aparato, que realizó su primer vuelo el 17 de diciembre de 1935, podía configurarse para vuelos de carga o de pasajeros y se empleó durante la Segunda Guerra Mundial –y también después de ella– con fines tanto militares como civiles. Hoy día, muchas unidades de este modelo continúan en servicio como aviones de carga.

Pese a los avances de la década de 1930, el primer servicio regular de mercancías no se puso en marcha hasta 1940. El 23 de diciembre, United Airlines utilizó un Douglas DC-4, un modelo estrenado dos años antes, para transportar el correo entre Nueva York y Chicago. Pero no resultó rentable y fue suprimida cuatro meses más tarde.

Los aviones de carga en la Segunda Guerra Mundial

La USAAF, las Fuerzas Aéreas estadounidenses, tardó mucho en considerar a los aviones de carga como una ayuda en las operaciones militares; no obstante, cuando vio el éxito de los alemanes en el lanzamiento de paracaidistas desde sus Ju 52 duran-

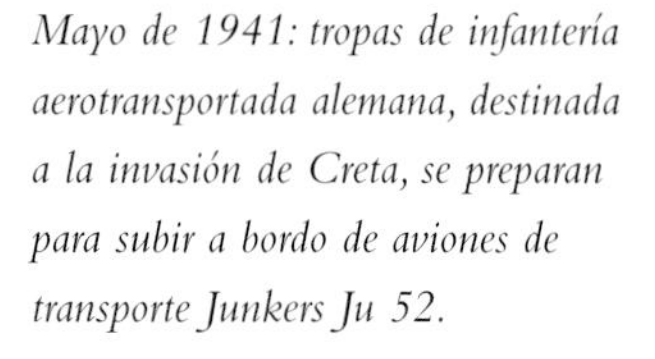

Mayo de 1941: tropas de infantería aerotransportada alemana, destinada a la invasión de Creta, se preparan para subir a bordo de aviones de transporte Junkers Ju 52.

La Marina estadounidense también empleó el DC-3, con la denominación C-53B, en lugares de clima frío. Los aviones estaban equipados con depósitos de combustible suplementarios y patines en el tren de aterrizaje.

te la invasión de Países Bajos, comprendió que estos aparatos podrían ser muy útiles para el transporte de tropas y equipo militar en el Pacífico. Paul I. Gunn, antiguo aviador de la Marina, fue un personaje clave en el desarrollo del transporte aéreo para operaciones militares. Antes de la guerra, Gunn había dirigido su propia aerolínea de carga, que operaba con aviones Beech 18. La USAAF supo de sus habilidades y le convenció para que ingresara en el Ejército. A Gunn se le adjudicó el mando de una escuadrilla de la USAAF destinada al transporte de tropas y equipo militar en las Filipinas. En 1942, Gunn fue enviado a Australia, al mando de la 21º Escuadrilla de Transporte de Tropas (21ª TCS), que junto a la 22ª TCS actuó en Papúa Nueva Guinea respaldando al ejército australiano. La mercancía se descargaba en el suelo o se lanzaba desde el aire con paracaídas.

En mayo de 1942, entró al servicio de la Luftwaffe el novedoso Messerschmitt Me 323. Este feo y gigantesco avión de seis motores presentaba muchas innovaciones que hoy en día son elementos estándar de los aviones de carga. Así, la mercancía se introducía por una puerta ubicada en el morro articulado, al tiempo que un tren de aterrizaje flexible de diez ruedas permitía al aparato posarse en pistas en mal estado. El avión podía efectuar un despegue asistido con cohetes adosados al fuselaje,

Un Douglas C-54 Skymaster en la pista de aterrizaje del aeródromo de Okinawa. El avión evacua soldados heridos de esta isla del Pacífico en mayo de 1945.

56487

lo cual le proporcionaba un impulso suplementario en pistas cortas (esta misma técnica la empleó el Lockheed C-130 Hercules dos décadas más tarde). El Me 323 podía transportar hasta 130 soldados, 60 camillas de heridos u 8.700 raciones.

Durante la Segunda Guerra Mundial, la USAAF utilizó otros dos notables aviones de carga: el C-46 Commando, que entró en servicio en 1942, y el Douglas C-54 Skymaster, una versión militar del Douglas DC-4. Con una carga útil de 12.700 kg y un piso reforzado, el C-54 se empleó con éxito en el Pacífico como avión de transporte de largo alcance. Algunos ejemplares se siguen utilizando en casos de incendios forestales.

La guerra también aceleró el desarrollo del transporte aéreo en el Reino Unido. El 5 de julio de 1942, el prototipo Avro York hizo su vuelo inaugural; se trataba de una versión de carga del bombardero Avro Lancaster. Además de cumplir de sobras con sus deberes militares en la RAF, el York operó vuelos de pasajeros con British Overseas Airways Corporation (BOAC) y British South American Airways.

En el Pacífico, el trabajo emprendido por Paul Gunn recibió un nuevo impulso a raíz de la designación del teniente George C. Kenney como jefe de operaciones aéreas del Estado Mayor del general Douglas MacArthur. Kenney comprendió que los puentes aéreos eran esenciales en la lucha contra Japón, y que con ellos las tropas terrestres ganarían movilidad. Sus teorías se revelaron ciertas en octubre de 1942, cuando un puente aéreo permitió transportar una división de infantería a Port Moresby (Papúa Nueva Guinea), una operación que habría durado varias semanas de haberse hecho por mar.

Lejos del Pacífico, los puentes aéreos fueron vitales en la invasión del norte de África, en noviembre de 1942, por parte de la 82ª División Aero-

El Messerschmitt Me 323 fue un avión revolucionario. Peligrosamente lento en tiempos de guerra, contaba con varios detalles innovadores muy habituales en nuestros días, como el morro con apertura delantera para embarcar y desembarcar mercancías.

Derecha: *Lanzamiento de paracaidistas estadounidenses desde un Curtiss C-46 de la USAAF.* Abajo: *Paracaidistas estadounidenses comprobando sus equipos antes de subir a bordo de un Douglas C-47 durante la campaña de Sicilia (1943).*

transportada estadounidense y paracaidistas británicos. Los aviones también transportaron suministros al frente para las tropas que avanzaban hacia el interior del continente. El éxito del puente aéreo en la invasión de África se repitió el 9 de julio de 1943 en el desembarco aliado en Sicilia. En esa ocasión, no sólo los aviones de carga fueron esenciales, sino también los planeadores llenos de tropas que fueron remolcados y pudieron aterrizar detrás de las líneas enemigas. Esta disposición de planeadores y aviones de carga también fue crucial en el desembarco de Normandía, el 6 de junio de 1944.

Los aviones de carga siguieron demostrando su valor cuando los aliados penetraron en el interior de Europa. Durante la batalla de las Ardenas (diciembre de 1944), la 101ª División Aerotransportada fue rodeada por tropas alemanas en Bastogne (Bélgica) y aviones C-47 Skytrain entraron en acción para abastecerla y liberarla del cerco. Se podría decir, en cierta medida, que en la Segunda Guerra Mundial los puentes aéreos llegaron a la mayoría de edad. El general estadounidense Dwight D. Eisenhower, comandante supremo de las fuerzas aliadas en Europa, afirmó más tarde que el C-47 había sido una de las «armas» más importantes de la guerra.

Gigantes de la posguerra

En la Segunda Guerra Mundial, la USAAF no poseyó aviones del tamaño de los Me 323, pero el 5 de septiembre de 1945 hizo su vuelo inaugural el Douglas C-74 Globemaster, que durante un tiempo fue el avión más grande del mundo. El Globemaster podía transportar 125 soldados, 115 heridos en camilla o 25.000 kg de carga. El avión también contaba con un elevador autónomo ubicado en la

Arriba: *Un Bristol 170 Freighter empleado como avión de reconocimiento por geólogos durante prospecciones petrolíferas en Irán.*
Abajo: *Un Douglas C-74 Globemaster sobrevuela una zona montañosa.*
Página siguiente: *Un cañón de 105 mm es lanzado desde un Fairchild C-119 Flying Boxcar durante la guerra de Corea. Tres paracaídas de 9 m² ralentizarán el descenso de la pieza de 2.268 kg y permitirán que se deposite en la superficie sin sufrir daño alguno.*

8343
ORNETS

sección central del fuselaje, con el fin de acelerar las operaciones de carga. Disfrazado de avión chino de transporte, el C-74 tuvo un papel estelar en la película *Un trabajo en Italia* (1969).

A finales de 1945 también vio la luz el Bristol 170 Freighter. De diseño simple, el avión tenía puertas de dos hojas para embarcar y desembarcar mercancías. El primer prototipo voló el 2 de diciembre, y el avión no tardó en despertar el interés de los operadores civiles. El Mk. 32 Freighter contaba con una bodega dividida entre la zona de pasajeros y la de mercancías a la que podían acceder automóviles, lo que permitía a los turistas llevarse sus vehículos durante las vacaciones. Uno de los modelos Bristol Freighter continuó operando en Canadá hasta 1999.

Durante la guerra, los soviéticos confiaron ciegamente en el Lisunov Li-2, la versión del C-47 que ellos construían bajo licencia. En 1946, sin embargo, el departamento de diseño de Ilyushin presentó el Il-12 «Coach». Parecido a un DC-3 con una rueda de proa, el avión tenía un aspecto tosco y necesitaba un soporte para impedir que volcara cuando se procedía a la carga trasera de mercancías. Del Il-12 «Coach» se construyeron 3.300 unidades, la mayoría de ellas para el Ejército Rojo.

Innovaciones en Estados Unidos

La USAAF terminó la Segunda Guerra Mundial con una colección de vetustos aviones de transporte, de ahí que las empresas aeronáuticas estadounidenses empezaran a diseñar aparatos como el Fairchild C-119 Boxcar, una variante perfeccionada del C-82 Packet que voló por primera vez el 10 de septiembre de 1944. De curioso diseño, el Boxcar tenía dos botalones que sostenían el plano de cola del avión, además de un fuselaje en el medio en forma de vaina. La popa del fuselaje podía abrirse para operaciones de carga y descarga. Del Boxcar se fabricaron más de 1.150 unidades hasta 1955.

La edad de la flota de aviones de carga de la USAAF a finales de la década de 1940, unida al inicio de la Guerra Fría y al reconocimiento de la importancia del transporte aéreo durante la Segunda Guerra Mundial, alentó a la recién fundada USAF a destinar nuevos recursos para construir aviones de carga de todos los tamaños y formas, algo necesario para desplazar con rapidez las tropas y su equipo entre las numerosas bases militares repartidas desde Guam hasta el Reino Unido.

Durante la Segunda Guerra Mundial, el avión civil Constellation estuvo al servicio de la USAAF bajo la denominación C-69. En 1948 recuperó su uso militar como C-121. La mayoría de unidades de este modelo se emplearon en patrullas de alerta, y algunas como aviones de carga.

MILITARY AIR TRANSPORT SERVICE
MATS
MATS

Tras el éxito del C-54, Douglas obtuvo una concesión de la USAF en 1946 para construir un avión de transporte de largo alcance y grandes dimensiones. El modelo presentado fue el C-118 Liftmaster, una variante del DC-6.

Otro avión de carga digno de mención fue el Lockheed C-121A. Este avión se empezó a fabricarse a raíz de un concurso de la USAF para desarrollar un avión polivalente que pudiera adaptarse con rapidez al transporte de mercancías, pasajeros, tropas o heridos. Con un piso reforzado y una puerta trasera para la mercancía, el C-121A fue la versión de carga del avión de pasajeros Lockheed Constellation. El Constellation había servido durante la guerra como C-69, si bien el diseño había perdido terreno en favor del C-54, pues la USAAF era partidaria de los cuatrimotores. El C-121A nunca se utilizó por completo como avión de transporte de mercancías, y la mayoría de los ejemplares entregados a la USAF sirvieron como aviones de alerta temprana EC-121K Warning Star, que dieron un gran resultado en la detección de cazas enemigos durante la guerra de Corea.

El puente aéreo de Berlín

El transporte aéreo fue sometido a una dura prueba en junio de 1948 con ocasión del puente aéreo de Berlín. Tras la partición de la ciudad en zonas de ocupación por las potencias vencedoras, los aliados occidentales (Francia, Reino Unido y Estados Unidos) entraron en conflicto con la URSS. Los soviéticos, que ocupaban el sector oriental de la ciudad, se alarmaron ante las propuestas aliadas de fundar lo que más tarde sería la RFA, un país controlado en un primer momento por las potencias occidentales y que podría llegar a poner en cuestión el control de Alemania Oriental por parte soviética. Moscú tampoco aprobaba la llamada «doctrina Truman», que defendía la intervención armada en lugares en los que la libertad de los pueblos se viera amenazada por minorías o por la presión exterior. La URSS creía que dicha doctrina iba dirigida a impedir la difusión internacional del comunismo. El descontento soviético acabó por estallar y todo el personal militar estadounidense fue emplazado a abandonar Berlín el 9 de abril de 1948. El 24 de junio, los accesos terrestres y fluviales a Berlín ya habían sido cerrados por los soviéticos. La única manera de abastecer a los 2 millones de berlineses de los sectores occidentales de la ciudad, asediados *de facto*, era por aire.

Los americanos contaban al principio con 102 aviones C-47, cada uno de los cuales podía llevar 3,5 t de carga; más tarde se les unieron los C-54 Skymaster. Los británicos disponían de algunos Dakota, Avro York y Handley Page Hastings, que fue-

Página anterior: *En un día lluvioso, bienes de primera necesidad son descargados de un C-47 y cargados a los camiones que les esperan. La foto está tomada en el aeropuerto berlinés de Tempelhof durante el puente aéreo de Berlín.*
Arriba: *Niños berlineses observan el tráfico ininterrumpido de aviones de carga estadounidenses que transportan mercancías esenciales para la subsistencia de la población local.*

ron puestos en servicio de inmediato. Berlín Oeste tenía dos aeropuertos (Tempelhof y Gatow) capaces de albergar aviones de gran tamaño. El puente aéreo comenzó el 26 de junio y contó con la supervisión del general de división William H. Tunner, quien ya había organizado un puente aéreo aliado a China durante la última fase de la Segunda Guerra Mundial. De Tunner, reconocido experto en transportes, se decía que lo que más odiaba por encima de todo era ver los aviones en los hangares; su objetivo era poner el máximo de unidades en servicio.

En los trece meses siguientes, los aviones de Tunner transportaron a Berlín toda clase de suministros, como carbón, alimentos, combustible y medicinas. La sal llegó a Berlín a bordo de hidroaviones Short Sunderland, que aterrizaban en el lago Havel, en el centro de Berlín. En los aeropuertos de la ciudad aterrizaba un avión cada dos minutos, durante 24 horas al día y en todas las condiciones meteorológicas imaginables. Los soviéticos terminaron levantando el bloqueo el 12 de mayo de 1949 tras largas negociaciones, aunque el puente aéreo se prolongó hasta el 30 de septiembre para llenar las reservas de suministros en los sectores occidentales de la ciudad. Durante la operación, los estadounidenses transportaron 1.812.109 t y los británicos, 550.607 t más. Con un coste de 101 vidas, los C-47 y los C-54 volaron 148 millones de kilómetros. El puente aéreo trajo consigo la apertura de un nuevo aeropuerto en Tegel, en el sector francés, cuya construcción duró sólo tres meses. En la actualidad es el principal aeropuerto de Berlín.

El puente aéreo de Corea

El éxito del puente aéreo de Berlín y las crecientes necesidades de transporte de las fuerzas armadas estadounidenses impulsaron nuevas iniciativas para diseñar aviones de carga pesada. Uno de ellos fue el Douglas C-124 Globemaster II, una versión modernizada del C-74, aunque con las mismas alas

Los hidroaviones Short Sunderland se emplearon para aliviar el bloqueo soviético de Berlín. En la fotografía, tomada en julio de 1948, varias cajas de alimento están a punto de ser trasladadas a una barcaza.

que éste pero con un fuselaje más ámplio y motores más potentes, que hizo su primer vuelo el 27 de noviembre de 1949. Apodado «Old Shaky» por sus tripulaciones, el diseño incluía calefacción de combustión para la cabina, equipo de deshielo para las alas y la cola, así como un radar instalado en la proa. Aunque no demasiado cómodo, el C-124 tenía dos grúas montadas en el fuselaje de 23 m capaces de elevar 7.257 kg de carga cada una. El avión podía transportar 33.566 kg de mercancía, la cual se embarcaba a través de portalones de dos hojas y de rampas situadas bajo el morro, así como 200 soldados con el equipo completo, 123 heridos en camilla y el personal médico acompañante. Durante la guerra de Corea, el avión tuvo un papel decisivo en el transporte de vehículos hasta el escenario del conflicto. El puente aéreo fue esencial en Corea: los C-124, C-47 Skytrain y C-119 Boxcar llevaron suministros, lanzaron paracaidistas y evacuaron heridos. Los C-124 desempeñarían un papel igualmente significativo durante la guerra de Vietnam. Los vuelos en un Old Shaky podían ser largos: así, uno entre las bases aéreas de Travis (California) y Tan Son Nhut (Vietnam del Sur) podía durar 97 horas.

En 1950, la USAF recibió su primer Convair C-131 Samaritan, una variante de transporte militar del avión civil CV-240. Este aparato se empleó en un primer momento para evacuar heridos y complementar el papel de ambulancia aérea desempeñado por el Lockheed C-121. El C-131 podía llevar 27 heridos en camilla o 37 sentados.

Sin la capacidad del Globemaster II, su coetáneo francés Nord Noratlas fue un versátil avión de carga que efectuó su vuelo inaugural el 10 de septiembre de 1949. De aspecto parecido al C-118 Boxcar, su carrera se prolongó hasta la década de 1980, pese a que no se fabricaba desde octubre de 1961. El modelo se exportó a Alemania Occidental, Níger, Nigeria, Chad, Grecia e Israel, donde sirvió en la crisis de Suez (1956), la guerra de los Seis Días (1967) y la del Yom Kippur (1973). A

Arriba: *Como reflejo de la política de la Guerra Fría, donde el equilibrio entre las superpotencias se basaba en las armas atómicas como elemento de disuasión, el Douglas C-133 Cargomaster fue concebido para llevar misiles nucleares.*
Derecha: *Durante la guerra de Corea, un grupo de trabajadores coreanos se toma un momentáneo respiro para contemplar el aterrizaje de un C-119 destinado a abastecer a las tropas de la ONU.*

Arriba, imagen superior: *De construcción soviética, el Ilyushin Il-14 operó como avión de transporte de corto alcance y de pasajeros. Este avión luce los colores de LOT, la compañía aérea de bandera polaca.*
Arriba, imagen inferior: *El Douglas C-133 Cargomaster serviría de modelo para futuros aviones militares de carga, como el moderno Boeing C-17 Globemaster.*
El C-133 podía llevar la carga de 22 vagones ferroviarios de borde alto.

manos del ejército francés, el avión entró en combate en Argelia y durante la crisis de Suez. Este avión de carga también fue empleado en el ámbito civil por Air Algérie y la aerolínea francesa Union des Transports Aériens (UTA).

Mientras la guerra hacía estragos en Corea, los soviéticos introducían el Ilyushin Il-14 «Crate». Con respecto a su predecesor, el Il-12, este aparato tenía un fuselaje más seguro y motores más potentes. El avión terminó entrando al servicio del Ejército del Aire soviético, y en 1954 hizo lo propio en Aeroflot.

Un año después del primer vuelo del Il-14, la USAF puso en funcionamiento el Boeing C-97 Stratofreighter con el fin de apoyar la flota de aviones pesados de transporte de gran alcance formada por los Globemaster II. Basado en el Boeing 377 Stratocruiser, el C-97 realizó toda clase de misiones (transporte, repostado en vuelo, evacuación de heridos, búsqueda y rescate, etc.).

Sólo para el transporte de mercancías

El Il-14, el C-97 Stratofreighter y el C-131 Samaritan eran variantes de aviones civiles pero sin asientos, cuyo espacio debía ocuparlo la mercancía. El 23 de abril de 1956 efectuó su primer vuelo el revolucionario Douglas C-133 Cargomaster, un aeroplano especialmente concebido para transportar mercancías y con una configuración similar a la del C-130 Hercules. En un primer momento, el C-133 fue diseñado para llevar misiles balísticos intercontinentales y hacer llegar suministros a radares de alerta contra misiles balísticos estacionados por la USAF en zonas cercanas al círculo polar ártico, aunque también prestó un notable servicio en Vietnam. A diferencia de la mayoría de aviones de transporte, el Cargomaster presentaba un diseño de ala alta que se convertiría en el estándar de los posteriores aviones de carga pesada. El tren de aterrizaje principal del Cargomaster estaba alojado

El Boeing C-97 Stratofreighter tenía un fuselaje «de doble cuerpo». Para su construcción se añadía una estructura superior sobre el fuselaje del B-29 Superfortress.

en dos «burbujas», una bajo cada ala, con el fin de no ocupar espacio en la bodega principal. El modelo también contaba con grandes entradas laterales de carga, así como una puerta combinada y una rampa en la parte trasera. El fuselaje, de 47 m, estaba presurizado y tenía calefacción.

Diseños británicos

En 1955, la RAF había convocado un concurso público para construir un nuevo avión de carga que reemplazara los obsoletos Avro York. El modelo elegido fue el Armstrong Whitworth Argosy, un aparato con motores de turbohélice. Además de un doble botalón de cola parecido a los del Noratlas y del Boxcar, el avión disponía de una cabina de mando escalonada en la parte superior del fuselaje. El prototipo voló por primera vez el 8 de enero de 1959 y, aparte de servir en la RAF, realizó vuelos comerciales con British European Airways, Riddle Airlines (Estados Unidos), Safe Air (Nueva Zelanda) y en el servicio de paquetería aérea que IPEC prestaba en Australia.

El Blackburn Beverley, un avión de carga de la RAF con motor de convencional de combustión interna, había entrado en servicio en 1956. Definido como uno de los aviones más feos jamás fabricados, el Beverley tenía un tren de aterrizaje fijo y dio un excelente resultado en misiones de la RAF en Adén, Brunei, Kenya, Malaysia y Tanzania. Sobre el fuselaje, de aspecto «obeso», se acomodaba una cabina de mando escalonada, mientras que el botalón de cola podía alojar a 36 pasajeros. El avión tenía una apariencia muy poco aerodinámica, y aunque los ingenieros de Blackburn llegaron a apostar sobre si el avión podría llegar a volar, la verdad es que uno de sus prototipos lo logró el 20 de junio de 1950. Se fabricaron un total de 47 unidades del Beverley, algunas de las cuales entraron al servicio de la 47ª Escuadrilla de la RAF, que se formó en Beverley (Yorkshire).

Modelos canadienses

En 1956, De Havilland Canada empezó a trabajar en un resistente avión de carga conocido como DHC-4 Caribou; su vuelo inaugural tuvo lugar el 30 de julio de 1958. El DHC-4 se fabricó atendiendo a una demanda del ejército de Estados Unidos, que deseaba hacerse un avión de despegue y aterrizaje cortos que pudiera operar en superficies de sólo 300 m de largo, cerca del campo de batalla. El DHC-4 prestó servicio militar hasta 1967, cuando fue cedido a la USAF y rediseñado como C-7.

No es nada inusual que un avión de transporte embarque sus mercancías por la proa, tal y como lo hacen el Lockheed C-5 Galaxy, el Antonov An-124 Ruslan «Condor» y los Guppy de Aero Spacelines, o que utilice portalones de dos hojas o una rampa trasera; por el contrario, el diseño llamado «de cola variable» del Canadair CL-44, en el que toda la cola puede desplazarse lateralmente para permitir el embarque de mercancías en la popa, sí resultaba una idea totalmente novedosa.

El Canadair CL-44 se basaba en el avión de transporte Yukon, descendiente a su vez del cuatrimotor turbohélice de pasajeros Bristol Britannia. El diseño con la cola variable permitía operar con rapidez y también fue adoptado por algunos DC-4 y DC-6 de carga. Varias aerolíneas mostraron interés por el CL-44 –que realizó su primer vuelo en

Arriba, imagen superior: *El primer prototipo Series 100 Armstrong Whitworth Argosy efectuó su vuelo inaugural el 8 de enero de 1959. Los Argosy operaron en Singapur, Australia y Estados Unidos como aviones de carga.*

Arriba, imagen inferior: *Un De Havilland Canada C-7A Caribou en unas maniobras (junio de 1975).*

Página siguiente: *Un avión de carga Canadair CL-44 de la compañía Flying Tiger Line.*

FLYING TIGER LINE

Arriba: *Los aviones gigantes de carga de la serie Guppy contaban con una proa abatible lateralmente para embarcar y desembarcar mercancías. Airbus los empleó durante muchos años para transportar piezas de aviones entre los diversos centros de producción del consorcio.* Página siguiente: *El Antonov An-12, el avión de carga más común de la antigua Unión Soviética y, más tarde, de Rusia.*

1959–, si bien pocas terminaron adquiriéndolo. Flying Tiger Line y Seaboard World Airlines encargaron doce y siete ejemplares respectivamente, pero Japan Cargo Airlines y BOAC acabaron anulando sus pedidos. Los días del turbohélice civil de carga llegaban a su fin, ya que al cabo de poco tiempo apareció el Boeing 707, un avión capaz de transportar pasajeros y mercancías por todo el mundo.

Los Guppy

El diseño de cola variable del CL-44 sirvió de modelo para la serie de aviones de transporte Guppy, el primero de los cuales realizó su vuelo inaugural el 19 de septiembre de 1962. Los Guppy, considerados como los aviones más raros de todas las épocas, estaban especialmente diseñados para el transporte de enormes cantidades de mercancías en sus descomunales fuselajes. Uno de los principales papeles del Super Guppy, cuyo fuselaje se inspiraba en el del Boeing Stratocruiser, era transportar hasta Cabo Cañaveral componentes de los cohetes Saturn V empleados por el programa espacial Apollo. Hasta entonces, los cohetes se habían trasladado desde su fábrica de California hasta su plataforma de lanzamiento en lentos barcos a través del canal de Panamá. Más adelante, los Guppy serían utilizados por el consorcio Airbus para transportar componentes de gran tamaño desde diferentes fábricas europeas hasta su lugar de ensamblaje, en Toulouse (Francia).

Resistentes y fiables

En 1962 entró en la escena soviética el Antonov An-12 «Cub», uno de los aviones de carga más resistentes y de mayor éxito de la historia: se construyeron más de 900 ejemplares –algunos exportados a Argelia, Bangladesh, Egipto, la India, Iraq, Polonia, Siria, Sudán y Yugoslavia– hasta 1973. Siguiendo el ejemplo del C-133 Cargomaster y del C-130 Hercules, las operaciones con mercancías podían efectuarse por la popa, pero la bodega no estaba presurizada. Para mover la carga en el avión, el aparato contaba con una grúa pórtico de 2.300 kg. El An-12 se fabricó en China bajo licencia con la denominación Shaanxi Y-8. También en este país apareció una variante portahelicópteros construida a tal efecto. Para ganar espacio, esta versión carecía de grúas internas.

Vietnam

Mientras el «Cub» empezaba a entrar al servicio de la URSS y sus aliados, Estados Unidos se implicaba cada vez más en el conflicto vietnamita. El presidente Lyndon Johnson había incrementado el número de militares estadounidenses con el fin de impedir la unificación de Vietnam y la posterior creación de un régimen. Como en Corea, los aviones de transporte, que desplazaron tropas y equipo de un lado a otro del país, desempeñaron un papel clave en el conflicto. Un avión que en Vietnam llegó a la mayoría de edad fue el Fairchild C-123 Provider. Basado en el prototipo

U.S.ARMY
24180

Tropas y equipamiento de la 1ª División de Caballería Aérea esperan para embarcan en aviones de transporte C-123 y CV-2B. Los soldados y los aviones participaron en la «Operación Masher», una de las misiones destructivas más intensas de la guerra de Vietnam.

Chase YC-122, el C-123 tenía dos motores convencionales de combustión interna (más tarde también dos reactores) en alas altas y una rampa de carga en la cola. Fairchild, que en 1953 había adquirido Chase, construyó más de 300 unidades del Provider. Algunas de ellas se exportaron a Arabia Saudí y Venezuela. La última escuadrilla de C-123 fue retirada en 1982.

Aunque los C-123 y los C-7 Caribou habían demostrado su valor en los primeros años de la guerra, la flota de aviones de carga de la USAF era insuficiente para la tarea que llevaba entre manos. El C-130 Hercules había entrado en servicio con la USAF en 1956 como relevo del Boxcar. Casi diez años más tarde, en 1965, el C-130 se lució al servicio de la 779º Escuadrilla de Transporte de Tropas de la USAF, transportando personal y suministros de Tailandia a Vietnam. El C-130 tuvo un papel importante durante el conflicto llevando de un lado a otro toda clase de carga, desde correo hasta componentes aeronáuticos. El avión, como se detallará más adelante en este libro, hizo muchos otros papeles y sigue en activo en muchas fuerzas aéreas de todo el mundo.

El primer acto oficial del presidente de Estados Unidos, John F. Kennedy, al estrenarse como máximo mandatario del país en 1961, fue ordenar la construcción de un reactor militar de carga que permitiera a las fuerzas armadas estadounidenses desplazar sus tropas por todo el mundo con gran rapidez y la mayor eficacia posible. El avión debería tener una autonomía mínima de 6.500 km y poder transportar una carga útil de 27.216 kg. El resultado fue el Lockheed C-141 Starlifter, que voló por primera vez el 17 de diciembre de 1963 con ocasión del 60º aniversario del primer vuelo de los hermanos Wright. El primer ejemplar se entregó a la base aérea de Tinker (Oklahoma) en 1964; al cabo de poco, la mayor implicación de Estados Unidos en la guerra de Vietnam obligó al C-141 a llevar tropas y equipo hacia la zona, de donde regresaba lleno de heridos. Poco después de entrar en servicio, quedó claro que el fuselaje del Starlifter, diseñado en un primer momento para transportar el LGM-30 Minuteman-II ICBM, no se adecuaba a otras necesidades. La solución fue alargarlo 7,16 m, con lo que la carga útil del avión aumentó en 9.000 kg, hasta un total de 41.200 kg. La versión alargada, que recibió el nombre de C-141B, permaneció en servicio durante más de treinta años y se empleó con éxito en el transporte de tropas, equipo y suministros a Arabia Saudí durante la «Operación Escudo del Desierto», el preludio de la «Operación Tormenta del Desierto». A lo largo de la campaña militar que debía expulsar de Kuwait a las tropas de Saddam Hussein, que habían invadido el emirato en agosto de 1990, la USAF transportó a un total de 482.000 militares y 521.208 t de material diverso.

Transbordadores aéreos de automóviles

A finales de la década de 1940, el Bristol 170 Freighter había demostrado que un avión podía emplearse como transbordador de automóviles en pequeñas distancias. Esta idea fue recuperada en 1961 por Aviation Traders Carvair. El Carvair, una adaptación del DC-4, tenía una cabina de mando escalonada en una joroba de la proa que le daba la apariencia de un Boeing 747 turbohélice. Este diseño permitía la apertura del morro para el embarque de vehículos. Los pasajeros eran alojados en la parte trasera del avión, en el que cabían hasta seis turismos familiares y 22 pasajeros. El Carvair fue utilizado por British Air Ferries, Aer Lingus (Irlanda) y Aviaco (España), así como otras aerolíneas de Australia, Francia y Luxemburgo, aunque no podía competir con los nuevos *ferries* autotransbordo o con el *hovercraft*, que inauguró su ruta desde Ramsgate a Calais el mismo año en que el Carvair dejó de realizar vuelos comerciales. El Carvair sirvió en todo el mundo transportando toda clase de carga pesada; fue retirado en la década de 1980.

Entrega a bordo de portaaviones

El transporte y el suministro no se limita a las tropas terrestres: también los portaaviones nucleares de la Marina estadounidense, con sus legiones de aeroplanos y personal, tienen un voraz apetito. Con este propósito, Gumman diseñó el C-2 Greyhound, que efectuó su vuelo inaugural el 18 de noviembre de 1964. Propulsado por dos motores turbohélice, el avión podía transportar con rapidez hasta un portaaviones 4.500 kg de carga o 26 pasajeros. Las operaciones con las mercancías se efectuaban a través de una rampa situada en la cola. El C-2 actuó junto al Grumman C-1 Trader, un aparato similar utilizado para la entrega a bordo de portaaviones que entró al servicio de la Marina en enero de 1955 y que podía llevar 1.600 kg de carga o nueve pasajeros.

Gigantes de la década de 1960

El Short Belfast, del que sólo se construyeron diez ejemplares, fue uno de los aviones británicos más grandes e impresionantes de la década de 1960. Concebido por la RAF como avión estratégico de transporte, el Belfast podía llevar 150 soldados con equipo completo o dos carros de combate Chieftain. Se decía que la bodega del Belfast era lo bastante espaciosa como para alojar dos autobuses. Este aparato medía 41 m de largo y tenía 48 m de

Abajo: *Un vehículo de la USAF desembarca mercancías de un Lockheed C-141 Starlifter. Junto con el C-130, este avión de carga también prestó un valioso servicio durante la guerra de Vietnam.*
Página siguiente: *Un Grumman C-1 Trader efectúa una «entrega a bordo de portaaviones». En 1965, estos aparatos fueron sustituidos por los Grumman C-2 Greyhound.*

envergadura. Cada ejemplar recibió el nombre de un gigante de la mitología (Goliath, Enceladus, etc.). Tras su paso por la RAF, el Belfast continuó volando con Heavy Lift Cargo Airlines Ltd, que lo fletó con frecuencia a la USAF cuando ésta necesitaba transportar grandes volúmenes de mercancías.

En la década de 1960, EE.UU. siguió diseñando gigantescos aviones de carga de largo alcance destinados al transporte de equipo militar pesado (tanques, puentes móviles, helicópteros, etc.). Gracias al éxito del Hercules y del Starlifter, Lockheed consiguió un contrato en 1965 para producir un avión de carga pesado para la USAF. El resultado fue el C-5 Galaxy, el avión más grande del mundo de su época. El primer Galaxy fue entregado en junio de 1970. Capaz de cargar con 122.500 kg de mercancías a través del morro o de una rampa de cola, el C-5 tiene un tren de aterrizaje flexible de 28 ruedas que permite disponer el piso del fuselaje más cerca del suelo, y por tanto facilitar las operaciones con mercancías, y posar el aparato en pistas de suelo accidentado. En la popa, sobre la bodega, pueden alojarse 73 pasajeros. La tripulación la forman seis miembros, aunque detrás de la cabina de mando hay espacio para una tripulación de relevo.

Mientras EE.UU. introducía el motor a reacción en sus aviones de transporte de largo alcance, la URSS seguía fiel a los turbohélice. El 27 de febrero de 1965 efectuó su primer vuelo el colosal Antonov An-22 «Cock», del que se construyeron 75 unidades hasta 1974. El An-22 estaba concebido para papeles similares a los de los grandes aviones de carga estadounidenses; era capaz de transportar tanques y lanzadores de misiles móviles y sirvió tanto en las fuerzas aéreas soviéticas como en Aeroflot. De 1967 a 1975, el avión estableció varios récords, entre los que destacan el de transportar 100 t de carga a 7.900 m de altitud o el de velocidad con carga útil (50.000 kg en 1.000 km a una velocidad media de 608,5 km/h.).

Aviones multiuso soviéticos

Dos años después del vuelo inaugural del An-22, las Fuerzas Aéreas soviéticas encargaron un mode-

lo que relevara el An-12 «Cub» en el transporte de cargas pesadas. El Ilyushin Il-76 «Candid» fue el primer reactor soviético puramente de transporte. Con cuatro motores bajo las alas, este aeroplano de alas en flecha satisfizo a los generales soviéticos por su voluptuoso aspecto. El gran diseñador aeronáutico soviético Andrei Tupolev dijo una vez que «un avión bonito no puede volar mal», y el Il-76 lo era.

El Il-76 realizó su primer vuelo el 25 de marzo de 1971. Avión de gran éxito, el Il-76 podía transportar a 126 paracaidistas con su equipo completo a una velocidad máxima de 825 km/h. El Il-76 prestó un gran servicio a la URSS durante la guerra de Afganistán en la década de 1980, en la que efectuó 14.700 misiones y transportó el 90% de las tropas soviéticas y el 75% del equipo que participaron en el conflicto. Un sólido fuselaje permitía al avión resistir con entereza los ataques de la guerrilla afgana, dotada de misiles termodirigidos y de armas antiaéreas.

Del Il-76 se han fabricado diversas variantes, incluidas algunas de fuselaje más largo. El Il-76 se ha empleado como plataforma de investigación con gravedad nula, avión antiincendios equipado con agua y productos químicos retardadores de las llamas, y en otros muchos ámbitos, tanto militares como civiles. El Il-76, por ejemplo, desempeñó un papel vital en misiones humanitarias efectuadas en Etiopía o Bosnia-Herzegovina, dos países asolados por la guerra. Por su versatilidad y gran autonomía, se ha dicho que es difícil encontrar un aeropuerto que el Il-76 no haya pisado nunca.

Arriba: *Un Short Belfast descarga la sección del fuselaje de un Fokker F-28 en Países Bajos para que su fabricante pueda repararlo.*

Página siguiente, arriba: *Dos de los aviones de carga más pesados de la USAF: un C-141 (en primer plano) y un Lockheed C-5 Galaxy. El Galaxy es uno de los aviones más grandes jamás construidos.*

Página siguiente, abajo: *El Antonov An-22 fue especialmente diseñado para aterrizar en pistas rugosas y soportar los duros inviernos de la URSS.*

Concebido para reemplazar los obsoletos Curtiss C-46 al servicio de la Fuerza de Autodefensa Japonesa, el Kawasaki C-1 representó el debut de Japón en el diseño de aviones tácticos de carga a reacción.

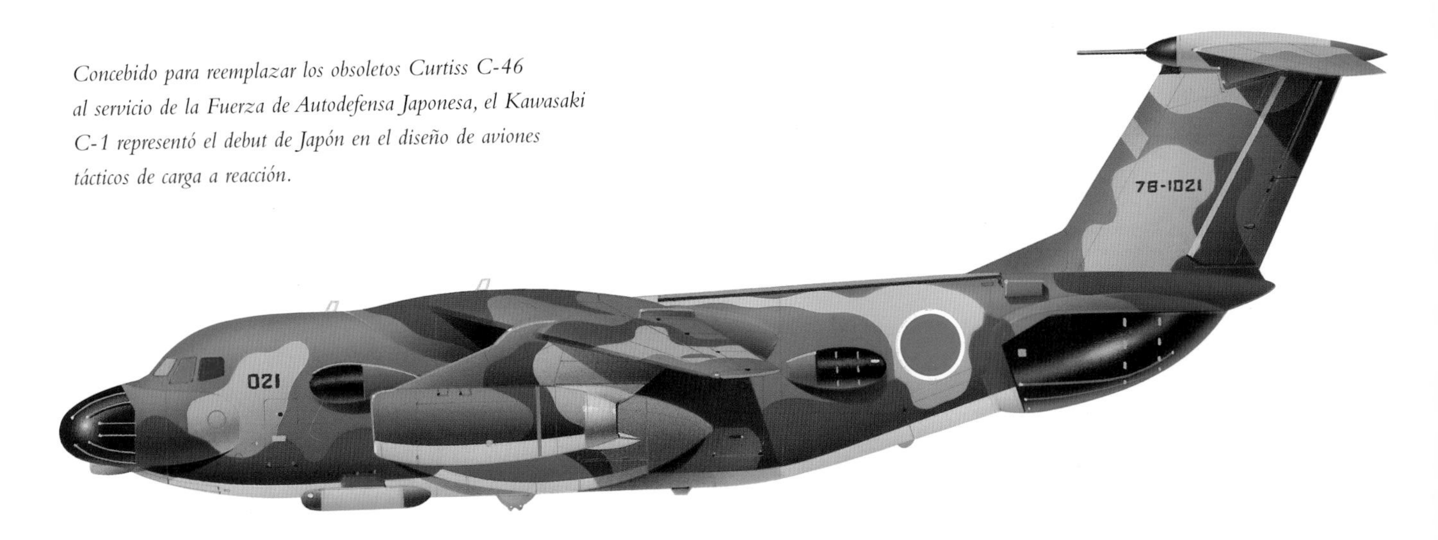

Página anterior, abajo: *Aunque más familiar como avión de pasajeros, el Boeing 747 también existe en versión de carga. Las mercancías pueden embarcarse tanto por el morro como por una puerta lateral.* Abajo: *Un Short C-23 Sherpa de la Guardia Nacional del Ejército de Estados Unidos.*

La evolución del correo aéreo

Durante la década de 1960, aviones como el Armstrong Whitworth Argosy habían desempeñado un papel notable en el transporte del correo, y los vuelos postales habían sido importantes, en la medida que habían hecho del transporte aéreo de mercancías un negocio viable. La entrega de correo urgente por aire se revolucionó en 1973 a raíz de la fundación de Federal Express, que empezó con una flota de Dassault Falcon. Los primeros años fueron difíciles, pero en 1976 la compañía empezó a obtener beneficios gracias al uso de aviones de carga en el servicio de paquetería urgente. En 1982, Federal Express tenía 39 Boeing 727 y cuatro Douglas DC-10 en versiones de carga. En 1989, la aerolínea adquirió Tigers International Inc, propietaria de la gran operadora de mercancías Flying Tiger Line, lo que permitió a Federal Express convertirse en la aerolínea de mercancías más grande del mundo.

Nuevos mercados

El mercado de los aviones de transporte de mercancías no estuvo limitado únicamente a modelos de fabricación soviética, europea o americana. En 1974 Japón presentó su Kawasaki C-1, cuyo primer ejemplar efectuó su vuelo inaugural en diciembre. Destinado a relevar el C-46 Commando de la Fuerza de Autodefensa Japonesa, el C-1 podía transportar 11.900 kg de carga, una cifra modesta que no atrajo a demasiados clientes extranjeros.

El crecimiento del sector indujo a Boeing a desarrollar una nueva versión del 747, el Combi, que entró en servicio en 1975, seis años después del primer vuelo del 747. El 747 Combi ofrecía una partición del fuselaje para mercancías y otra para pasajeros. También se produjo una versión destinada al transporte de carga y dotada de un morro articulado para las operaciones con mercancías. El control ambiental del fuselaje permitía transportar cualquier clase de objeto (barcas, flores, verdura, etc.) hasta cualquier parte del planeta.

Aviones pequeños y de despegue y aterrizaje cortos

En la parte del espectro de los aviones de carga totalmente opuesta a la del gigante Short Belfast se

La lanzadera Piggyback

Además de contribuir a que las verduras de todo el mundo lleguen frescas a cualquier hogar del planeta, el 747 ha sido indispensable para el programa de lanzaderas espaciales de la NASA. El Jumbo permitía que la lanzadera espacial regresara desde el lugar de aterrizaje previsto (Edwards AFB, California) hasta la plataforma de lanzamiento de Cabo Cañaveral (Florida). A tal efecto, la NASA disponía de dos 747 especialmente modificados. Los dos aparatos tienen superficies verticales adicionales en la cola que mejoran su estabilidad cuando la lanzadera se fija encima del fuselaje del 747. Un cono de cola aerodinámico recubre la cola del Orbiter para minimizar la resistencia causada por las toberas de su motor. Los 747 modificados no se emplean demasiado en la actualidad, ya que la lanzadera regresa a Cabo Cañaveral y todo el programa permanece en un punto muerto.

Trasladar la lanzadera de un lugar a otro con un 747 costó un millón de dólares y una semana de trabajo por parte de 200 personas. Durante el vuelo, un avión ojeador, habitualmente un C-141 de la NASA, precedía al conjunto formado por el 747 y la lanzadera con el fin de detectar condiciones meteorológicas adversas que pudieran deteriorar la preciosa carga. El interior de los 747 está completamente vacío para ahorrar peso. El acoplamiento de la lanzadera al fuselaje del 747 causaba una vibración audible durante todo el vuelo debido a la turbulencia provocada por el Orbiter.

Los dos 747 especiales de la NASA –adquiridos a American Airlines y Japan Air Lines– no sólo se han usado para llevar la lanzadera; en los primeros días del programa también se emplearon para transportar el Orbiter. La lanzadera despegaba del Jumbo una vez en el aire y se ponía en tierra planeando para probar sus características de vuelo.

Arriba: *Un 747 especial permite realizar el test de pruebas de la lanzadera antes de que ésta emprenda su viaje al espacio.*
Abajo: *Los 747 de la NASA también son muy útiles para transportar la lanzadera espacial al lugar requerido.*

Basado en el Antonov An-72, el Antonov An-74 cuenta con turborreactores montados en la parte superior del avión que ofrecen un extraordinario rendimiento en despegues cortos.

encontraba el Short C-23B Sherpa, una variante del Short 330 que hizo su vuelo inaugural el 22 de agosto de 1974. Con un fuselaje rectangular muy práctico y alas altas, el Sherpa puede transportar vehículos y tropas, efectuar lanzamientos desde el aire y evacuar heridos, y todo ello operando en pistas de firme complicado. El C-23B entró al servicio del Ejército de Tierra estadounidense en 1985 con capacidad para 3.200 kg de carga o 30 pasajeros. La USAF también empleó el Sherpa para transportar piezas de recambio de aviones por toda Europa. El Sherpa es un pariente cercano del Short Skyvan, si bien este último tiene un tren de aterrizaje fijo y una carga útil de 2.000 kg.

En 1977, Antonov presentó el An-72 «Coaler», un avión de despegue y aterrizaje cortos que efectuó su vuelo inaugural el 22 de diciembre de 1979. El An-72, que presentaba muchas características del Boeing YC-14, tenía dos motores dispuestos en grandes góndolas sobre las alas con el fin de impedir la succión de piedras u otros materiales que pudieran dañar el motor cuando el avión se desplazaba sobre pistas improvisadas. Los gases de escape salían por encima de las alas y ofrecían una potencia extra que permitía al avión despegar en una pista más corta de lo habitual.

Colosos del aire

El Lockheed C-5 Galaxy fue el avión de carga más grande de los que se hallaban en servicio hasta el 26 de diciembre de 1982, día en que realizó su vuelo inaugural el An-124 Ruslan «Condor». Este aparato de largo alcance fue empleado por el Ejército del Aire soviético y Aeroflot desde 1986. Como el Galaxy, el Ruslan puede «arrodillarse» para desembarcar su mercancía y operar, gracias a su tren de aterrizaje de 24 ruedas, en pistas improvisadas. El An-124 tiene un peso de despegue de 405.000 kg y una autonomía de 4.500 km con el máximo de carga a bordo. De vacío y con los de-

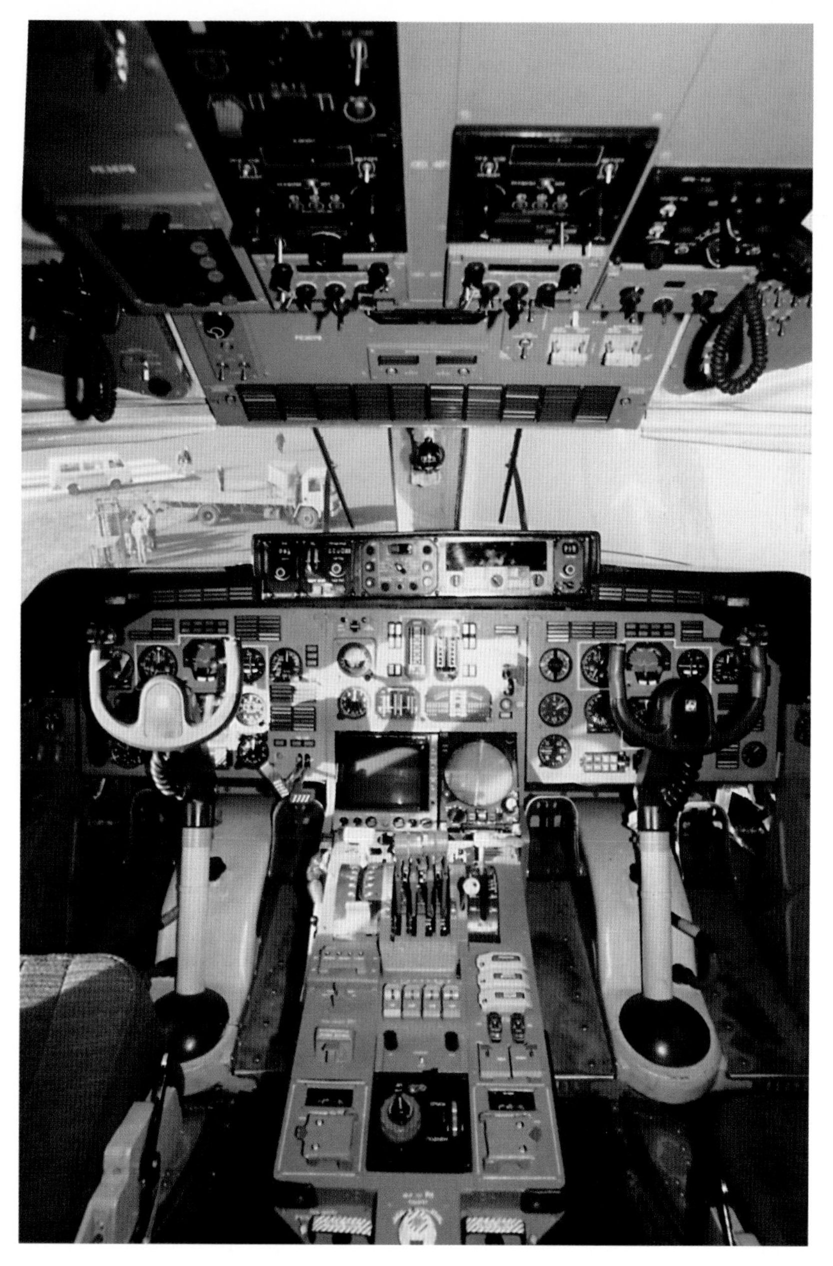

Página anterior: *El Antonov An-124 Ruslan, uno de los aviones de transporte con motor a reacción más grandes jamás construidos, fue obra de ingenieros aeronáuticos soviéticos.*
Arriba: *Este Antonov An-124 fue el resultado de un convenio de cooperación entre dos compañías de transporte de mercancías: la rusa Volga-Dnieper y la británica HeavyLift.*
Izquierda: *La cabina de mando del An-124 está montada muy por encima de la cubierta principal de carga y detrás del morro, que está articulado para permitir el embarque de mercancías.*

pósitos de combustible llenos, su autonomía aumenta hasta los 16.500 km. Igual que el Galaxy, la cubierta superior dispone de asientos para pasajeros, aunque en su caso éstos son 88, quince más que su pariente americano. El 26 de julio de 1985, el An-124 estableció un nuevo récord: 171.200 kg a 10.750 m.

El An-124 fue la base del aún más grande Antonov An-225 Mriya, que voló por primera vez el 21 de diciembre de 1988 y que aún hoy es el avión más grande del mundo. Concebido en sus inicios para transportar en sus espaldas la lanzadera espacial Buran, se esperó de él que también fuera capaz de llevar instrumentos de perforación para los yacimientos de gas y petróleo situados en el norte de Rusia. El Mriya es más largo que el Ruslan y necesita de un tren de aterrizaje de 32 ruedas y seis turbinas para moverlo; además, cuenta con un fuselaje de 84 m de longitud y tiene un peso de despegue máximo de 600.000 kg.

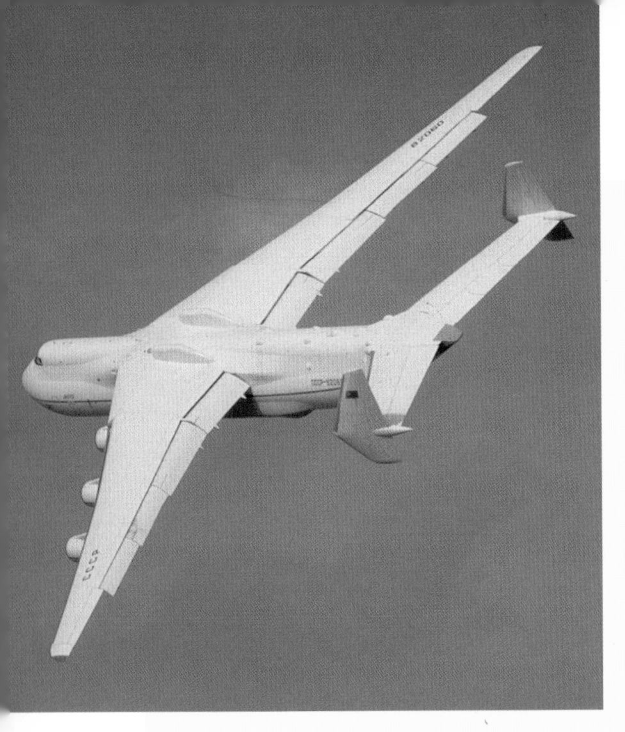

Un avión de ensueño

El Mriya, del que hasta hoy sólo se ha construido un ejemplar, es un avión con estadísticas impresionantes. Su cola horizontal de 32,65 m es más ancha que la envergadura de un Boeing 737-300. La cola tiene dos derivas en sus puntas para mejorar el control del avión cuando lleva carga en su popa.

El tren de aterrizaje delantero consta de cuatro ruedas, y se necesita una barra de remolque especial para un tractor que, a su vez, debe suministrar la potencia suficiente para arrastrar el avión hasta su lugar de estacionamiento. En este caso, la proa debe levantarse y la barra de remolque retirarse hacia el interior del avión con ayuda de una grúa interna. En contacto con el suelo, el pesado aeroplano puede llegar a hundirse en la pista por el sobrecalentamiento del asfalto.

Al despegar, crea una enorme perturbación en el aire que provoca violentos torbellinos, de forma que el primer avión que quiera despegar tras el Mriya debe esperar quince minutos. Por ello, el An-225 suele frecuentar las pistas más tranquilas, y así evita «entorpecer» el frenético ritmo de despegues y aterrizajes que se produce en los grandes aeropuertos.

Desde que el Mriya empezó a efectuar vuelos comerciales con Antonov Airlines, compañía radicada en Stansted, nunca han faltado pilotos de todo el mundo deseosos de «conducir» este asombroso monstruo de los cielos. No obstante, sus solicitudes al respecto no suelen prosperar. Las tripulaciones a bordo del Mriya y del Ruslan tienden a ser rusas o ucranianas, y cualquier aspirante a pilotar un Antonov debe hablar ruso con fluidez, especialmente para poder leer los instrumentos de la cabina de mando.

Además de transportar cargas pesadas por todo el mundo, el Mriya ha participado en numerosas misiones humanitarias. El 11 de diciembre de 2002, despegó de Nueva York con destino a África cargado de juguetes para niños de Uganda en el marco de la iniciativa «Operation Christmas Child». Una vez, Bono, cantante y líder del grupo de rock U2, vio despegar el avión y dijo de él que «era mayor que el ego de una estrella de rock».

Arriba, imagen superior: *El tamaño del Antonov An-225 se corresponde con la enorme envergadura de sus alas.*
Arriba, imagen inferior: *El gigantesco An-225, el único en servicio, aterriza en el Farnborough Air Show de 1990.*

El prototipo Fiat/Aeritalia G222. Este modelo también lo empleó la USAF con la denominación C-27 Spartan.

Nuevos diseños europeos

El Nord Noratlas trabajó duro para la Armée de l'Air francesa y la germanooccidental Luftwaffe. Su relevo, el Transall C-160 era el producto del consorcio francoalemán Transport Allianz, constituido para desarrollar un bimotor turbohélice de carga. El último Transall de un total de 160 unidades construidas para las fuerzas aéreas francesas y alemanas salió de los talleres en 1987. El avión puede llevar una carga útil de 16.000 kg, 93 soldados o 62 heridos en camilla. Como el C-5 Galaxy, su tren de aterrizaje puede rebajarse para facilitar las maniobras con mercancías.

Tres años más tarde entró al servicio de la USAF otro avión de carga de desarrollo europeo, una variante del Fiat G.222, conocida como C-27 Spartan y fabricada por la sociedad italiana Alenia. Diez unidades del C-27 fueron destinadas a la base aérea de Howard (Panamá) para misiones en América Latina. Con todo, el avión no fue demasiado popular y fue retirado en 1999.

Antonov prosiguió su provechosa serie de aviones de carga con el An-70, un aparato de despegue y aterrizaje cortos de tamaño medio que realizó su primer vuelo en 1994. El desarrollo del aeroplano se ralentizó a raíz de un accidente el 10 de febrero de 1995, en el que un prototipo chocó con un An-72 durante un vuelo de prueba. A diferencia del Ruslan, el Mriya y el «Coaler», el An-70 está propulsado por motores turbohélice de nueva generación, dotados de hélices contrarrotantes que impulsan el avión a gran velocidad con un bajo consumo

Abajo: *El Transall C-160, un excelente bimotor táctico de mercancías, es fruto de una colaboración francoalemana y es empleado por la Armée de l'Air francesa y la Luftwaffe alemana, así como por las Fuerzas Aéreas turcas.*

Página siguiente: *El An-70, un moderno avión de carga de la firma Antonov, está propulsado por cuatro pares de hélices contrarrotantes y puede transportar 110 paracaidistas con equipo completo o 300 soldados con el armamento regular.*

de combustible. Por otro lado, el peso del avión se ve reducido gracias al empleo de materiales ligeros en la construcción de las hélices. Con un peso de despegue máximo de 137 t, el avión puede volar sin problemas a una velocidad de crucero de 750-800 km/h y operar en pistas de firme irregular.

De aspecto tosco y sin el *glamour* del avión militar supersónico, el avión de transporte ha sido siempre un héroe olvidado. En menos de un siglo se ha pasado de llevar pequeñas cargas en vuelos de poca distancia a transportar locomotoras a cualquier punto del planeta. El rápido transporte de alimentos y mercancías de primera necesidad han salvado vidas en áreas asoladas, mientras que los ejércitos han ganado guerras gracias al rápido transporte por aire de las tropas y de su material correspondiente.

Aviones como el Ruslan, el Galaxy y el Belfast han soportado pesos considerables; queda por ver, sin embargo, si la capacidad de carga continúa incrementándose o si bien se ha llegado al límite con el Ruslan o el solitario Mriya.

la aviación militar durante la Guerra Fría

tensión creciente

La derrota del fascismo en la Segunda Guerra Mundial dejó a la URSS de Stalin como el estado más poderoso de Europa. Nerviosos por la expansión soviética, Estados Unidos, Canadá, Francia, el Reino Unido y otros países occidentales fundaron en 1949 la Organización del Tratado del Atlántico Norte (OTAN), un pacto de defensa mutua según el cual cualquier ataque a un país miembro sería considerado una agresión a toda la alianza.

Izquierda: *Un Boeing E-3 AWACS de la RAF en formación con un Panavia Tornado de la RAF.*
Arriba: *Una oleada tras otra de bombarderos toman el cielo. Tales exhibiciones constituían valiosos ejercicios de propaganda durante la Guerra Fría, cuando las dos grandes superpotencias, enfrentadas, intentaban demostrar el poder y el alcance de su armamento.*

Mientras los estados occidentales creaban la OTAN, los soviéticos establecían una alianza similar. Después de la Segunda Guerra Mundial, Moscú había mantenido un control férreo sobre los países que había liberado del yugo nazi e instalado en ellos gobiernos títere comunistas. Dichos países formarían a la larga una organización de defensa mutua conocida como Pacto de Varsovia.

La fuerza aérea resultó vital para cada potencia en su objetivo de disuadir a la otra de un eventual ataque: miles de aviones militares se desplegaron por toda Europa. En los primeros días de la Guerra Fría, antes de la aparición de los misiles balísticos intercontinentales, los bombarderos de gran radio de acción eran la única plataforma capaz

El huevo asesino

El desarrollo de los cazas y bombarderos se aceleró tras la Segunda Guerra Mundial. Las dos superpotencias vieron desde un principio que sus bombarderos eran muy vulnerables ante los cazas. En Estados Unidos se desarrolló una idea novedosa que debía permitir a un bombardero defenderse por sí mismo: el mismo avión transportaría un minicaza.

En 1945, la McDonnell Aircraft Company empezó a desarrollar un caza transportable en un bombardero que podía atacar a los enemigos y regresar posteriormente a su avión nodriza. El resultado fue el XF-85 «Goblin». Este caza en forma de huevo iba alojado en el depósito de bombas del bombardero, tenía la cabina presurizada, un asiento expulsor y cuatro ametralladoras, se lanzaba desde el bombardero para entablar combate con el enemigo y se recuperaba mediante un trapecio retráctil.

Para probar el concepto se utilizó un bombardero Boeing B-29 Superfortress adaptado para la ocasión. El 23 de agosto de 1948, un XF-85 fue lanzado con éxito desde el B-29, pero su retorno al bombardero demostró ser dificultoso. El trapecio chocó contra la cabina de mando, y el choque arrancó la mascarilla de oxígeno del piloto del Goblin. Con restos de sus pantalones en la boca, el piloto efectuó un aterrizaje de emergencia a 321 km/h sobre unos patines especiales instalados en el avión para tales casos.

En 1949, el proyecto fue cancelado. Una serie de mejoras en la técnicas de repostaje permitieron que los cazas convencionales acompañaran a los escuadrones de bombarderos. Por otra parte, el retorno del caza al bombardero fue considerado tan difícil, incluso para pilotos de pruebas bien entrenados, que se llegó a dudar de la posibilidad de llevarlo a cabo con éxito. Para terminar, el rendimiento del Goblin fue considerado notablemente inferior al de los cazas cuya entrada en servicio era inminente.

Arriba: *El básico XF-85 Goblin de McDonnell era muy distinto de los ultramodernos aviones de guerra actuales.*
Abajo: *Un piloto revisa un XF-85 Goblin antes de un vuelo de prueba. Lo racional de este avión terminó volviéndolo obsoleto con la aparición de los misiles aire-aire y del fin de los combates aéreos.*

Dos McDonnell Douglas F-4 Phantom de la USAF vigilan de cerca a un avión de reconocimiento soviético Tupolev Tu-95 que ha penetrado en el espacio aéreo de la OTAN.

de transportar armas nucleares. Las primeras bombas atómicas y de hidrógeno eran pesadas (la primera de hidrógeno estadounidense, la Mk. 17, pesaba 19.000 kg) y requerían aviones grandes con combustible suficiente para llevarlas hasta el objetivo.

El Mando Aéreo Estratégico (SAC) y el B-29

Los bombarderos eran flexibles: podían despegar al recibir la orden y «holgazanear» antes de dirigirse a su objetivo. Y las comunicaciones permitían cambiar de objetivo en pleno vuelo. Los bombarderos, por otro lado, se consideraban el sistema de transporte de armas nucleares más eficaz existente, aunque estaba por ver cómo alcanzarían los objetivos en caso de guerra. Se daba por supuesto que, cuando estallaran las hostilidades, unos aviones caerían y otros se averiarían. Por lo demás, las bases de los bombarderos eran vulnerables y muchos de ellos serían destruidos incluso antes de despegar.

Durante unos años, las Fuerzas Aéreas estadounidenses confiaron sus armas atómicas al Boeing B-29 Superfortress, el único avión que había lanzado bombas atómicas en una guerra. No obstante, su autonomía de 9.500 km le impedía alcanzar todos los potenciales objetivos en la Unión Soviética. Una solución provisional era utilizar los aeródromos británicos. Tras la fundación de la OTAN, la aviación estadounidense desplegó en el Reino Unido ocho B-29 «Silver Plate» cargados con armas nucleares y preparados para atacar objetivos en el sur de la URSS. El Mando Aéreo Estratégico (SAC), responsable de la fuerza de bombarderos estratégicos de Estados Unidos durante toda la Guerra Fría, también tenía acceso a bases en Alaska, las Azores, Guam, Libia, Marruecos, Okinawa y Filipinas.

Aunque parezca mentira, el B-29 también fue el primer bombardero nuclear de la URSS. Durante la Segunda Guerra Mundial, tres de ellos que habían aterrizado en el país fueron retenidos y copiados por

A
"FIFI"

8096
AIR FORCE

Página anterior, arriba: *El Boeing B-29 Superfortress, el primer bombardero nuclear de Estados Unidos y el único que ha lanzado un arma atómica en guerra.*
Página anterior, abajo: *Boeing desarrolló el B-50 en un intento de mejorar la autonomía del B-29, avión al que sustituyó. Obsérvense los depósitos de carburante situados bajo las alas.*
Arriba: *Concebido en un principio para bombardear Europa desde Estados Unidos durante la Segunda Guerra Mundial, el Convair B-36 Peacemaker fue retocado para llevar armas nucleares.*

el departamento de diseño de Tupolev, que fabricó el modelo con el nombre de Tu-4 «Bull». La Fuerza Aérea del Ejército Popular de Liberación de China (PLAAF) compró 13 Bull a la URSS. Sin embargo, el avión sólo tenía una autonomía de 3.600 km y una carga útil máxima de 9.000 kg, lo que le impedía regresar de su eventual objetivo.

La solución de las Fuerzas Aéreas estadounidenses al problema de la autonomía fue encargar a Boeing el desarrollo de una versión más avanzada del B-29, el B-50. Tenía una autonomía de 7.500 km y motores convencionales de combustión interna Pratt & Whitney R-4360-35 que suministraban un 50% más de potencia que los Wright Double Cyclone de 2200 CV de su predecesor. No obstante, no tardaron en darse cuenta de que el B-50 sólo constituía una solución de emergencia, pues hacía falta un bombardero más grande y potente.

Más grande, mejor

El Convair B-36 Peacemaker se diseñó a principios de la década de 1940 para bombardear objetivos en la Europa ocupada en caso de que el Reino Unido fuera invadido por los nazis. El programa de desarrollo se ralentizó cuando quedó claro que la invasión del Reino Unido por Hitler no era inminente. En servicio desde 1948, el Peacemaker fue uno de los aviones más grandes jamás construidos, con una envergadura de 70 m, seis motores de combustión interna orientados hacia atrás y cuatro turborreactores. El B-36 tenía una autonomía de 11.000 km, y era tan grande que un piloto lo calificó de «apartamento volante».

En 1950, el SAC introdujo el Boeing B-47 Stratojet, con 1.200 de los cuales se formaron 28 alas de bombardeo. Las abundantes torretas armadas de los anteriores bombarderos se eliminaron, lo mismo que las tripulaciones numerosas (sólo tres miembros en un B-47). Velocidades máximas de 896 km/h a altitudes de 12.500 m, sofisticadas medidas electrónicas y una sola ametralladora de cola constituían su defensa.

Con todo, los 6.500 km de autonomía del Stratojet eran decepcionantes. Para corregir ese

corto radio de acción se intentó repostarlo en el aire. Los aviones cisterna desempeñaron un papel estratégico vital durante la Guerra Fría. El repostaje a gran altitud permitió que los aviones de guerra extendieran su radio de acción sin hacer escala en aeródromos y, por ende, que los bombarderos de las potencias nucleares (Estados Unidos, URSS, Reino Unido, Francia y China) pudieran alcanzar cualquier lugar del planeta.

El repostaje en vuelo

El primer avión cisterna que entró en servicio con las Fuerzas Aéreas estadounidenses, a principios de la década de 1950, fue el Boeing KC-97. Basado en el Stratocruiser, este avión empleaba el sistema de repostaje denominado «manguera de repostaje en vuelo»: el avión cisterna transportaba una manguera rígida y larga que se empalmaba al depósito de combustible del receptor. Este sistema también lo utilizaría Francia durante un tiempo casi veinte años más tarde.

Británicos y soviéticos se decantaron por el método «manguera-cesta», en el que el avión cisterna lanzaba una larga manguera con una cesta al final que se empalmaba a una sonda conducida desde el avión receptor. Durante un tiempo, los soviéticos usaron con sus bombarderos Tupolev Tu-16 «Badger» un método, más tarde desechado,

Arriba: *El Boeing B-47 Stratojet fue el primer bombardero nuclear estratégico a reacción. Algunos de ellos fueron equipados con cohetes adicionales para poder despegar con rapidez en caso de ataque repentino.*

Página siguiente, arriba: *Con el Tupolev Tu-16, los soviéticos ensayaron un método de repostaje entre extremos de alas.*

Página siguiente, abajo: *Los F-15 de la USAF repostan en pleno vuelo con manguera.*

FF

Aviones de propulsión nuclear

En la década de 1940, la especialidad relativamente nueva de la física nuclear no sólo estaba inmersa en el desarrollo de bombas sino que también investigaba medios de propulsión para aviones. A tal efecto, y bajo la supervisión de la USAF, empezó el programa Propulsión de Aviones con Energía Nuclear (NEPA). La USAF estaba interesada en desarrollar un bombardero de propulsión nuclear de largo alcance autónomo.

En un documento de 1947, Kelly Johnson y F. A. Cleveland, de la compañía Lockheed, escribieron: «Parece que el bombardero estratégico, al requerir tanto una gran velocidad como mucha autonomía, así como por las potenciales ventajas inherentes a la baja altitud con respecto a aviones químicos similares, será el primer candidato para una alojar un motor nuclear». En 1948 se pidió a Fairchild Engine y a Airframe Company que investigaran el concepto.

En 1952 se hizo de un bombardero B-36H el banco de pruebas de un sistema de propulsión nuclear para el bombardero propuesto, el X-6. Conocido como Nuclear Test Aircraft (NTA), el avión fue denominado NB-36H y reformado para llevar un reactor nuclear en el depósito de bombas de popa. Un apantallamiento envolvía el reactor para proteger el aparato de la radiación, y otras 12 t de apantallamiento en una sección del morro protegían a la tripulación. El avión efectuó una serie de vuelos en los que se empleó el reactor, pero el programa X-6 empezó a dar problemas y se abandonó en 1953.

Para no ser menos, los soviéticos iniciaron un programa propio en 1954. Una propuesta consistía en construir un hidroavión de 1.000 t con cuatro motores turbohélice de propulsión nuclear para transportar a 1.000 pasajeros o 100 t de carga a una velocidad de 1.000 km/h.

El proyecto de la USAF se reanudó en 1955 y el NB-36H hizo otros vuelos de prueba. Los participantes en el programa confiaban en la seguridad del concepto y en que «los riesgos de la radiación no eran mayores que los que había acarreado el desarrollo de la máquina de vapor, la energía eléctrica, el avión, el automóvil o el cohete». Ese mismo año, tras haber desechado la idea de un hidroavión propulsado con energía nuclear, los soviéticos comenzaron a desarrollar una versión así propulsada de uno de sus bombarderos. Además de turbohélices, el Tu-95LAL (Letavshaia Atomnaia Laboratoriya, laboratorio atómico volador) llevaba un reactor nuclear y toneladas de apantallamiento para la tripulación.

Pero esta segunda vida del NB-36H fue muy corta. El 28 de marzo de 1961, John F. Kennedy canceló el proyecto argumentando: «Se han empleado 15 años y cerca de un billón de dólares en desarrollar un avión de propulsión nuclear, pero la posibilidad de construir un aparato útil para fines militares en un futuro inmediato aún es remota». Los soviéticos, sabedores de que sus rivales habían abandonado el proyecto, tiraron la toalla en agosto de 1961. Moscú comprendió que el coste de desarrollar una flota de bombarderos de propulsión nuclear era demasiado alto, pues equivalía al presupuesto de la URSS para los dos siguientes años.

Página siguiente: *El único NB-36H, en pleno vuelo. Desarrollar un bombardero de propulsión nuclear siempre presentó dificultades, por lo que el proyecto Propulsión de Aviones con Energía Nuclear (NEPA) se abandonó en 1961.*
Abajo: *Obsérvese el nuevo diseño del morro y la cabina de mando del NB-36H. Las reformas eran necesarias para proteger a los tripulantes de la radiación.*

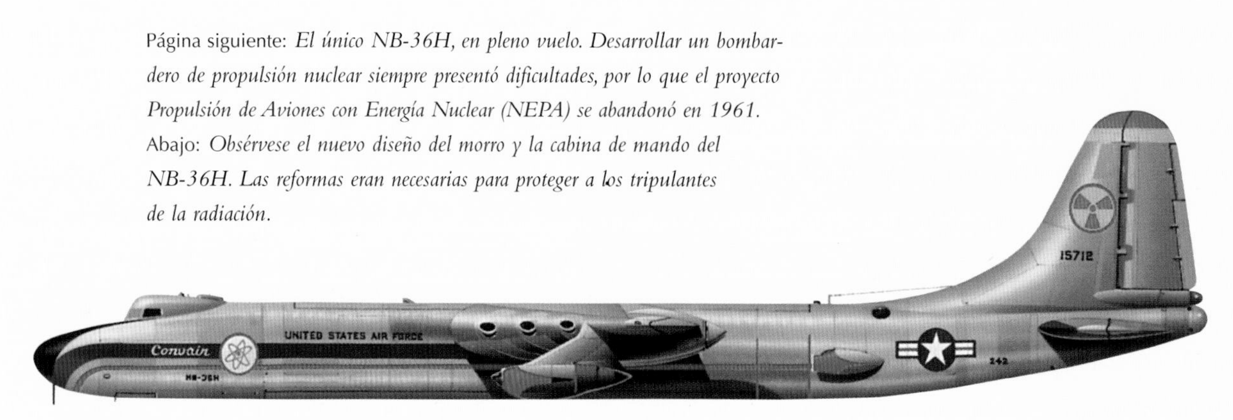

242

Abajo, imagen superior: *En los cielos de Corea, el MiG-15 puso las cosas difíciles a los pilotos estadounidenses.*
Abajo, imagen inferior: *Un MiG-17 en una parada militar del Pacto de Varsovia.*

Dos Sujoi Su-7 en pleno vuelo. Obsérvese la pronunciada flecha que forman las alas.

que operaba en los extremos de las alas. Como aviones cisterna, los estadounidenses también emplearon aviones civiles adaptados, entre ellos el KC-135, modelo basado en el Boeing 707, y el KC-10, derivado del McDonnell Douglas DC-10. La RAF también empleó aviones civiles modificados, como el Vickers VC-10 y el Lockheed L-1011 Tristar, y además bombarderos Avro Vulcan y Handley Page Victor. No todos los bombarderos nucleares podían repostar en pleno vuelo: la autonomía de sólo 4.000 km de los franceses Dassault Mirage IVA les impedía llevar a cabo un ataque a la URSS y luego regresar a la base, y los aviones cisterna que los hubieran podido acompañar habrían sido demasiado vulnerables ante la aviación enemiga.

Las fuerzas soviéticas

Después de la firma del Pacto de Varsovia, en 1955, los soviéticos empezaron a organizar sus fuerzas aéreas en Europa oriental bajo el mando de la Frontsaya Aviatsiya («aviación frontal»). En su zenit, la fuerza comprendió más de 4.000 aviones organizados en una división de cazas, dos divisiones de cazabombarderos, dos formaciones mixtas de cazas y cazabombarderos y cinco regimientos de asalto de helicópteros. En caso de guerra, la Frontsaya Aviatsiya podía adentrarse 400 km en territorio enemigo, respaldar el avance de las tropas terrestres, efectuar misiones de reconocimiento y lanzar paracaidistas y suministros. Sus objetivos comprendían sistemas de artillería, puestos de mando y de control, aeródromos enemigos y armas nucleares tácticas para el campo de batalla.

La unidad de elite de la Frontsaya Aviatsiya era el 16º Ejército del Aire soviético con base en la RDA, reforzado en caso de necesidad por la aviación de ese país aliado. Durante toda la Guerra Fría, la unidad empleó diversos modelos de aviones militares. El primero de ellos fue el MiG-15 «Fagot», que se hizo famoso en Corea. En 1952 lo siguió el MiG-17 «Fresco», que podía cargar con 500 kg de bombas y tenía un radio de combate (distancia del objetivo) de 700 km. Al «Fresco» se unieron en 1956 el cazabombardero Sujoi Su-7 «Fitter», que podía alcanzar velocidades de hasta Mach 1,6 y llevar 2.500 kg de bombas. A causa de su gran consumo de combustible, el radio de combate del Su-7 era la mitad del del MiG-17, de ahí que Sujoi modificara el diseño original y construyera el Su-17 «Fitter-C», un avión con alas de geometría variable y con una carga útil de 3.500 kg, aunque con un radio de acción de sólo 2.300 km.

El avión estadounidense de mayor éxito en la guerra de Corea había sido el North American F-86 Sabre, que alcanzaba velocidades superiores a los 1.137 km/h. El prototipo voló ya en 1947 y el Sabre entró en servicio en 1949. En noviembre de 1950, las Fuerzas Aéreas estadounidenses empezaron

U.S. AIR FORCE
91158
FU-158
USAF
91276
FU-276
91251
FU-251
FU-261
FU-236

Página anterior: *F-86 Sabres estadounidenses en un aeródromo improvisado de Corea. Obsérvense todo el equipo situado detrás del avión y las cabinas abiertas, que permiten un rápido despegue.* Abajo: *El Lockheed F-104 Starfighter, apodado «misil tripulado», fue uno de los cazas más veloces y temibles de la Guerra Fría.*

a darse cuenta de que la velocidad de su avión era inferior a la del MiG-15. No obstante, la mayor pericia de los pilotos americanos en el combate aéreo y la mejor maniobrabilidad del Sabre hicieron que los MiG-15 salieran peor parados en los enfrentamientos. En los cielos de Corea, los Sabre eran inferiores en una relación de uno a cuatro a los MiG, pero sólo sufrieron 78 bajas, frente a 792.

Hacía falta un caza de corto alcance más rápido. Los proyectistas soviéticos se pusieron manos a la obra y crearon un avión simple y robusto que podía alcanzar velocidades de Mach 2: el MiG-21 «Fishbed».

En servicio desde 1956, el MiG-21 fue, con mucho, el caza más numeroso de las fuerzas aéreas soviéticas y de sus países aliados. Del aparato se produjeron varias versiones, entre ellas la MiG-21bis, que podía efectuar misiones de ataque terrestres y llevar 2.000 kg de carga útil a un radio de combate de 1.800 km.

Cazas veloces

Varias fuerzas aéreas pusieron aviones a disposición de la OTAN, entre ellas la Royal Air Force, que tenía un gran número de aparatos militares en bases de la RFA y a la que se habían encomendado misiones de superioridad aérea, reconocimiento y ataque terrestre. En las décadas de 1950 y 1960, la RAF desplegó bombarderos English Electric Canberra armados con armas nucleares, además de cazas Hawker Hunter. El Hunter, del que se fabricaron más de 1.500 unidades en el Reino Unido,

A toda velocidad

¿A qué velocidad puede llegar a volar un avión? A finales de la década de 1940, Estados Unidos intentó averiguarlo con unos experimentos con el X-1 de la Bell Aircraft Company. De entre las personas implicadas en el diseño y el pilotaje de aquellos potentes aviones propulsados por cohetes destacaron dos: el general Charles E. «Chuck» Yeager y el comandante Arthur «Kit» Murray.

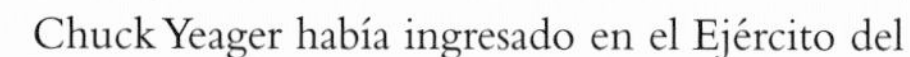

Chuck Yeager había ingresado en el Ejército del Aire en septiembre de 1941 y había sido aceptado en la escuela de vuelo en julio de 1942. Siete meses más tarde recibía las alas de piloto. Durante la Segunda Guerra Mundial, Yeager participó en 64 misiones de combate y derribó 13 aviones alemanes. En toda su carrera pilotó 201 modelos diferentes de avión y acumuló una experiencia de 14.000 horas de vuelo. De los vuelos que efectuó, uno forma parte de la historia: el del 14 de octubre de 1947 en el Bell X-1.

Expertos estadounidenses quedaron impresionados por la velocidad y el comportamiento del motor a reacción, pero el proyecto Bell X-1 tenía como objetivo la construcción de un avión propulsado por cohete que superara la aparentemente infranqueable barrera del sonido. El objetivo inicial era acercarse al máximo a esa velocidad (1.233 km/h a nivel del mar, pero inferior en altitud a causa de la menor densidad del aire) y medir los efectos de las ondas de choque en el avión y el piloto.

En agosto de 1947, Chuck Yeager se desplazó a la base aérea de Muroc (California) en calidad de oficial al mando del proyecto. Dos meses más tarde, el 14 de octubre de 1947, el X-1 fue acoplado a la parte inferior de un Boeing B-29, conducido a 7.600 m de altitud y, una vez allí, soltado. Sin el bombardero, Yeager ascendió con el X-1 hasta los 12.200 m a una velocidad de 1.065 km/h. A tal altitud, el avión rompió la barrera del sonido y Yeager se convirtió en el primer piloto en efectuar un vuelo supersónico. Por esa hazaña, el proyecto Bell recibió en 1948 el Trofeo Collier. No obstante, el X-1 aún daría que hablar. En diciembre de 1953, Yeager voló con el X-1A a 2.655 km/h, velocidad 2,5 veces superior a la del sonido.

En junio de 1954, Kit Murray estableció una nueva marca para el proyecto X-1 al volar con el X-1A a 27.500 m, la mayor altitud alcanzada por el hombre hasta entonces. El éxito del proyecto X-1 abrió camino a nuevas pruebas con aviones propulsados por cohete y al programa espacial de la NASA.

Arriba: *El Bell X-1 fue el primer avión tripulado que rompió la barrera del sonido.*
Izquierda: *Bombarderos como este B-29 solían utilizarse como lanzaderas de aviones experimentales. En la fotografía, el X-2, una evolución del X-1 con las alas en flecha.*

Bélgica y los Países Bajos, fue el sucesor de los cazarreactores Gloster Meteor y De Havilland Vampire. El Canberra llamó la atención de las Fuerzas Aéreas de Estados Unidos, que mandaron construir allí bajo licencia 400 de ellos; recibirían el nombre de Martin B-57.

El diseño de aviones militares experimentó en Estados Unidos un gran salto cualitativo con la llegada del Lockheed F-104 Starfighter, que el 20 de febrero de 1958 entró al servicio con la 83ª Escuadrilla de Cazas Interceptores de las Fuerzas Aéreas. Aunque muy veloz (2.330 km/h), el Starfighter también era muy peligroso por su difícil control y las altas velocidades de aterrizaje. Por otro lado, el avión tendía a ser inestable cuando pilotos mal entrenados o inexpertos hacían caso omiso de las recomendaciones del fabricante. Aunque adquirió una pequeña cantidad de Starfighter, las Fuerzas Aéreas los retiraron del servicio en 1975 después de que sufrieran numerosos accidentes. Con mucho, el mayor operador del Starfighter, con más de 900 unidades empleadas, fue la Luftwaffe de la RFA. El Starfighter se exportó a varios países, entre ellos Italia, Japón, Jordania, Pakistán y Taiwán.

Los modelos canadienses

La Royal Canadian Air Force (RCAF) también colaboró activamente con la OTAN. Utilizando

El avión más rápido de todos los tiempos, el estadounidense X-15, soltándose del fuselaje de un B-52, su vehículo de lanzamiento, al que estaba acoplado. El X-15 alcanzó 7.297 km/h en 1964.

028 RCAF

12822

aviones militares diseñados en Estados Unidos pero construidos en Canadá, durante la Guerra Fría desplegó el CF-104 (el Starfighter de construcción canadiense), el CF-116 (originariamente, el Northrop F-5 Freedom Fighter) y el CF-18 Hornet, (una versión canadiense de un avión de carga estadounidense). En la inmediata posguerra, Canadá estuvo a la vanguardia en el diseño de aviones de caza. En 1947, el país trabajaba en un diseño propio de un interceptor birreactor de largo alcance, que acabó viendo la luz en la forma del Avro Canada CF-100 Canuck. La entrega de este excelente aparato a la RCAF empezó en 1951.

Los ingenieros canadienses también forjaron el CF-105 Arrow, otro interceptor de dos reactores, esta vez con alas en delta y capaz de alcanzar los 2.453 km/h. En 1959 fueron sometidos a pruebas cinco prototipos de este formidable avión militar. El CF-105 era un modelo muy avanzado a su tiempo, pero su sofisticación fue su pérdida. Se necesitaban cerca de 400 millones de dólares para terminar el proyecto, una suma excesiva para el gobierno canadiense, sobre todo en una época en que muchos opinaban que los aviones con tripulación no tenían futuro, pues éste parecía pertenecer a los misiles balísticos. El programa se anuló, y con él también la capacidad canadiense de fabricar aviones militares propios. Tan pronto como se hubo cancelado el proyecto, el gobierno canadiense encargó la construcción en el país de 66 interceptores McDonnell Douglas F-101 Voodoo.

Bombarderos a reacción

El primer bombardero soviético a reacción con unas cualidades comparables a las del B-47 Stratojet fue el Tupolev Tu-16 «Badger», que entró en servicio en 1954. Propulsado por dos turborreactores (a diferencia del B-47, propulsado por seis motores), el Tu-16 alcanzaba una velocidad de 780 km/h y tenía una autonomía de 4.800 km cuando llevaba dos misiles, suficientes para amenazar a Europa, Alaska y Japón, pero no a Estados Unidos. El avión, del que 287 unidades prestaron servicio hasta 1987, también podía llevar dos bombas nucleares. El Tu-16 también fue utilizado por la Fuerza Aérea del Ejército Popular de Liberación de China con el nombre de Hong-5.

Un CF-86 Sabre construido por Canadair y un CF-104 Starfighter escoltan el CL-41R, el prototipo de un avión de diseño canadiense destinado al entrenamiento de pilotos de CF-104.

Un año más tarde, las Fuerzas Aéreas estadounidenses presentaron todo un clásico de la Guerra Fría: el bombardero Boeing B-52 Stratofortress.

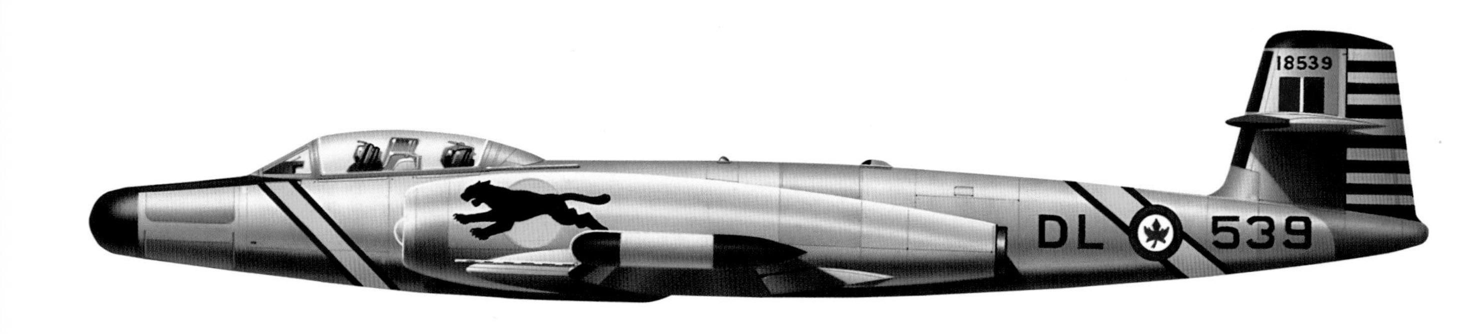

Además de dar su nombre a un grupo de rock y a un cóctel, el B-52 proporcionó a Estados Unidos una impresionante capacidad de ataque. El Stratofortress podía transportar a 14.200 km de distancia, sin necesidad de repostar, ocho bombas nucleares, así como el misil aire-tierra «Hound-Dog», de una fuerza explosiva de un megatón. Del B-52 se construyeron más de 700 unidades de diferentes versiones, y el modelo se empleó como bombardero de gran y baja altitud; además, armado con misiles AGM-84 Harpoon, fue avión de ataque marítimo. En la década de 1980, 98 B-52G fueron adaptados para llevar misiles crucero lanzables desde el aire. Los estadounidenses prevén mantener en servicio los B-52 al menos hasta el año 2016.

Durante la década de 1960, Estados Unidos se había enzarzado en la guerra de Vietnam, primero enviando asesores militares y luego tropas, barcos y aviones al gobierno de Vietnam del Sur para impedir que Vietnam del Norte tomara el control de los dos países. El B-52 apareció con frecuencia por televisión arrasando la jungla para atacar la ruta Ho Chi Minh, a través de la cual Vietnam del Norte abastecía a la guerrilla comunista del Vietcong.

Página anterior, arriba: *El Canadair CF-100 Canuck fue el único caza de diseño canadiense que se llegó a producir en serie.*
Página anterior, abajo: *Un Boeing B-52 Stratofortress despega con gran estruendo durante la Guerra Fría.*
Abajo: *El Vickers Valiant, el primer bombardero V británico.*

Una red de aparatos de escucha y sensores controlaba la ruta; los B-52 actuaban ante cualquier movimiento sospechoso lanzando bombas que arrasaban varios kilómetros cuadrados de jungla. Con el tiempo se ha llegado a la conclusión de que la campaña de bombardeos resultó bastante ineficaz. A lo largo de la ruta Ho Chi Minh se lanzaron tantas toneladas de bombas como en la Segunda Guerra Mundial, y se estima que para matar a un guerrillero hicieron falta 100 t de bombas.

Los bombarderos V y el «Bear»

El mismo año en que el B-52 entró en servicio (1955), la RAF empezó a emplear sus bombarderos nucleares Vickers Valiant, los primeros llamados «V». El 28 de abril de 1958, un Valiant lanzó la primera bomba de hidrógeno británica, en una prueba que se llevó a cabo en la isla de Malden, en el océano Pacífico. Al Valiant se le unió en 1958 el Handley Page Victor. El Victor tenía la cola alta en forma de «T» y alas decrecientes con motores instalados en la base (junto al fuselaje), y podía superar la velocidad del sonido en un picado. Al Valiant y al Victor se les unió el Avro Vulcan, uno de los aviones más elegantes que jamás hayan surcado los cielos. De grandes dimensiones y con las alas en delta, el Vulcan fue el encargado, junto con el Victor y el Valiant, de llevar armas nucleares británicas.

En 1955 aparecieron varios nuevos bombarderos, y no todos en países de la OTAN, ya que ese año los soviéticos sacaron a la luz su legendario ingenio de gran radio de acción Tupolev Tu-95 «Bear», el único turbohélice de alas en flecha de uso generalizado y el avión propulsado por hélice más rápido del mundo (925 km/h). Del Tu-95 se fabricaron numerosas versiones, entre ellas el Tu-142 «Bear-F», un avión de patrulla marítima, y el Tu-114, uno civil de pasajeros. Igual que su adversario, el B-52 Stratofortress, el Tu-95 todavía sigue prestando servicio.

La carrera aeronáutica se acelera

Los franceses también trabajaron para construir un bombardero estratégico nuclear. El Mirage IVA, supersónico, con alas en delta y basado en el caza Dassault Mirage III, realizó su primer vuelo en 1959 y el 1 de octubre de 1964 inauguró un servicio de alerta disuasoria de 24 horas. 36 unidades apoyadas por aviones cisterna Boeing KC-135F se desplegaron con la Force de Frappe por nueve bases repartidas por toda Francia. Las limitaciones del Mirage IVA se intentaron superar con el Dassault Mirage IVP, que tenía una autonomía de 4.000 km y entró en servicio en 1986.

En 1955, los servicios de inteligencia revelaron la existencia de un nuevo bombardero cuatrimotor soviético, el Myasishchev M-4 «Bison». La noticia causó cierto pánico en Estados Unidos, donde, al dispararse el temor a un ataque de bombarderos enemigos, se impulsó la producción del B-52. Aun así,

Abajo: *El impresionante Avro Vulcan llevó a cabo una de las misiones de bombardeo más largas de la historia durante los* raids *«Black Buck» de la guerra de las Malvinas, en 1982.*
Página siguiente: *El elegante Handley Page Victor, con sus alas decrecientes, podía superar la velocidad del sonido en un picado.*

El aerodinámico Dassault Mirage IV efectúa un espectacular despegue con cohetes auxiliares. El Mirage IV fue el primer bombardero francés expresamente construido para llevar armas nucleares.

USAF

USAF

Página anterior: *El prototipo de interceptor Convair YF-102 (arriba) se retocó de acuerdo con los principios aerodinámicos de sustentación. El resultado fue el avión supersónico F-102 (abajo).*
Arriba, imagen superior: *El F-102A.*
Arriba, imagen inferior: *El F-5A debía ser un cazabombardero de bajo coste para los aliados de EE.UU.*

el Bison nunca se construyó en cantidades significativas y su rendimiento como bombardero decepcionó. El M-4 acabó siendo destinado a misiones de reconocimiento y de guerra electrónica.

Si esos aviones soviéticos hubieran alcanzado América durante una guerra, lo más probable es que se hubieran enfrentado a cazas de las Fuerzas Aéreas estadounidenses como el Convair F-102 Delta Dagger. El prototipo del F-102, el YF-102, efectuó su primer vuelo en 1953 y terminó sufriendo modificaciones después de llevarse a cabo una serie de pruebas decepcionantes, en las que no logró alcanzar velocidades supersónicas. En último término, Estados Unidos adquirió 875 modelos monoplaza y 111 biplaza. Allí, el Dagger fue sustituido por el Convair F-106 Delta Dart, que entró en servicio en 1958 después de un desarrollo no exento de problemas. El F-106 tenía un techo de servicio de 16.200 m y carecía de ametralladoras, siendo sus únicas defensas misiles antiaéreos.

El alto precio de los aviones militares fue un problema para la OTAN durante la Guerra Fría. Sin embargo, hubo intentos de producir aviones militares de bajo coste. Un ejemplo fue el Northrop F-5 Freedom Fighter. Fabricado en el marco de una iniciativa privada, Northrop lo anunció como un avión de alto rendimiento y bajo coste. Tras efectuar su primer vuelo, en 1959, el avión no despertó mucho interés en Estados Unidos, pero sí en el extranjero: se convirtió en un éxito y equipó a varias fuerzas aéreas de todo el mundo.

Aviones de reconocimiento

Los bombarderos con armas nucleares debían saber de antemano qué objetivos atacar. Una forma de acumular información en ese sentido (aparte de los satélites) era sirviéndose de sofisticados aviones espía. El Lockheed U-2R, que las Fuerzas Aéreas estadounidenses emplearon desde 1956, podía volar a 80.000 pies (24.385 m) sobre la URSS y fotografiar instalaciones militares. Uno de esos vuelos, sin embargo, causó problemas a Estados Unidos: el 2 de mayo de 1960, un U-2 de la CIA pilotado por Gary Powers fue abatido en las cercanías de Sverdlovsk (URSS). Los vuelos de reconocimiento de los U-2 fueron rápidamente suspendidos.

Al U-2 se sumó más tarde en las misiones de búsqueda de información el Lockheed SR-71 Blackbird, un avión capaz de mantener una velocidad de crucero Mach 3,2. Estados Unidos creía

El avión de reconocimiento Lockheed TR-1 se eleva a tal altitud que los pilotos deben ir equipados con vestidos presurizados semejantes a los de los astronautas.

El rey de las bombas

«Un intenso resplandor blanco apareció en el horizonte. Luego vino una explosión remota, vaga y pesada, como si alguien hubiera matado a la Tierra». Así se describió la explosión de 58 megatones (la más fuerte causada por el hombre) de la «Tsar Bomba» (reina de las bombas) en la URSS en octubre de 1961. La bomba tenía más poder destructivo que todas las armas empleadas durante la Segunda Guerra Mundial juntas.

En junio de 1961, el presidente soviético Nikita Jrushchev se reunió con Andrei Sajarov, científico responsable de las armas atómicas, y le encargó desarrollar una bomba de hidrógeno de 100 megatones. Hacia mediados de octubre, una artefacto gigante de 27 t estaba ya listo para las pruebas. Un frío día de otoño, el comandante Andrei Durnovtsev dirigió su Tu-95 hacia la isla ártica de Novaya Zemlia. La bomba se lanzó en un paracaídas monstruoso cuya confección había perturbado a la industria calcetera soviética.

La bomba explotó a 3.700 m de altitud sobre la vertical de la isla, liberando una energía de 58 megatones, 42 menos de lo previsto. Su onda expansiva dio la vuelta a la Tierra tres veces. Un observador anotó: «En regiones situadas a centenares de kilómetros del punto de explosión destruyó casas de madera, mientras que las de piedra se quedaron sin techo». El resplandor pudo verse desde 965 km aunque la isla estaba cubierta por una densa capa de nubes. El hongo atómico se elevó a 69 km de altitud.

Las bombas nucleares producen una perturbación electrónica conocida como «impulso electromagnético» que afecta, o incluso destruye, los circuitos electrónicos. La Tsar Bomba alteró todas las comunicaciones de largo alcance alrededor del Ártico durante más de una hora. El personal de la base aérea de Olenya, donde el bombardero de Durnovtsev debía aterrizar, no recibió confirmación por radio de que el avión estuviera a salvo o de que la bomba había explotado. Por lo que respecta a la isla de Novaya Zemlia, el área situada bajo el punto en que se produjo la explosión dejó de ser una superficie escarpada cubierta de hielo y nieve para transformarse en una inmensa pista de patinaje.

Al ejército soviético, la explosión no le pareció nada del otro mundo, y no consideró el arma de gran valor militar, pues le parecía mucho más eficaz destruir una ciudad con varias bombas de hidrógeno pequeñas lanzadas desde la periferia que con una grande lanzada en el centro. Aun así, algunas bombas gigantes pasaron a formar parte del arsenal militar.

Arriba: *Un Tupolev Tu-95 «Bear» fotografiado desde un interceptador de la OTAN.*
Derecha: *La potencia y la velocidad del «Bear» se deben en buena parte a las potentes turbohélices del avión que hacen girar las ocho palas de los pares de hélices contarrotantes.*

Página anterior: *El Lockheed SR-71 Blackbird era capaz de superar la velocidad Mach 3,2.*
Abajo, imagen superior: *Aunque sólo prestó servicio en la USAF durante una década, el Convair B-58 Hustler logró nada más y nada menos que 19 récords de velocidad y altitud.*
Abajo, imagen inferior: *El Tupolev Tu-22 «Blinder».*

que la velocidad del SR-71 lo haría invulnerable a las defensas aéreas soviéticas; no obstante, para ahuyentar al Blackbird, la URSS desarrolló el MiG-25 «Foxbat», el avión más rápido jamás construido.

Aviones multifunción

Aunque aviones como el SR-71 y el MiG-25 se diseñaron para actividades muy específicas, desde principios de la década de 1960 la industria aeronáutica estadounidense centró su atención en la multifunción, con aparatos que, adaptados, podían llevar a cabo diferentes tareas de combate. McDonnell Douglas construyó a tal efecto para la Marina y las Fuerzas Aéreas estadounidenses sendas versiones del F-4 Phantom que entraron en servicio en 1958 y 1961 respectivamente. Con una velocidad máxima de 2.389 km/h, el Phantom dio un rendimiento superior al de muchos de sus coetáneos nacionales y un excelente resultado en los cielos de Vietnam, y fue un avión muy respetado por los soviéticos.

Para no quedarse rezagada respecto a Occidente en el desarrollo de cazas, la URSS produjo el MiG-23 «Flogger», un avión con alas de geometría variable, sistema que incorporaban muchos aparatos de combate durante la Guerra Fría: cuando el avión volaba a grandes velocidades, las alas se recogían hacia atrás adoptando una aerodinámica forma en delta. A velocidades inferiores aumentaba la sustentación, lo que proporcionaba una capacidad de maniobra mucho mayor que la de un avión con alas en delta a igual velocidad. En servicio desde 1971, el MiG-23 llevaba un potente radar de interceptación y era lo bastante adaptable como para operar en pistas de aterrizaje irregulares cerca del frente.

Arriba: *El Tu-22M «Backfire» fue el resultado de una revisión a fondo del Tu-22 «Blinder». El aparato se equipó con alas de geometría variable y una cabina de mando más moderna, perdiendo los motores montados en la cola.*
Página anterior: *Probablemente el avión más audaz que jamás haya alcanzado el estadio de prototipo, el bombardero estadounidense XB-70 Valkyrie fue diseñado para una velocidad de crucero Mach 3.*

El desarrollo de los bombarderos

El desarrollo de bombarderos estadounidenses prosiguió con el Convair B-58 Hustler, un avión muy caro que entró en servicio en 1960. El B-58 podía volar a Mach 2, y el B-58B tenía una autonomía de 7.400 km. Un gran contenedor bajo el fuselaje llevaba un depósito de combustible y una bomba nuclear. El combustible se consumía durante el vuelo de ida, y el contenedor salía despedido con la bomba cuando el avión alcanzaba su objetivo. El combustible almacenado en el fuselaje era el que se consumía en el vuelo de vuelta.

Los soviéticos respondieron a la amenaza de los bombarderos rápidos estadounidenses con el Tu-22 «Blinder». Sendos turborreactores gigantes a cada lado de la cola propulsaban el avión hasta una velocidad Mach 1,4, aunque su autonomía era de sólo 3.100 km. Su carga útil (9.000 kg) también era decepcionante. Las tripulaciones, por otro lado, se quejaron del mal diseño de la cabina de mando.

En una carrera desenfrenada por producir aviones de combate cada vez más veloces, las Fuerzas Aéreas estadounidenses se propusieron desarrollar un bombardero que superara a cualquier avión en un combate aéreo. El resultado fue el North American XB-70, el bombardero más rápido (y posiblemente también el mejor) jamás construido. Apodado «Valkyrie», este espectacular aparato de

El General Dynamics F-111 fue diseñado como caza, bombardero y avión de reconocimiento y guerra electrónica.

dos colas fue diseñado para volar a una velocidad constante de Mach 3. No obstante, tales delicadezas no eran baratas. Aunque se construyeron dos prototipos, uno de ellos se perdió a raíz de una colisión con un F-104 Starfighter durante un vuelo de exhibición y el proyecto fue abandonado en 1969.

Los soviéticos tuvieron más suerte con sus nuevos diseños. En 1969, satélites espía estadounidenses fotografiaron un nuevo bombardero, el Tupolev Tu-22M2 «Backfire-B». Basado en el Tu-22, el avión estaba equipado con alas de geometría variable y motores alojados en el fuselaje.

El bombardero «Backfire» saltó a los titulares de la prensa en junio de 1979, durante la segunda ronda de las Conversaciones por la Limitación de Armas Estratégicas (SALT-II), organizadas para restringir las gigantescas reservas de armas nucleares y aviones en manos de las superpotencias. Estados Unidos argumentó que el bombardero era un arma estratégica, puesto que, a pesar de su limitada autonomía (5.100 km), podía repostar en vuelo. El presidente soviético Leonid Brezhnev ordenó suprimir el equipo de repostaje de los bombarderos, aunque aquello era una acción más bien simbólica, pues se podía recolocar en 30 minutos.

El siguiente modelo introducido por el Ejército Rojo fue el avión de ataque Sujoi Su-24 «Fencer», que entró en servicio en 1974 y fue uno de los mejores aviones de ataque de su generación. El Su-24 podía llevar sus 8.000 kg a cualquier parte de Europa Central y, apurando al máximo, hasta el Reino Unido y España.

Aviones de alerta de la OTAN

En cualquier confrontación, las Fuerzas Aéreas estadounidenses podían recurrir a sus numerosos aviones estacionados en bases del Reino Unido, entre ellos los cazabombarderos General Dynamics F-111 y los aviones antitanque y de apoyo aéreo cercano Fairchild A-10 Thunderbolt II. Durante su desarrollo, el F-111 se enfrentó a problemas aerodinámicos y a los derivados de su astronómico coste. Las entregas se iniciaron en julio de 1967. Incluyendo las dos versiones principales del modelo, el caza F-111 y el bombardero FB-111, se han construido siete variantes. El FB-111 podía llevar seis misiles de ataque de corto alcance AGM-69, cada uno con una cabeza nuclear de 200 kT, o 17.000 kg de bombas nucleares. Debía volar a baja altitud y a altas velocidades hacia objetivos grandes fuertemente armados, tales como los aeródromos del oeste de la URSS.

La misión del A-10, en cambio, era la de destruir vehículos acorazados. En servicio desde 1977, este avión tenía un fuselaje robusto y una cabina de mando blindada. El cañón de 30 mm de siete tubos y una mezcla de varias clases de armas hasta un máximo de 7.200 kg de carga útil debían ser suficientes para triturar las columnas acorazadas soviéticas y del Pacto de Varsovia. Como su rival comunista, el Su-25 «Frogfoot», el A-10 podía operar en pistas improvisadas cercanas al frente de batalla. El Su-25 también disponía de una cabina de mando blindada, pero su carga útil era de sólo 4.400 kg. El avión entró en servicio durante la invasión soviética de Afganistán y ofreció un excelente rendimiento desde 1981.

Apoyo aéreo cercano

Un avión de apoyo aéreo cercano tan versátil como el A-10 fue el British Aerospace (originariamente, Hawker Siddleley) Harrier, el único avión militar extranjero que adquirió Estados Unidos durante la Guerra Fría, excepción hecha del English Electric Canberra. El Harrier, con un innovador diseño que incluía aterrizaje y despegue verticales, despertó en 1968 el interés del Cuerpo de Marines de Estados Unidos, que se proponía emplearlo desde la cubierta de sus barcos de asalto. McDonnell Douglas fabricó el avión con el nombre de AV-8A. De una empresa conjunta entre McDonnell Douglas y British Aerospace saldría más tarde una versión mejorada, el AV-8B. El avión marítimo Sea Harrier, todavía utilizado por algunas fuerzas aéreas del mundo, tuvo un rendimiento impresionante en la defensa de barcos de la Royal Navy durante la guerra de las Malvinas, contra Argentina, en 1982.

Un McDonnell Douglas/BAe AV-8B del Cuerpo de Marines de Estados Unidos.

Aviones Fairchild A-10 alineados en la pista de despegue. Pese a ser considerado un avión «torpe», el A-10 ha demostrado su valía en varios conflictos posteriores a la Guerra Fría.

Alta velocidad a baja altitud

Pese al revés sufrido con el XB-70, las Fuerzas Aéreas estadounidenses insistieron en fabricar un nuevo bombardero. Los críticos opinaban que esos aviones pasarían a mejor vida con la llegada de los misiles balísticos intercontinentales. El Mando Aéreo Estratégico ni se inmutó, y en 1971 encargó cuatro nuevos bombarderos Rockwell B-1A, un cuatrimotor de geometría variable capaz de alcanzar Mach 2. No obstante, en 1977, el presidente Jimmy Carter decidió abandonar su desarrollo. La administración Reagan resucitó el proyecto en 1985 y los sistemas electrónicos de los aviones se perfeccionaron. El nuevo avión, que podía llegar a Mach 1,2 a baja altitud, fue denominado B-1B Lancer. Un alud de sistemas electrónicos lo protegía de misiles, al tiempo que una traza de radar de sólo una centésima parte de la de un B-52 impedía su detección. Hoy, el B-1B constituye una pieza clave del inventario de bombarderos estadounidenses.

Listos para la guerra

En la década de 1980, Estados Unidos tenía numerosos aviones desplegados por Europa, entre ellos McDonnell Douglas F-15 Eagle, tres escuadrillas de F-4 Phantom y General Dynamics F-16 para derribar las defensas enemigas, dos escuadrillas de General Dynamics EF-111 Raven y Lockheed EC-130 Commando Solo/Rivet Rider de guerra electrónica, y dos escuadrillas de reconocimiento formadas por Phantom.

El Boeing E-3 Sentry Airborne Warning and Control System (AWACS) podía vigilar los cielos de Europa y América del Norte. En el interior del avión, equipos de operadores de la OTAN observaban las pantallas de los radares para detectar cualquier movimiento de aviones soviéticos dispuestos a desencadenar la Tercera Guerra Mundial.

Si la guerra hubiera estallado en el espacio aéreo europeo, esos «ojos del cielo» habrían enviado de inmediato «paquetes de ataque» hacia objetivos

Códigos de la OTAN para aviones soviéticos

¿Dónde se pueden encontrar un oso y un tejón felizmente sentados uno al lado del otro? En una base aérea soviética en la que coincidan bombarderos Tupolev Tu-16 y Tu-95, cuyos códigos en inglés eran «Bear» y «Badger». Durante la Guerra Fría, y a fin de que pilotos, marinos y soldados identificaran los aviones y misiles enemigos, la OTAN estableció una serie de códigos. La organización inventó el sistema porque no siempre era posible saber el nombre de un avión soviético: aun haciendo públicas las fotografías de sus nuevos aviones, Moscú solía negarse a dar su nombre.

Los códigos de la OTAN seguían una lógica determinada. Todos los bombarderos tenían un nombre que empezaba con la letra «B». Así, por ejemplo, el Tupolev Tu-22M era conocido como «Backfire». Los aviones de carga comenzaban con «C», de modo que, por ejemplo, el Ilyushin Il-76 era el «Candid». La «F» se reservaba a los cazas, la «H» a los helicópteros y la «M» a todo lo demás. Así se entiende que el Il-78, un aparato muy parecido al avión de carga Il-76 pero con un papel muy diferente, se conociera como «Midas».

Arriba: *Un cazarreactor Sujoi Su-7 «Fitter» de las fuerzas aéreas de la India.*
Abajo: *El Antonov An-72 «Coaler», un avión de transporte con motor a reacción.*

La lógica en los códigos aún iba más allá. Por ejemplo: «Farmer», «Bounder» y «Cossack» (el MiG-19, el Myasishchev M-50/52 y el Antonov An-225 respectivamente) son nombres de dos sílabas. ¿Por qué? Porque los aviones a reacción siempre recibían códigos bisílabos. Aviones de hélice como el «May», el «Mail» o el «Coke» (el Ilyushin Il-38, el Beriev Be-12 y el Antonov An-24) tenían códigos de una sola sílaba.

Para que un código aportara la máxima cantidad de información posible, la OTAN agregaba una letra al final que indicaba el modelo de avión. Por ejemplo, el código «Fitter-K» (Sujoi Su-17), variante de ataque terrestre, indicaba que esa era la undécima variante, pues la primera correspondía al «Fitter-A».

Desde el fin de la Guerra Fría, el sistema ha caído en desuso. Los nuevos aviones rusos ya no reciben códigos y suelen ser conocidos por su habitual denominación de salida, tal como ocurre con el prototipo MiG-35, conocido como «Mnogofunksionalni Frontovoi Istrebel» (MFI, iniciales rusas de «caza de aproximación multifunción»).

El superportaaviones

Durante la Guerra Fría, los portaaviones de la Marina estadounidense fueron fuerzas aéreas autónomas que navegaban por los océanos listas para emprender misiones de reconocimiento, superioridad aérea y ataque. Cada ala de combate de un portaaviones contaba con 80 aviones de varios tipos. Con sus 50 aparatos de ataque, un portaaviones podía efectuar 150 ataques al día con las hasta 4.000 bombas almacenadas en el navío.

Entre los aviones de estos gigantes del mar figuraban el de caza y ataque McDonnell Douglas F/A-18 Hornet, cazas Grumman F-14 Tomcat, helicópteros Sikorsky SH-60 Seahawk, antisubmarinos Lockheed S-3B Viking, aviones Grumman E-2C Hawkeye AWACS y aviones de guerra electrónica Grumman EA-6B Prowler. En una típica misión de apoyo a tropas terrestres o al desembarco de marines, los F/A-18 atacaban los objetivos terrestres, con la protección ante aviones enemigos de los Tomcat, que también protegían los barcos del Carrier Battle Group (CBG) de eventuales ataques aéreos. Los Tomcat obtenían de los AWACS información sobre la aviación enemiga, mientras que los Prowler bloqueaban los radares. Entre tanto, los Viking y los Seahawk observaban las profundidades en busca de submarinos, la mayor amenaza del CBG.

Durante la Guerra Fría, los CBG fueron motivo constante de preocupación para la marina soviética. Aunque disponía de cinco portaaviones, el Minsk, el Kiev, el Novorossisk, el Baku y el Leonid Brezhnev, las dimensiones de sus barcos y de sus alas de combate eran inferiores a las de sus rivales americanos. Así, por ejemplo, el Kiev llevaba 20 helicópteros antisubmarino Ka-25 «Hormone», pero sólo 12 cazabombarderos de despegue y aterrizaje vertical Yak-36 «Forger». Por el contrario, los soviéticos impulsaron la utilización de aviones con base en tierra y gran radio de acción desplegados con Aviatzia VMF (la aviación naval soviética) para contrarrestar a los CBG de la Marina estadounidense y los barcos de la OTAN. A tal efecto, la Aviatzia VMF tenía más de 60 regimientos aéreos y escuadrillas destinados a vigilar las aguas soviéticas.

Arriba: *Un McDonnell Douglas F/A-18 antes de despegar por catapulta en la cubierta del USS* Constellation.
Derecha: *El portaaviones nuclear USS* Nimitz *se enfrentó a la aviación libia en 1981.*

A pesar de su problemático y prolongado desarrollo, el B-1B Lancer terminó entrando en servicio en 1986, cinco años antes del final de la Guerra Fría.

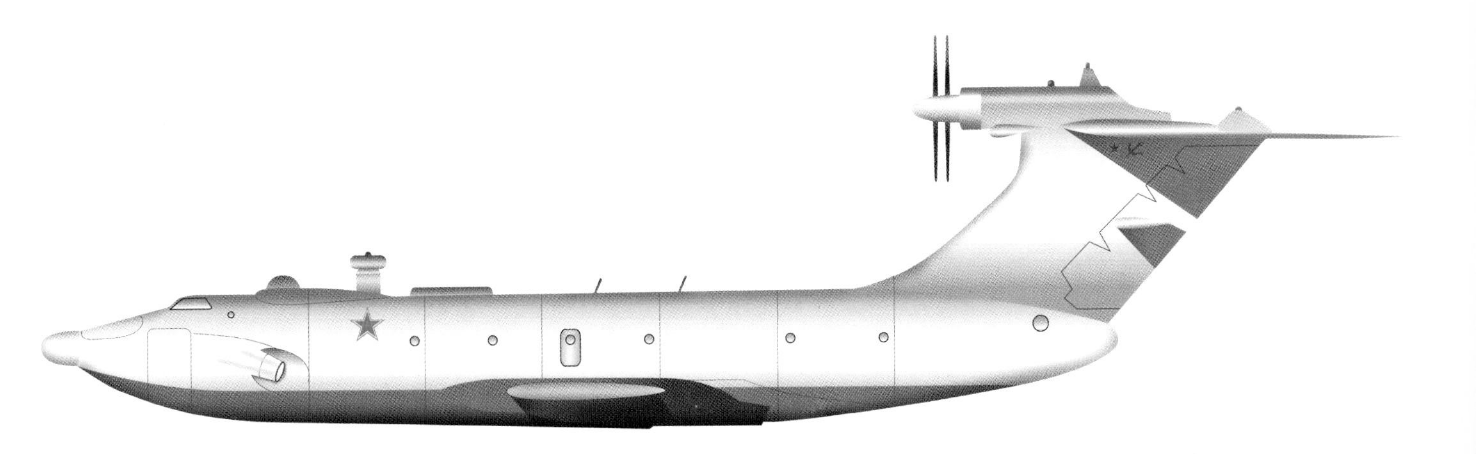

Página anterior, arriba: *Rostislav Alexeev, padre del programa soviético Ekranoplan.*
Página anterior, abajo: *El A-90 Orlyonok podía alcanzar una velocidad de crucero de 400 km/h a sólo 2 m por encima del agua.*
Arriba: *El A-90 Orlyonok, el diseño más logrado producido por la CFDB.*

soviéticos y del Pacto de Varsovia. Dichos paquetes comprendían bombarderos y una serie de aviones de apoyo, como el nodriza Boeing KC-135, y General Dynamics EF-111, con contramedidas electrónicas para desarmar los radares enemigos e impedir el contraataque con misiles tierra-aire o artillería antiaérea. Los F-4 Phantom equipados con misiles anti-radar proporcionaban la ulterior protección. El paquete, a su vez, era protegido por cazas.

El último bombardero que entró en servicio durante la Guerra Fría fue el Tupolev Tu-160 «Blackjack». Considerado por muchos el mejor bombardero jamás construido, el Tu-160 tenía una autonomía de 14.000 km y una velocidad de Mach 1,9. Un diseño de geometría variable permitía al avión alcanzar grandes velocidades y efectuar ataques a baja altitud. Sorprendentemente parecido al B-1B, el Backfire-A era 9 m más largo que su rival estadounidense.

Durante la Guerra Fría, cantidades enormes de cazas, bombarderos y aviones de guerra electrónica y reconocimiento de ambos bandos impidieron el estallido de una nueva guerra. Con todo, los avances tecnológicos que permitieron a los aviones militares pasar de velocidades subsónicas a Mach 3 en menos de quince años después de la Segunda Guerra Mundial fueron escalofriantemente caros. Ni la administración soviética ni la estadounidense repararon en gastos de defensa. Para la relativamente subdesarrollada economía soviética, eso resultó fatal, pues contribuyó a la bancarrota del sistema soviético y, por ende, al fin de la Guerra Fría. Para Estados Unidos, la época de diseñar un avión de gran coste para una misión específica (superioridad aérea, reconocimiento, ataque terrestre, etc.) terminó en el mismo instante en que cayó el Telón de Acero.

El desarrollo de aviones de efecto suelo (WIG)

La Guerra Fría impulsó a la URSS a desarrollar una forma no convencional de transporte conocida como «avión de efecto suelo (WIG)». «Efecto suelo» es la expresión que describe el efecto que produce en un avión volar cerca del suelo. A medida que el aire de debajo del avión se comprime, crece la presión bajo el ala y la sustentación aumenta. El fenómeno se conoce desde la década de 1920, pero su investigación y desarrollo no empezó a recibir el respaldo financiero necesario hasta los años sesenta.

Aunque despeguen del agua y vuelen por el aire, los WIG no son ni barcos ni aviones, sino que incorporan las ventajas de ambos. Al volar a una altitud inferior a un 10% de su envergadura por razones de estabilidad, la resistencia aerodinámica de un WIG se puede reducir considerablemente al tiempo que la sustentación aumenta un 80% respecto a la de un avión normal. El resultado de esta enorme eficacia es el ahorro de la mitad del combustible que consume un avión normal, y de una quinta parte de lo que gasta un barco rápido.

El efecto suelo se explotó mucho antes de construirse los WIG. Los pilotos de hidroaviones Dornier Do X notaban que la eficacia del avión aumentaba cuanto más cerca volaban de la superficie del agua. Las tripulaciones de aviones de la Segunda Guerra Mundial sabían que, al volver de una misión de bombardeo con poco combustible, el vuelo rasante por encima del agua reducía el consumo.

En la URSS, Rostislav Alexeev empezó la investigación y el desarrollo de WIG durante la década de 1960. Alexeev era el jefe de la Oficina Central de Diseño de Hidrodeslizadores (CHDB) y tenía experiencia en el diseño de barcos. Construyó una serie

de modelos experimentales que denominó «ekranoplanos» (en ruso, «ekran» significa «pantalla»; «plan», «avión») y que aprovechaban el efecto suelo para volar a ras de la superficie del agua. El aparato más logrado de la CHDB fue el A-90 Orlyonok, construido a finales de la década de 1970 por el ejército soviético. Este enorme medio de transporte, del que sólo se fabricaron cuatro unidades, alcanzaba una velocidad máxima de 400 km/h y podía llevar una carga útil de 15.000 kg. Con la disolución de la URSS, los Orlyonok fueron retirados a la base aeronaval de Kaspiisk a la espera de otro destino.

Hoy, los fabricantes apuntan al mercado comercial para desarrollar nuevos WIG. Comparado con un barco, un WIG ofrece un viaje más rápido y cómodo; y respecto a un avión, consume y contamina menos. A mediados de la década de 1980, la CHDB empezó a tantear el mercado de WIG civiles con el Volga-2. Problemas financieros y una escisión en la empresa provocaron la salida de Dmitri Sinitsyn y la fundación de Technologies and Transport (T&T) con otros miembros de la oficina. En la actualidad, T&T desarrolla el Amphistar, o Xtreme Xplorer. Otras compañías americanas también han intentado construir WIG; no obstante, sin los conocimientos adecuados de la tecnología específica, sus resultados no han sido satisfactorios.

El desarrollo más interesante de tecnología WIG tiene lugar hoy en Australia y China. En Australia, Radacraft e Incat son sólo dos compañías que se proponen mejorar los servicios de *ferry* con sistemas WIG. Aunque todavía no hay verdaderos WIG en servicio, el futuro de esta tecnología en el Pacífico sur parece brillante. En China, por otro lado, su desarrollo está también en marcha.

Aunque el ekranoplano KM fue empleado en el ámbito militar, un WIG sería muy vulnerable en tiempos de guerra a manos de otros aviones más maniobrables. Si existe un futuro para los WIG, está en el campo comercial.

Arriba: *El ekranoplano Lun Spasatel en versión de rescate.*
Página siguiente, arriba: *El Airfish 8, un WIG de ocho plazas diseñado y construido por la industria alemana FischerFlugMechanik/ AFD Airfoil Development GmbH.*
Página siguiente, abajo: *Una maqueta de lo que fue el concepto Volga-2 de la DHCB.*

FS8

10
ВОЛГА-2

El monstruo del mar Caspio

A finales de la década de 1970, los servicios secretos occidentales recibieron fotografías de satélite del transporte de un gran vehículo desde Gorky (hoy Nizhni Novgorod) hasta el mar Caspio. Como no se parecía a nada visto anteriormente, el vehículo fue bautizado como «Monstruo del mar Caspio».

La vida de esa nave casi mitológica empezó en 1963, cuando Rostislav Alexeev, jefe del CHDB, diseñó un gigantesco ekranoplano con el que el ejército soviético pudiera transportar a gran velocidad enormes cantidades de equipo a largas distancias. El KM, o «Monstruo del mar Caspio», como se conoció más tarde, se construyó en la ciudad de Gorky y contaba con diez motores, ocho montados en el fuselaje justo detrás de la cabina de mando y uno a cada lado de la cola. El primero debía ayudar al avión a elevarse; el segundo, proporcionar potencia suplementaria volando a velocidad de crucero. Con 548,5 t a plena carga, el KM pesaba 200 veces más que su antecesor, el SM-2, e incluso hoy en día parece una empresa ambiciosa. Con su carga, el KM, de 100 m de largo, volaba a más de 480 km/h a escasos metros de la superficie del agua. Una vez en el aire, el «Monstruo del mar Caspio» podía efectuar vuelos rasantes con la misma facilidad.

Tal fue el éxito del KM que Alexeev desarrolló una versión armada más pequeña llamada Proyecto 903 Lun (o «Paloma»). El Lun era aproximadamente una quinta parte del KM, con ocho motores en lugar de diez y un peso de despegue máximo de 406 t. Aparte del número de motores, la más notoria diferencia visual entre los dos aviones era la presencia de tres pares de misiles de crucero en el fuselaje del primer Lun. El segundo y último fue convertido en ekranoplano SAR de seis motores y renombrado Spasatel.

Las dimensiones de estos ekranoplanos causaron problemas a sus diseñadores durante y después de las pruebas. El KM necesitaba una potencia colosal para despegar. Y una vez en el aire, el piloto disponía de una gran potencia, pero de muy poca aceleración y de escasa estabilidad para controlar el aparato. Por añadidura, había que describir un círculo enorme para cambiar de dirección, lo que habría constituido un grave problema para el Lun si hubiera tenido que enfrentarse en combate a un avión enemigo.

Al producirse el desmembramiento de la URSS, el KM y el primer Lun se encontraban en activo y el segundo Lun estaba a punto de salir de fábrica. De todos modos, el KM se averió y acabó por hundirse en el mar Caspio. Los subsiguientes ajustes presupuestarios de la marina rusa terminaron con la carrera de los ekranoplanos de Alexeev, sin bien el Spasatel aún podría quedar indultado si prosperara el plan de recuperarlo como avión de rescate.

Página anterior: *El primer Lun estaba preparado para disparar misiles antibuque. En la fotografía, el lanzamiento de prueba de un misil 3M80 «Moskite».*
Arriba: *Una imagen rara del KM de diez motores, apodado «Monstruo del mar Caspio».*
Derecha: *El segundo Lun («Dove» o paloma) que se ha intentado convertir en el avión de rescate Spasatel.*

aeronave de transporte y terror itinerante

el helicóptero

Durante la Guerra Fría, en su lucha por la supremacía mundial, Estados Unidos y la URSS se implicaron en continuos enfrentamientos. El helicóptero se mostró decisivo en Corea, Vietnam y Afganistán, donde llevó a cabo misiones de reconocimiento, transporte y asalto. No obstante, esta aeronave también ha desempeñado numerosas labores civiles.

Izquierda: *El WAH-64 Longbow Apache. El radar de control de fuego situado encima de los rotores proporciona al Longbow una potencia todavía mayor.*
Arriba: *Igor Sikorsky (derecha), el padre del helicóptero moderno, posa junto a uno de sus VS-300.*

El concepto de aeronave de palas giratorias se remonta al siglo IV d.C., concretamente a un libro chino titulado *Pao Phu Tau*, en el que se describen vehículos voladores de madera y cuero propulsados por palas giratorias. Un milenio más tarde, Leonardo da Vinci diseñó un «tornillo aéreo» que debía sustentarse comprimiendo el aire situado bajo el aparato. Para ser más precisos, el diseño de Leonardo de 1483 correspondía a un autogiro, una aeronave con palas giratorias sin motor. Aunque la aerodinámica es similar, los verdaderos helicópteros tienen palas de rotor motorizadas.

El diseño de Leonardo no se difundió hasta el siglo XVIII, época en la que el vuelo vertical atrajo a varios inventores del oeste de Europa. Uno de los más prominentes de entre todos ellos fue el británico *sir* George Cayley. Cayley, ya muy conocido por sus escritos sobre los principios del vuelo y por su invento, un carruaje aéreo a vapor, había trazado

Derecha: *Maqueta del carruaje aéreo a vapor de Sir George Cayley construida a partir de un boceto de 1843.*
Abajo: *El primer helicóptero propiamente dicho. En 1907, Paul Cornu se convirtió en el primer hombre en lograr el vuelo vertical. Para controlar el vuelo, sin embargo, aún hubo que esperar.*

en 1796 esbozos de un helicóptero con motor por máquina de vapor, aunque las máquinas de vapor disponibles entonces eran demasiado pesadas como para permitir al aparato alzar el vuelo.

En septiembre de 1863, el vizconde Gustave de Ponton d'Amécourt combinó las palabras griegas *elikoeioas* (rotación, giro) y *pteron* (pluma, ala) inventando y utilizando así por primera vez, que se sepa, la palabra «helicóptero».

Los pioneros del vuelo vertical

El primer helicóptero verdadero que voló, en noviembre de 1907, fue el aparato de Paul Cornu. No obstante, era difícil de controlar, hasta tal punto que unos hombres debían estabilizarlo con palos desde tierra. El primer vuelo real de una aeronave de palas giratorias fue el del autogiro C30A del español Juan de la Cierva, en 1923. No obstante, el helicóptero controlable siguió esquivando a los ingenieros.

El control de un helicóptero

Un problema de las aeronaves de palas giratorias es el efecto giroscópico del rotor principal. Si gira en dirección horaria, el efecto giroscópico tiende a hacer girar a la nave en dirección contraria. Para contrarrestarlo, el rotor de cola empuja aire para mantener el helicóptero estable. Si aumenta el empuje del rotor principal, también aumenta el efecto giroscópico, y hay que ajustar el rotor de cola. El piloto controla mediante pedales el ángulo de ataque (paso) de las palas del rotor de cola y, por consiguiente, también el empuje.

Cuando todas las palas del rotor principal giran con un ángulo de ataque invariable, el empuje ascensional del rotor actúa verticalmente. Si se aumenta el ángulo de ataque sólo al pasar por un sector y luego se vuelve al ángulo original, el empuje del rotor será mayor en ese sector y el helicóptero tenderá a desplazarse hacia el sector opuesto. Ese aumento y posterior recuperación del ángulo de ataque se efectúan durante un sector de 180°, alcanzando su máximo en el centro. Al situar ese «centro» en la derecha, la izquierda, delante o detrás, se consiguen desplazamientos horizontales opuestos. Los helicópteros no varían la velocidad de las palas ni inclinan el eje del rotor para desplazarse. Lo que hacen es variar ligeramente y de forma cíclica el ángulo (paso) de las palas. Como una parte del empuje pasa a actuar horizontalmente, la fuerza para elevar el aparato disminuye. Para lograr mayor fuerza ascensional, el piloto debe recurrir a un tercer método de control: el colectivo, que actúa sobre el ángulo de ataque de todas las palas del rotor.

El primer proyectista que incorporó controles colectivos y cíclicos fue el argentino Marquis Raúl Pateras Pescara, cuyo helicóptero N°3 despegó y voló a 13 km/h en 1924. Pero sólo cuando el español Juan de la Cierva inventó la pala de rotor articulada esos controles fueron eficaces y los primeros helicópteros se empezaron a pilotar con garantías.

Izquierda: *El complejo sistema de control rotor se aprecia claramente en esta imagen de un Kaman SH-2G Super Seasprite.*
Abajo: *El helicóptero N°3 de Pescara (1924) fue el primero en incorporar controles cíclicos y colectivos.*

El primer helicóptero práctico fue el bimotor Focke Wulf Fw 61, cuya capacidad de control era ya considerable. Para demostrar la facultad de maniobra del Fw 61, en febrero de 1938 la famosa aviadora alemana Hanna Reitsch voló con él en el Deutschlandhalle Stadium de Berlín. El aparato demostró su valía y fiabilidad, y en 1938 estableció varios récords, como el de altitud (3.427 m), el de velocidad máxima (122 km/h) o el de vuelo sin escalas (230 km).

Igor Sikorsky

Mientras el Fw 61 batía todos esas marcas, el que se convertiría en el fabricante de helicópteros más famoso del mundo iba perfeccionando sus diseños. Igor Sikorsky nació en Kiev y estudió química, pero después, a raíz de su paso por la Academia Naval de San Petersburgo, centró su interés en la ingeniería. Antes de la Revolución Rusa, Sikorsky había ideado varias aeronaves de alas fijas, entre ellas el gigantesco bombardero Ilya Murometz. Durante la Primera Guerra Mundial, Sikorsky trabajó un tiempo en Francia, y en 1919 se trasladó a Estados Unidos y fundó la Sikorsky Aero Engineering Corporation. Antes de fusionarse con Chance Vought y especializarse en aeronaves de palas giratorias, Sikorsky siguió fabricando modelos de alas fijas. Su primera gran irrupción en el mundo del helicóptero llegó en 1939 con el VS300, el primer monorrotor. El aparato incorporaba una innovación clave: el rotor de cola para contrarrestar el efecto giroscópico.

El primer modelo de serie Sikorsky fue el VS316, que vio la luz en 1941. Denominado XR-4 por el ejército estadounidense, tenía una potencia

Página anterior: *El primer helicóptero de Vought-Sikorsky que funcionó fue el VS300, que incorporaba un rotor de cola para controlar el efecto giroscópico.*
Derecha: *El primer modelo que se fabricó fue el biplaza VS316. Aquí, en la versión del ejército de Estados Unidos, XR-4.*

dos veces superior a la del VS300 y doble juego de mandos de control. En 1943, Sikorsky presentó el R-5. Aunque diseñado para el Ejército, también se hizo una versión civil de cuatro asientos para el transporte de pasajeros: el S-51. El primer Sikorsky apto para el transporte de tropas fue el S-55, que podía alojar a diez soldados y entró en servicio en la guerra de Corea. Los helicópteros de Sikorsky han terminado convirtiéndose en un pilar básico para las fuerzas armadas de medio mundo.

La colaboración británica

En 1946, la empresa aeronáutica británica Westland inició conversaciones con Sikorsky para construir bajo licencia versiones de sus diseños. A principios de la década de 1950, el Reino Unido desarrollaba y operaba con otras aeronaves de palas giratorias, tales como los pequeños Saro Skeeter y Bristol Sycamore, que no tardaron en verse eclipsadas por los nuevos Sikorsky-Westland. El primer fruto del trabajo conjunto fue el Dragonfly, la versión Westland del S-51, que entró al servicio de la Royal Navy en 1950 y que equipó la primera escuadrilla de helicópteros de la RAF. Una segunda y muy lograda variante de Sikorsky fue el Westland Wessex, un diseño basado en el S-58 que fue utilizado por la Royal Navy en misiones contra submarinos desde julio de 1961 y por la RAF para el transporte de tropas y heridos. Esta clase de colaboraciones se ha vuelto muy habitual entre los fabricantes de helicópteros europeos y estadounidenses, que así comparten los enormes costes de desarrollo. Otro acuerdo fructuoso fue, a finales de la década de 1960, el de Westland y Aérospatiale, cuyos resultado fueron el SA341 Gazelle y todas sus variantes.

La evolución del helicóptero civil

Aunque el desarrollo del helicóptero se ha producido en el ámbito militar, también existe un amplio mercado civil. El primer helicóptero que recibió un certificado de la Administración Federal de Aviación estadounidense, en 1946, fue el Bell 47 un modelo cuya producción se prolongó hasta 1973 y que también fue construido bajo licencia por Agusta, Westland y Kawasaki. Así como los diseños de Sikorsky y sus variantes dominaron el mercado de helicópteros militares, Bell Helicopters Textron y el grupo Eurocopter son líderes en el mercado civil. Con el modelo 206 JetRanger (aparecido en 1967), Bell produce unos 150 helicópteros civiles al año. El JetRanger es el de mayor éxito jamás diseñado, con 7.500 unidades vendidas de todas sus variantes.

Bell tiene un largo historial de colaboraciones con socios internacionales. Una de las más recientes es la acordada con la italiana Agusta, cuyo fruto ha sido el AB 139, que hizo su primer vuelo en febrero de 2001 y que los clientes empezaron a recibir en 2002. Hoy, esta clase de colaboraciones se ha vuelto habitual. Eurocopter, formada en 1992 a partir de una fusión de las áreas de desarrollo de helicópteros de Aérospatiale y Daimler-Chrysler Aerospace AG, tiene una cuota de mercado internacional del 40%. El modelo de mayor éxito de Eurocopter es el Ecureuil, «Ardilla», que incorpora un rotor de cola carenado conocido como *fenestron,* mucho más seguro que uno expuesto. Otros fabricantes han experimentado con el sistema NOTAR (NO TAil Rotor, es decir, sin rotor de cola), en que el aire pasa a través de una tobera de la cola para contrarrestar el momento de torsión. Con una creciente demanda de helicópteros civiles en países como China (donde los números actuales giran en torno a 100 anuales), los expertos prevén que se venderán unos 500 nuevos helicópteros al año durante el siguiente decenio.

Nacimiento del helicóptero militar

Concebido en China hace 1.500 años, el helicóptero militar nació realmente en Corea, donde reveló su potencial y se hizo indispensable para el ejército, sobre todo en tareas de evacuación de heridos. No obstante, el máximo potencial en combate del helicóptero no se explotó hasta la guerra de Vietnam.

Aunque la mayoría de las veces los helicópteros se destinan al transporte de tropas y equipo hasta las proximidades del campo de batalla, las primeras misiones que llevaron a cabo fueron de reconocimiento, relevando a los globos que anteriormente sobrevolaban las zonas de guerra. Durante la

Arriba: *Un Sikorsky S-51 de la Marina estadounidense.*

Página siguiente, arriba: *Un HSS-1 (SH-34G) Seabat del escuadrón de entrenamiento HT-8 de la Marina estadounidense.*

Página siguiente, centro: *El SA341 Gazelle, fruto de la cooperación entre Westland y Aérospatiale. Éste es uno del centenar de Gazelle vendidos a Iraq durante la década de 1980.*

Página siguiente, abajo: *El Cierva W.9 tenía un innovador sistema para contrarrestar el efecto giroscópico. En este helicóptero experimental, el control de la estabilidad se efectuaba mediante un reactor.*

2E
49
NAVY
HT-8
1586

PX-203

En Corea, el Bell H-13E Sioux (la versión militar del modelo 47) se mostró excelente para la evacuación de heridos.

Primera Guerra Mundial, un equipo dirigido por Theodore von Kármán intentó que el ejército austrohúngaro sustituyera los globos cometa por unos primitivos helicópteros. Su diseño PKZ-2 funcionó bastante bien en los experimentos, pero nunca entró en combate. Durante la Segunda Guerra Mundial, Alemania volvió a emplear helicópteros en misiones de observación, pero fue en Vietnam donde los de reconocimiento se lucieron. Para ese papel, el ejército estadounidense desplegó uno de los helicópteros militares más pequeños que jamás hayan entrado en servicio: el Hughes OH-6 Cayuse. El prototipo del Cayuse voló por primera vez en febrero de 1963. El modelo original no llevaba armas, pero desde entonces se han fabricado versiones armadas y civiles, y se han concedido licencias para producir el aparato en Japón e Italia; en total, han salido de fábricas más de 1.400 ejemplares. Igualmente utilizado en misiones de reconocimiento en Vietnam fue el OH-58 Kiowa, del que también se hizo una versión de combate, el Kiowa Warrior.

Hoy día hay muy pocos helicópteros especializados en misiones de observación y reconocimiento, pues los armados y los de transporte incorporan tecnología que les permite hacer esos papeles además de su cometido principal. Los helicópteros sin armas o poco armados resultan superfluos en los campos de batalla. La información de los que están en el frente, los vehículos aéreos no tripulados y los satélites se puede ver, analizar en tiempo real y digitalizar para enviarla a cualquier lugar.

Rotores en tándem

Después de la guerra de Corea, el Ejército y los Marines de Estados Unidos convocaron un concurso público para la construcción de un nuevo helicóptero de transporte y evacuación de heridos. Sikorsky dominaba el mercado, pero se presentaron alternativas interesantes. El Piasecki (luego, Vertol) H-21 Shawnee, o «Flying Banana», que podía transportar 14 soldados o 12 heridos en camilla, además del personal médico, fue el primer helicóptero de rotores en tándem que emplearon las fuerzas armadas de Estados Unidos. El Shawnee prestó un buen servicio en la guerra de Vietnam antes de ser eclipsado por helicópteros más modernos.

El ejército estadounidense empleó el Hughes OH-6 en Vietnam.

Además de transportar artillería y equipamiento militar, el CH-54 Tarhe, o Skycrane, podía llevar 4.500 kg de bombas para lanzarlas y así despejar superficies y habilitar zonas de aterrizaje.

Doble página anterior: *En la guerra de Vietnam, el Bell UH-1 Huey aportó movilidad, flexibilidad y potencia, es decir, las cualidades que se esperaban de él.*

Uno de los helicópteros más famosos del mundo fue, y sigue siendo, el Bell UH-1 Huey. En febrero de 1955, el Ejército estadounidense concedió a Bell un contrato para fabricar un helicóptero utilitario. El resultado fue el XH-40, que efectuó su vuelo inaugural en octubre de 1956. El nuevo y compacto turbomotor de combustión que incorporaba el XH-40 era más fiable y potente y tenía un sistema de transmisión más simple que el de otros helicópteros de la época. Al servicio del Ejército desde marzo de 1959, el Huey podía alojar hasta 12 soldados o seis heridos en camilla y resultó muy útil en el transporte de tropas. No obstante, incrementar su cabida y eficacia requería un nuevo modelo. Dos de ellos los fabricó Boeing para la guerra de Indochina: el primero fue el CH-47 Chinook, que podía alojar a 55 soldados y que entró en servicio con el Ejército en 1961; el segundo, el CH-46 Sea Knight, tenía cabida para 25 soldados y lo estrenaron los Marines en 1964. Los dos modelos se llegaron a exportar con éxito, aunque el Sea Knight se vendió bastante menos que el más grande y potente Chinook. Un coetáneo del Chinook y el Sea Knight fue el helicóptero para cargas pesadas Sikorsky CH-54 Tarhe o «Skycrane», que podía transportar una carga útil máxima de 21.300 kg.

Sikorsky no compitió con los grandes transportes de tropas de Boeing hasta la década de 1960, cuando introdujo los helicópteros para cargas pesadas CH-53 Sea Stallion y para cargas medias UH-60 Black Hawk. El Sea Stallion se estrenó con los Marines en 1966, y su capacidad de 37 soldados o 24 heridos en camilla demostró su valía en el conflicto de Vietnam. A principios de la década de 1980, el CH-53 recibió un tercer motor. La nueva versión, el CH-53E Super Stallion, se convirtió en uno de los helicópteros más potentes del mundo. En 1978, el Ejército de Estados Unidos recibió el primer UH-60 Black Hawk, que desde entonces ha entrado en acción en todo el mundo. Como ejemplo, el tristemente célebre *raid* de Somalia de 1993, que dio lugar a la película *Black Hawk derribado*.

Arriba: *Con un precio de unos 26 millones de dólares, el trimotor CH-53E Super Stallion es uno de los helicópteros más potentes del mundo.*

Izquierda: *El UH-60 Black Hawk, el principal helicóptero de peso medio del ejército estadounidense, ha actuado en todo el mundo.*

Arriba, imagen superior: *El Mil Mi-26 «Halo» fue el primer helicóptero con rotor de ocho palas.*
Arriba, imagen inferior: *El helicóptero de transporte civil Mi-6P «Hook» de Aeroflot tiene capacidad para 80 pasajeros.*

Helicópteros pesados soviéticos

Mientras Estados Unidos desarrollaba potentes helicópteros para Vietnam, la URSS hacía lo propio con modelos para cargas pesadas. Cuando apareció, en 1957, el Mil Mi-6 «Hook» se convirtió en el helicóptero más grande del mundo y el estándar para transportes pesados, pues podía llevar una carga útil de 12.000 kg, de 65 a 75 soldados o 41 heridos en camilla. En 1961, el Hook también se convirtió en el primer helicóptero que alcanzaba los 300 km/h. El Mil Mi-12 que lo sucedió aún era más grande, y tenía rotores gemelos en los extremos de alas fijas, disposición que los soviéticos consideraban más estable y duradera que el tándem estadounidense. El Mi-12, concebido como el equivalente con alas giratorias del Antonov An-22, estableció un récord de carga útil por altitud (40.200 kg a 2.255 m). Aunque el siguiente modelo de Mil, el Mi-8 «Hip», sólo podía cargar con 24 soldados y 4.000 kg, la URSS desarrolló otro de gran capacidad: el Mil Mi-26. El Mi-26 «Halo» entró al servicio del Ejército del Aire soviético en 1985 como el helicóptero más potente del mundo y con la capacidad de carga de un C-130 Hercules. Con dos turbomotores de 11.500 CV cada uno, el «Halo» puede transportar 20.000 kg de carga, 80 soldados o 60 heridos en camilla.

Basado en el UH-60 Black Hawk, el HH-60 Jayhawk es vital para la Guardia Costera estadounidense, que lo utiliza en misiones de rescate de media distancia.

Helicópteros de búsqueda y rescate y helicópteros de guerra antisubmarina

Durante la Segunda Guerra Mundial, Estados Unidos empleó helicópteros improvisados de búsqueda y salvamento para rescatar a las tripulaciones de los aviones abatidos. En 1941, el Ejército recibió su primer R-4, que demostró su valor en la jungla de Birmania. Dos años más tarde, la Guardia Costera consideró la introducción de helicópteros para misiones de rescate.

Las misiones de búsqueda de pilotos abatidos en Vietnam corrieron a cargo de entidades civiles como Air America, Continental Air Services y Bird & Son hasta junio de 1964, cuando con dos helicópteros con base en Nakhon Phanom se creó el Servicio de Rescate Aéreo (ARS), que se estrenó con el modelo Kaman HH-43 Huskie. Mientras el ARS (más tarde llamado Servicio de Recuperación y Rescate Aerospacial, ARRS) efectuaba sus primeras misiones, Sikorsky buscaba un modelo que relevara al HH-43 Huskie. Las Fuerzas Aéreas estadounidenses habían quedado impresionadas por los SH-3A Sea King de la Marina, y deseaban hacerse con una versión similar más grande de rescate en combate. Estrenado el 6 de julio de 1965, el CH-3C era capaz de cargar con 2.300 kg, 30 soldados o 15 heridos en camilla. Al principio, los CH-3C de las Fuerzas Aéreas no llevaban armas y necesitaban un A-1 Skyraider como escolta, que no obstante no se eliminó aun después de la introducción de los HH-3E, ya armados.

La Guardia Costera también adquirió el Sea King en su variante HH-3F Pelican. Lo utilizó durante veinte años, hasta que, en la década de 1980, lo sustituyó por el HH-60 Jayhawk, un fiable helicóptero de rescate de alcance medio. Para radios de acción más cortos, la Guardia Costera suele emplear el Aérospatiale HH-65A Dolphin.

Las actuales misiones militares de búsqueda y rescate las efectúan el UH-60 Black Hawk y el CH-53 Sea Stallion.

En tiempos recientes, los Sea Stallion de los Marines han participado en varios rescates espectaculares, entre ellos el de pilotos abatidos en la guerra del Golfo de 1991 o el de Scott O'Grady después del derribo de su F-16 en Bosnia, en 2000. Y aún más recientemente, durante la «Operación Libertad Iraquí», el Black Hawk se empleó en el salvamento de la soldado Jessica Lynch tras la captura del convoy del que formaba parte.

Durante la guerra de Vietnam, la Marina estadounidense también se implicó a fondo en el desarrollo de helicópteros. En 1956 se trazaron las directrices para fabricar una aeronave de defensa de palas giratorias para patrullar los cielos en torno a los portaaviones. Kaman respondió a la llamada con el UH-2 Seasprite, cuyo prototipo voló por primera vez en julio de 1959. En diciembre de 1962, la Marina empezó a recibir un Seasprite muy básico, a partir del cual Kaman produjo el bimotor UH-2B, más potente, y el armado HH-2C.

Otro punto clave de cualquier marina moderna es el helicóptero de guerra antisubmarina (ASW). A finales de 1957, la Marina estadounidense encargó a Sikorsky un helicóptero antisubmarino. En marzo de 1959 ya voló el prototipo YHSS-2; su sucesor, el SH-3 Sea King, lo hizo 18 meses más tarde. En servicio en la Marina, el Sea King podía llevar 380 kg de municiones (entre ellas, torpedos y cargas de profundidad), y en marzo de 1965 estableció un récord de distancia al salvar 3.486 km desde el *USS Hornet,* en San Diego (California), hasta el *USS Franklin D. Roosevelt,* en Jacksonville (Florida). Para competir con Sikorsky, Kaman modernizó el Seasprite y presentó la variante SH-2D, que ofrecía mayor alcance sobre el horizonte y funciones de ataque.

Página anterior: *El Sikorsky SH-3 Sea King es uno de los helicópteros de rescate que nos resultan más familiares, aunque está siendo reemplazado por aparatos como el EH.101 Merlin.*
Abajo: *Un Westland Wasp HAS 1 del Escuadrón Aeronaval 829 dispara un misil antitanque dirigido por cable AS.11 durante unos ejercicios militares.*

En 1977, Sikorsky se hizo con otro contrato de la Marina estadounidense, esta vez para fabricar un helicóptero polivalente que entraría en servicio seis años más tarde con el nombre de SH-60 Sea Hawk. Del versátil helicóptero, que puede efectuar misiones de salvamento así como de guerra antisubmarina, se encargaron 395 ejemplares hasta finales de 2002, incluidas las variantes australianas y japonesas SH-70B.

Izquierda: *El Westland Lynx ha sido un incondicional del ejército británico durante más de 25 años.* Abajo: *El EH.101 Merlin, que ha sustituido a los Sea King y Linx de la Royal Air Force y la Royal Navy. Canadá, Dinamarca, Italia y Japón también se encuentran entre los clientes de este modelo.*

Modelos británicos

En el Reino Unido, el desarrollo de helicópteros navales fue lento pero sostenido. En julio de 1958, Westland presentó el prototipo de su P.531, concebido para misiones de reconocimiento del Ejército británico. No obstante, la Royal Navy adquirió el modelo y a mediados de 1963 empezó a recibir los primeros ejemplares, ya denominados Wasp. Desde mediados de la década de 1960 hasta mediados de la de 1980, el Wasp fue el principal

helicóptero naval de la Royal Navy. Podía hacer una gran variedad de papeles, entre ellos misiones antisubmarinas, de reconocimiento, de salvamento o de utilidad general. Un Wasp con base en el *HMS Endurance* de la Royal Navy pilotado por el capitán Tony Ellerbeck consiguió el primer éxito naval británico en la guerra de las Malvinas de 1982 al inutilizar el submarino *Santa Fe* con uno de sus misiles AS.12. Con todo, el vencedor real en la campaña de las Malvinas fue el sucesor del Wasp, el Westland Lynx.

El Lynx era otro producto del acuerdo de 1967 entre Westland y Aérospatiale. Westland lo presentó a finales de la década de 1960 y se encargó de dos tercios de la construcción. El Ejército británico recibió en 1978 el primer AH-1 Lynx, un aparato que en el extranjero no despertó demasiado interés. Mucho más éxito tuvo el Lynx en su versión naval, de la que se han construido más de 430 unidades para la Royal Navy y otros doce países. Como el del Wasp, el éxito del Lynx se basa en su flexibilidad. Equipado con misiles Sea Skua, el Navy Lynx es una

Página anterior: *El reformado Bell UH-1D Iroquois fue el primer helicóptero armado y abrió el camino a la posterior formación de unidades de movilidad aérea estadounidenses en Vietnam.*
Arriba: *En un principio, el AW-1W SuperCobra del Cuerpo de Marines de Estados Unidos fue concebido para hacer frente a un encargo iraní.*

poderosa arma antibuque; con torpedos Sting Ray, resulta letal para los submarinos. La versión moderna HAS.8 Super Lynx cuenta con motores Rolls-Royce aún más potentes, radares térmicos y un equipo de guerra electrónica de última generación.

El italobritánico EH.101 Merlin lleva camino de reemplazar al Super Lynx y al Sea King como helicóptero de lucha antisubmarina de la Royal Navy. El Merlin se estrenó con el nombre de Westland WG.34 en 1978. El interés de Italia condujo a un acuerdo entre Westland y Agusta para construir el que se denominaría European Helicopter Industries EH.101, cuyo primer prototipo hizo su vuelo inaugural en el Reino Unido en 1987. Las aptitudes del Merlin son muy variadas y abarcan la guerra antisubmarina, la vigilancia, el salvamento, la utilidad general y diferentes necesidades civiles. Los primeros cuatro modelos producidos se entregaron a la Royal Navy en diciembre de 1998 para realizar pruebas y entrenamientos, mientras que el Merlin empezó su servicio en el portaaviones *HMS Ark Royal* a principios de 2002. Hoy, otros operadores se interesan por un aparato que ya presta servicio en la RAF, la Marina italiana, Dinamarca, Canadá (la versión civil) y la Policía de Tokio. Los helicópteros navales británicos se han ganado los galones por su versatilidad y durabilidad.

Helicópteros armados

Habida cuenta de su estabilidad y capacidad de maniobra, no sorprende que uno de los papeles clave del helicóptero en los recientes conflictos haya

sido el de aeronave de combate. El helicóptero armado alcanzó la mayoría de edad en Vietnam, cuando los de transporte sin armas empezaron a ser atacados desde tierra por la guerrilla del Vietcong. El Ejército estadounidense era partidario de armar los helicópteros, pero las Fuerzas Aéreas se oponían. Al final se impuso la opinión del Ejército, que empezó a usar el Bell UH-1 Huey como plataforma de artillería móvil organizada en unidades ofensivas de movilidad aérea. Cuando se introdujeron, en 1963, las armas de los helicópteros contribuyeron a reducir en un cuarto las bajas en el transporte de tropas.

En las denominaciones militares estadounidenses, la letra «O» significa «observación» (como en OH-6), mientras que la «U» significa «utilidad». En 1966, el Ejército encargó el Bell AH-1 HueyCobra (la «A» significa «ataque»). El HueyCobra fue el primer aparato que introdujo la cabina de mando con asientos en tándem instalada en muchos helicópteros armados sucesivos. Del AH-1 se construyeron más de 2.000 unidades en todas sus variantes, algunas con la capacidad de desplegar misiles antitanque TOW. El AH-1 ha entrado en acción en Oriente Medio, Somalia, Haití, Bosnia y dos veces en el

Página anterior: *Un AH-64 Apache del 18º Cuerpo Aerotransportado estadounidense durante la «Operación Tormenta del Desierto» (1991).*

Abajo: *Del Mil Mi-24 Hind y sus variantes se han vendido más de 2.500 unidades a 40 países de todo el mundo.*

Golfo. La versión naval fue denominada AH-1J SeaCobra y ha sido sometida a diversas modernizaciones. Hoy, el Cuerpo de Marines estadounidense se encuentra a la espera del AH-1Z SuperCobra.

En 1976, Hughes Helicopters (ahora parte de Boeing) ganó un concurso del Ejército estadounidense para desarrollar un helicóptero de ataque avanzado. Seis años después se realizó el primer pedido del AH-64A Apache, que se entregó en 1984.

El Apache entró por primera vez en acción en Panamá en 1989, pero donde mostró realmente su valía fue en la «Operación Tormenta del Desierto» de 1991, en la que destruyó más de 500 tanques, 120 piezas de artillería, 120 vehículos acorazados y otros 325 de diferente tipo, 30 instalaciones de defensa, 10 radares, 50 búnkers y 10 aviones iraquíes en tierra. Con semejante historial, al Apache no le han faltado pretendientes, y se han encargado más de 1.000 unidades del AH-64A, el AH-64D y el WAH-64D Longbow.

La URSS introdujo su primer helicóptero armado en 1972: el Mil Mi-24 «Hind», desplegado en la RDA en 1974. A diferencia del HueyCobra y el Apache, el Hind lleva un sólido blindaje y pesa 8.200 kg frente a los 5.095 kg del Apache. Es apto para combates aéreos, pero donde más sobresale es como aparato de respaldo a la infantería y en su papel de anticarro. El Hind entró en acción en Afganistán (1979-1989). Desde entonces, su principal misión ha sido la lucha contra rebeldes del Cáucaso.

El V-22 Osprey: un convertiplano avanzado a su tiempo

Está claro que aviones y helicópteros tienen distintas virtudes y ventajas. Los helicópteros pueden acceder a las partes más remotas del globo, pero no son tan rápidos como las aeronaves de alas fijas. La pregunta es: ¿qué ocurriría si se combinaran las ventajas de ambos aparatos en uno especial? Eso fue lo que en la década de 1950 propusieron fabricantes como Vertol, Kaman, Hiller y Bell. Bell Helicopter Textron empezó a experimentar con aeronaves de motor basculante a finales de la década de 1950, pero el concepto no se probó en un diseño práctico hasta el vuelo del XV-15 en 1977. De dos plazas, el XV-15 se hizo posible gracias a la aportación económica del ejército estadounidense y la NASA. El aparato parecía una aeronave normal de alas fijas, pero en el extremo de cada una había un motor con hélice capaz de girar 90 grados y situarse horizontal o vertical. Del XV-15 sólo se construyeron dos unidades, hoy todavía empleadas como banco de pruebas y para entrenar a pilotos en el vuelo con rotores basculantes.

Bell Helicopter Textron se alió con Boeing Helicopters para presentar una propuesta basada en el XV-15 para un convertiplano de sustentación vertical destinado al transporte de tropas que pasó a conocerse como JVX. El ahora llamado V-22 Osprey realizó su vuelo inaugural como helicóptero en marzo de 1989, y en vuelo horizontal en septiembre del mismo año. La rotación de las alas se efectúa cuando el Osprey va a velocidad suficiente como para suministrar la sustentación necesaria. Pasar de una inclinación vertical de los motores a una horizontal lleva sólo 12 segundos. Con 17,5 m, el V-22 tiene casi la misma longitud que un helicóptero Black Hawk, y su carga útil es la mitad de la de un C-130 Hercules. En abril de 1997, el gobierno de Estados Unidos encargó los primeros cinco modelos por un importe ligeramente superior a los 400 millones de dólares. El primer MV-22B del Cuerpo de Marines voló en abril de 1999.

Página anterior, arriba: *En tan sólo 12 segundos, el Osprey puede cambiar de vuelo vertical a vuelo horizontal.*

Página anterior, abajo: *Aunque el Bell-Boeing Osprey contaba con un historial repleto de fallos, el Cuerpo de Marines de Estados Unidos recibió su primer MV-22 en 2005.*

Arriba: *Iniciado en 1973, el proyecto Bell XV-15 fue un gran éxito y abrió el camino al programa conjunto de Bell-Boeing para el desarrollo del V-22 Osprey.*

A pesar del éxito técnico del Osprey, el entusiasmo menguó. En 1989, el Departamento de Defensa encargó provisionalmente 663 unidades V-22 en tres variantes: el MV-22 para el Cuerpo de Marines, el CV-22 para operaciones especiales de las Fuerzas Aéreas y el HV-22 para el Servicio de Rescate de la Marina. En 1996, el pedido se redujo a 523 aeronaves. Uno de los principales motivos de duda y del bajo número de encargos ha sido el coste del Osprey. Los opositores al proyecto V-22 lo consideran demasiado caro y creen que su papel lo pueden cubrir aeronaves existentes. Los partidarios del motor basculante argumentan que los helicópteros de las fuerzas armadas estadounidenses deberían ser sustituidos por algo más atractivo. En vuelo horizontal, el V-22 es más rápido, y puede volar más deprisa y alto que cualquier otro helicóptero. El V-22 es, probablemente, el resultado de las lecciones aprendidas del fallido intento de 1980 de rescatar a 53 rehenes retenidos en Irán: en ruta, un C-130 de transporte militar chocó en el desierto con un helicóptero de las fuerzas especiales y ocho soldados estadounidenses perdieron la vida.

La producción del V-22 se detuvo en 2001, a raíz de cuatro accidentes mortales que pusieron en duda su seguridad. Localizados los problemas técnicos responsables de los desastres, el proyecto Osprey continuó, y en marzo de 2002 se encargaron 11 MV-22.

Un aspecto de la producción del V-22 se ha pasado por alto o, al menos, no se le ha concedido la debida atención: las oportunidades de uso comercial. A primeros de 1988, las Fuerzas Armadas estadounidenses y la NASA publicaron un estudio sobre motores basculantes y su efecto en la congestión del aire. Se llegaba a la conclusión de que esta aeronave híbrida desaturaría los cielos de las grandes ciudades, pues los pasajeros podrían volar desde pequeños «vertipuertos» en lugar de amontonarse en los grandes aeropuertos comerciales. En 1996, Bell y Boeing anunciaron la aparición de un convertiplano comercial de nueve plazas con motores basculantes, el D-600, cuyo prototipo voló en el Salón Aeronáutico de París en 1997. Pero Boeing se retiró del consorcio productor de motores basculantes y Bell encontró un nuevo socio en Agusta Westland, con la que transformó el D-600 en el BA609, que costó entre 10 y 12 millones de dólares y efectuó su vuelo inaugural en marzo de 2003. Se espera que obtenga el certificado de vuelo en 2007.

USA
NASA

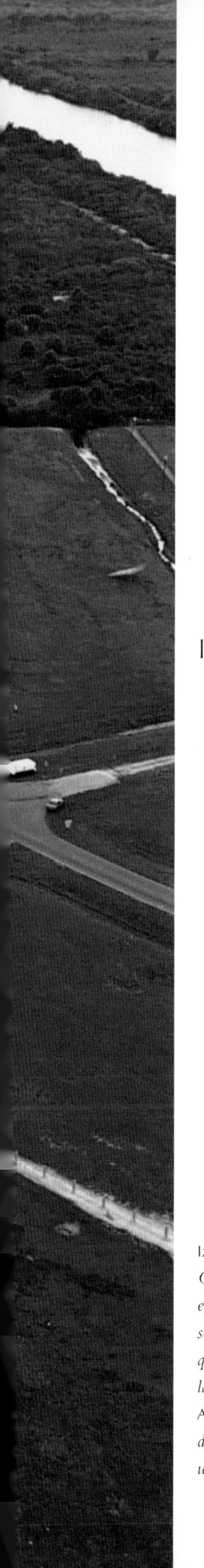

la aventura del espacio

hacia las estrellas

Decir que el espacio ha fascinado al hombre durante siglos es simplemente quedarse corto. Desde que por primera vez nuestros antepasados contemplaron los cielos nocturnos, las estrellas han sido un talismán para la superstición y una guía práctica para los navegantes. Filósofos y científicos han cavilado durante siglos sobre qué hay allí realmente, al tiempo que han descubierto los principios que rigen el movimiento de los planetas, como los que declaró Galileo, que causaron estupefacción entre sus coetáneos y el disgusto de la Iglesia.

Izquierda: *La lanzadera espacial Orbiter, sus cohetes impulsores y el depósito de combustible avanza sobre el gigantesco vehículo oruga que lo transportará al lugar de lanzamiento.*
Arriba: *Robert Goddard, diseñador del primer cohete del mundo en utilizar combustible líquido.*

Los viajes al espacio se hicieron realidad en el siglo XX. Hoy en día, el lanzamiento de un satélite o un transbordador espacial suele ocupar el apartado final de los noticiarios; no obstante, en las décadas de 1950 y 1960, cada viaje espacial de Estados Unidos o la URSS era una batalla más de la guerra por hacerse con la supremacía mundial.

La astronáutica tuvo unos inicios modestos. A finales del siglo XIX, el físico ruso Konstantin Tsiolkovsky formuló la teoría de que el método más eficaz para llevar una persona al espacio era en cohete, añadiendo que como combustible podía emplearse oxígeno líquido. Tsiolkovsky amplió sus teorías en un escrito titulado *La exploración del espacio con instrumentos propulsados a reacción* cuya difusión se limitó a un ámbito estrictamente académico.

Página anterior: *El teórico espacial soviético Konstantin Tsiolkovsky en su estudio.*
Derecha: *El 12 de abril de 1961, Yuri Gagarin se convirtió en el primer hombre en llegar al espacio.*
Abajo: *Robert Goddard en su taller de cohetes de Hawai. Las instalaciones empleadas por los primeros constructores de cohetes no tenían nada que ver con la tecnología vanguardista de la NASA.*

Robert Goddard

En Occidente, Robert Goddard contribuyó a alimentar el hambre de América por los viajes espaciales. Se graduó en la Universidad de Clark (Massachusetts) y empezó sus investigaciones en 1903 calculando la velocidad que debería alcanzar un cohete para vencer la gravedad terrestre. En 1920, Goddard publicó el escrito *Método para alcanzar altitudes extremas*, en el que estableció muchos de los principios básicos de la cohetería moderna y de los viajes espaciales. Hacia la misma época se llevaron a cabo en Alemania investigaciones muy notables. En 1923, Hermann Oberth publicó *El cohete al espacio interplanetario*, donde desarrollaba las ideas de Tsiolkovsky sobre el combustible líquido y proponía, con el fin de suministrar al cohete la potencia necesaria para entrar en órbita, un sistema modular que eliminara lastre (módulos vacíos) a medida que se consumía el combustible.

En 1926, Goddard presentó su primer cohete propulsado con gasolina y oxígeno líquido, que alcanzó unos discretos 12,5 m de atura. Goddard continuó sus investigaciones en Roswell (Nuevo México) y en 1930 lanzó dos cohetes que alcanzaron respectivamente 600 m y 2.300 m de altura. Más tarde, Goddard desarrolló sistemas de control giroscópico para cohetes. Sus logros, no obstante, fueron menospreciados por el *establishment* militar estadounidense. En 1938 se fundó la Sociedad Americana de Cohetería, que se puso en movimiento para construir naves espaciales.

Experimentos bélicos

En Alemania, una entidad parecida, la Sociedad para Viajes Espaciales, había llevado a cabo investigaciones partiendo de las directrices de Goddard. De 1931 a 1932, la Sociedad efectuó un centenar de lanzamientos de cohetes, en los que alcanzó alturas superiores a 1.500 m. Un año más tarde, el ejército alemán se dirigió a uno de los miembros de la citada sociedad, Wernher von Braun, y le encargó el diseño de cohetes con fines militares. Respaldada financieramente por el ejército, la empresa de Von Braun creó unas instalaciones en Peenemünde, en la costa del mar Báltico, con la ayuda de esclavos como fuerza de trabajo. Once años más tarde, el cohete V-2 sembraba el terror en Europa.

La URSS también se percató del potencial militar de los cohetes. En 1932, Sergei Korolev, el mayor experto del país, comenzó a trabajar para el mariscal Mijail Tujachevsky, comandante en jefe del ejército, para desarrollar el cohete como arma de artillería de largo alcance. Korolev y su superior no tardaron en ser víctimas de las paranoias de Stalin: el primero terminó en un gulag; el segundo, ante el pelotón de ejecución.

En Estados Unidos, Theodore von Karman, profesor del Instituto de Tecnología de California, había llevado a cabo investigaciones en la propulsión de cohetes aplicada sobre todo a los aviones. Con este propósito, la Sociedad Americana de Cohetería se convirtió en 1941 en Reaction Motors Inc, cuyos motores lanzarían al estrellato el Bell X-1, el primer avión supersónico de la historia.

En los dos últimos años de la Segunda Guerra Mundial se produjeron varios hitos decisivos para la URSS y Estados Unidos. Por un lado, Korolev salió

Página siguiente: *Oficiales de la Agencia de Misiles Balísticos del Ejército de Estados Unidos en una fotografía de 1956. En primer plano, el científico Hermann Oberth, detrás suyo, de izquierda a derecha, Ernst Staublinger, el general de división H.N. Toftoy, Werner von Braun y Eberhard Rees.*
Abajo: *Un cohete alemán V-2 apoyado en su lanzadora durante la Segunda Guerra Mundial.*

Unidades de cola para cohetes V-2 esperan su montaje en las instalaciones de Nordhausen, un lugar que reunía las características de un campo de concentración nazi y una fábrica de cohetes.

del campo de trabajo, empezó a desarrollar cohetes y se puso al mando del programa espacial soviético. La URSS, por otro lado, también se adueñó de unas instalaciones de V-2 adosadas al campo de concentración de Nordhausen y capturó varios científicos alemanes implicados en su proceso de desarrollo. Por su parte, Estados Unidos logró capturar a Von Braun y a su equipo y los puso a trabajar en el centro de White Sands (Nuevo México). Las dos superpotencias disponían de todo lo necesario para comenzar la carrera espacial. Von Braun terminaría convirtiéndose en el director técnico de la NASA.

La carrera espacial

Los soviéticos reanudaron las investigaciones encargadas por el mariscal Tujachevsky y siguieron explorando el potencial militar de los cohetes. Desde 1952, la cordita y el alambre fusible de los cohetes *Katyusha* que habían causado estragos en el ejército alemán durante la guerra fueron reemplazados por cabezas nucleares. El mariscal del Ejército del Aire soviético Pavel Zhigarev sabía lo que quería: cohetes fiables de largo alcance capaces de impactar en el continente americano.

Aunque los esfuerzos se concentraron en los bombarderos de gran radio de acción como el B-36 Peacemaker y el B-47 Stratojet, el gobierno de EE.UU. no perdió de vista el valor estratégico de los cohetes nucleares. En 1953, el primer misil nuclear quedó listo para un lanzamiento de prueba en Cabo Cañaveral, un centro construido junto a los pantanos de Florida. El tiempo era cálido y las playas abundantes, un lugar muy apreciado por los científicos que trabajaban allí. Los soviéticos, por el contrario, establecieron su base principal en Baikonur, en un desolado paisaje interior del actual Kazajistán.

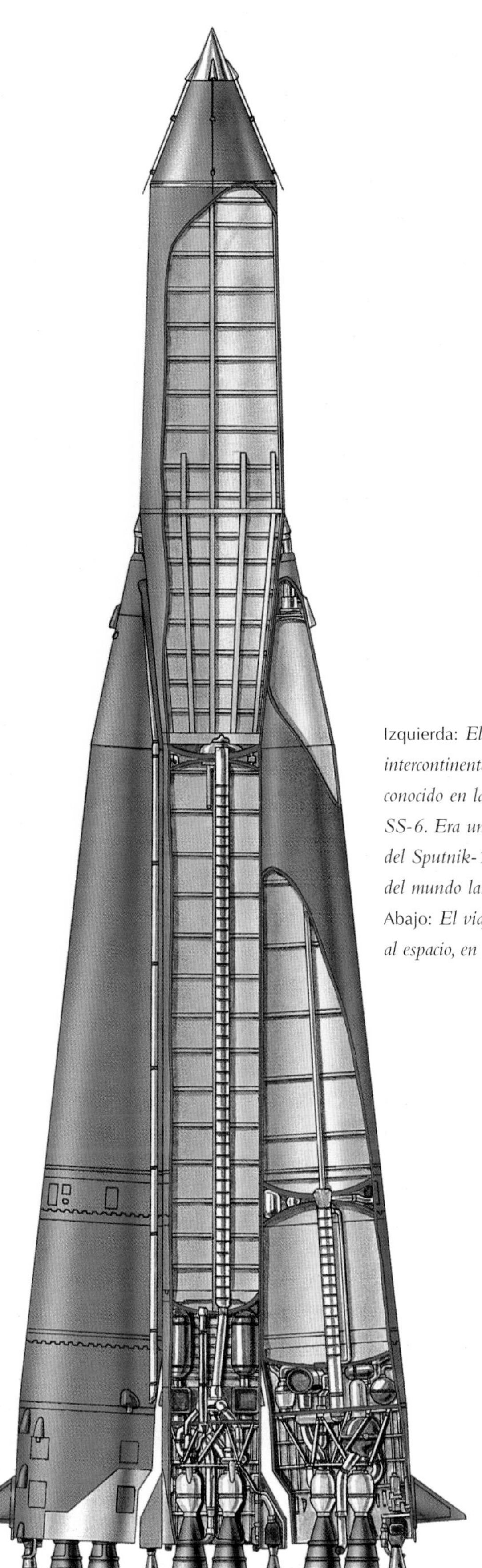

Korolev tenía un arma secreta para la carrera espacial. Aunque el primer cohete soviético, el R-7/SS-6 «Sapwood», se concibió para llevar una cabeza nuclear, su punto fuerte era la potencia. Con 455.000 kg de empuje, el Sapwood podía llevar al espacio una carga de hasta 5.300 kg. Los vuelos de prueba comenzaron en mayo de 1957 y el primer vuelo satisfactorio tuvo lugar el 21 de agosto. El presidente soviético Nikita Jrushchev, defensor a ultranza de los viajes espaciales, dio la orden de lanzar el primer satélite. El 4 de octubre, el Sputnik entraba en el espacio. Teóricamente diseñado para estudiar las altas capas de la atmósfera terrestre, el Sputnik transmitió su característico pitido durante 21 días y terminó saliendo de órbita el 4 de enero de 1958. La URSS acababa de dar un golpe espectacular y se convertía en el primer país en poner en órbita un satélite artificial.

No contentos con alimentar las paranoias maccarthystas mediante el Sputnik, los soviéticos decidieron lanzar un animal al espacio. Una pequeña perra llamada Laika fue puesta en órbita el 3 de noviembre de 1957 a bordo del Sputnik II. «¡Muttnik!», exclamó la prensa cuando Laika orbitó en torno a la Tierra durante siete días. Pero Laika no regresó. Aunque la URSS argumentó que los científicos rusos la habían sacrificado durante el vuelo, unas pruebas hechas públicas después de la Guerra Fría revelaron que la perra había muerto por el sobrecalentamiento de la cápsula tras su lanzamiento.

Izquierda: *El primer misil balístico intercontinental fue el R-7 soviético, conocido en la zona occidental como SS-6. Era una versión modificada del Sputnik-1, el primer satélite del mundo lanzado en órbita.* Abajo: *El viaje de la perra Laika al espacio, en 1957, fue sólo de ida.*

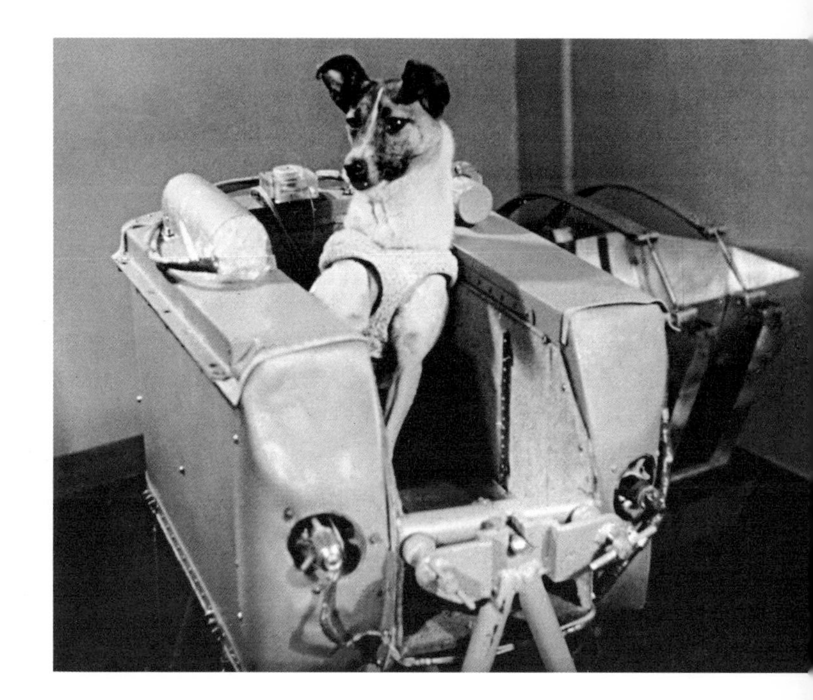

Pánico al Sputnik

La palabra rusa *Sputnik* («compañero de viaje») no le hizo ninguna gracia a Estados Unidos. El Sputnik tenía un peso de 84 kg y describía una órbita completa alrededor de la Tierra cada 90 minutos. Con el lanzamiento del Sputnik, la URSS arrebataba el liderato a Estados Unidos en la carrera espacial y amenazaba a su enemigo desde el espacio con un cohete dotado de una cabeza nuclear.

El lanzamiento desencadenó tal alud de declaraciones y reacciones que colapsó las agencias de noticias. Edward Teller, el padre de la bomba de hidrógeno, dijo «América ha perdido una batalla más importante y trascendente que Pearl Harbor». Von Braun advirtió que cualquier misil nuclear tendría una precisión absoluta. Lyndon B. Johnson, que más tarde llegó a ser presidente de Estados Unidos, se mostró indignado, ya que el Sputnik había causado un profundo choque emocional a los ciudadanos estadounidenses, que ahora podían llegar a pensar que la tecnología de otros países era superior a la suya. El senador Syles Bridges, un republicano de New Hampshire, abogaba por ganar la carrera espacial por todos los medios insistiendo en que Estados Unidos debía prepararse para derramar «sangre, sudor y lágrimas».

Aun así, la aparición del Sputnik no fue una mala noticia para todos los estadounidenses. Para Richard Jackson, ingeniero de la NASA, el lanzamiento del Sputnik supuso el inicio de una brillante carrera, ya que a partir de entonces la administración norteamericana destinó una gran cantidad de dinero a la investigación espacial: «Gracias al Sputnik tuve una carrera maravillosa... Después de todo, nos sentimos obligados a defender el país. La gente con la que trabajé se empleó a fondo para hacerlo lo mejor posible».

No obstante, aquella Navidad estuvo teñida de aprensión. ¿Lanzaría la Unión Soviética bombas atómicas sobre América desde el espacio de la misma manera que los niños tiran piedras a los coches desde el puente de una autopista?

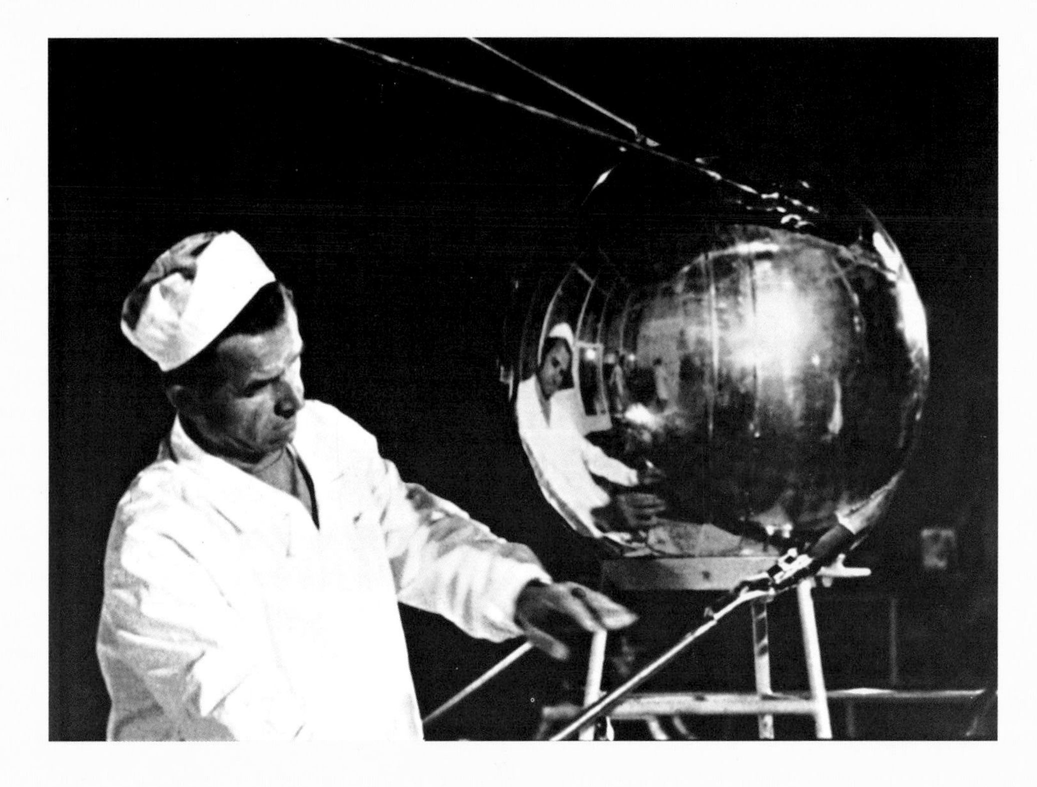

Un técnico soviético con el Sputnik I. Su característica transmisión de pitidos causó pánico en los corazones de muchos estadounidenses, al temer que el siguiente satélite soviético llevaría una cabeza nuclear.

El primer intento estadounidense de lanzar un satélite desde un cohete Vanguard terminó en un desastre; todo el conjunto explotó en la rampa de lanzamiento de cabo Cañaveral.

Un mes más tarde, el 6 de diciembre de 1957, Estados Unidos respondía al envite. Un satélite de 1,4 kg adosado a la parte superior de un cohete Navy Vanguard estaba listo para el lanzamiento. Acabada la cuenta atrás, el cohete se elevó algunos metros y explotó. Los titulares de la prensa fueron duros: «¡Kaputnik!» y «¡Flopnik!», juegos de palabras alusivos al fracaso estrepitoso. Von Braun y sus colegas volvieron a sus mesas de trabajo.

Por fin, el 31 de enero de 1958, el Explorer I se convirtió en el primer satélite de Estados Unidos en orbitar alrededor de la Tierra. Lanzado desde Cabo Cañaveral (llamado más tarde Centro Espacial Kennedy), el Explorer I hizo un importante

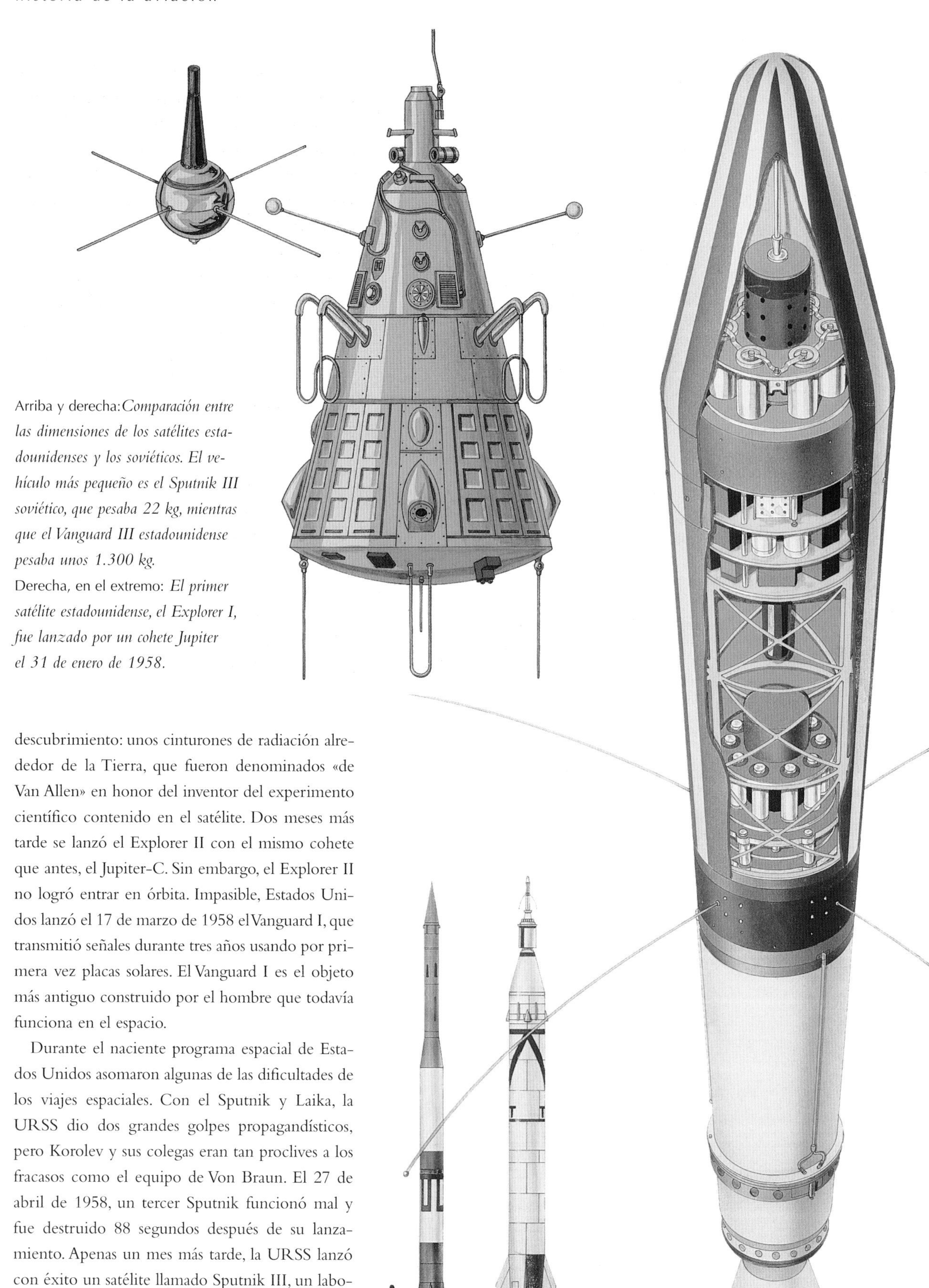

Arriba y derecha: *Comparación entre las dimensiones de los satélites estadounidenses y los soviéticos. El vehículo más pequeño es el Sputnik III soviético, que pesaba 22 kg, mientras que el Vanguard III estadounidense pesaba unos 1.300 kg.*
Derecha, en el extremo: *El primer satélite estadounidense, el Explorer I, fue lanzado por un cohete Jupiter el 31 de enero de 1958.*

descubrimiento: unos cinturones de radiación alrededor de la Tierra, que fueron denominados «de Van Allen» en honor del inventor del experimento científico contenido en el satélite. Dos meses más tarde se lanzó el Explorer II con el mismo cohete que antes, el Jupiter-C. Sin embargo, el Explorer II no logró entrar en órbita. Impasible, Estados Unidos lanzó el 17 de marzo de 1958 el Vanguard I, que transmitió señales durante tres años usando por primera vez placas solares. El Vanguard I es el objeto más antiguo construido por el hombre que todavía funciona en el espacio.

Durante el naciente programa espacial de Estados Unidos asomaron algunas de las dificultades de los viajes espaciales. Con el Sputnik y Laika, la URSS dio dos grandes golpes propagandísticos, pero Korolev y sus colegas eran tan proclives a los fracasos como el equipo de Von Braun. El 27 de abril de 1958, un tercer Sputnik funcionó mal y fue destruido 88 segundos después de su lanzamiento. Apenas un mes más tarde, la URSS lanzó con éxito un satélite llamado Sputnik III, un laboratorio que llevó a cabo investigaciones sobre la atmósfera terrestre.

El 1 de octubre de 1958, consciente del poder de su complejo industrial militar, el presidente estadounidense Dwight D. Eisenhower unificó las diseminadas partes del programa espacial americano en una sola entidad civil llamada NASA (National Air and Space Administration). Diez días más tarde, la NASA lanzaba el Pioneer I a 113.777 km de la Tierra en un intento fracasado de alcanzar la Luna.

Los soviéticos también extendieron sus dominios, aunque casi por casualidad. El Luna I fue lanzado el 2 de enero de 1959 con destino a la superficie lunar; no obstante, errores de cálculo lo aceleraron a una velocidad excesiva. El resultado fue que pasó de largo de la Luna, puso rumbo hacia el Sol y se convirtió en el primer satélite artificial en orbitar alrededor del Sol. Korolev y su equipo obtuvieron pocos datos, ya que las baterías del aparato se agotaron 62 horas después del lanzamiento. Al Luna I le respondió el Pioneer IV de la NASA, la prime-

Izquierda: *Un cohete Jupiter-C se eleva hacia el cielo.* Abajo: *Una réplica de la sonda espacial soviética Luna 1, que rebasó la Luna y terminó orbitando alrededor del Sol.*

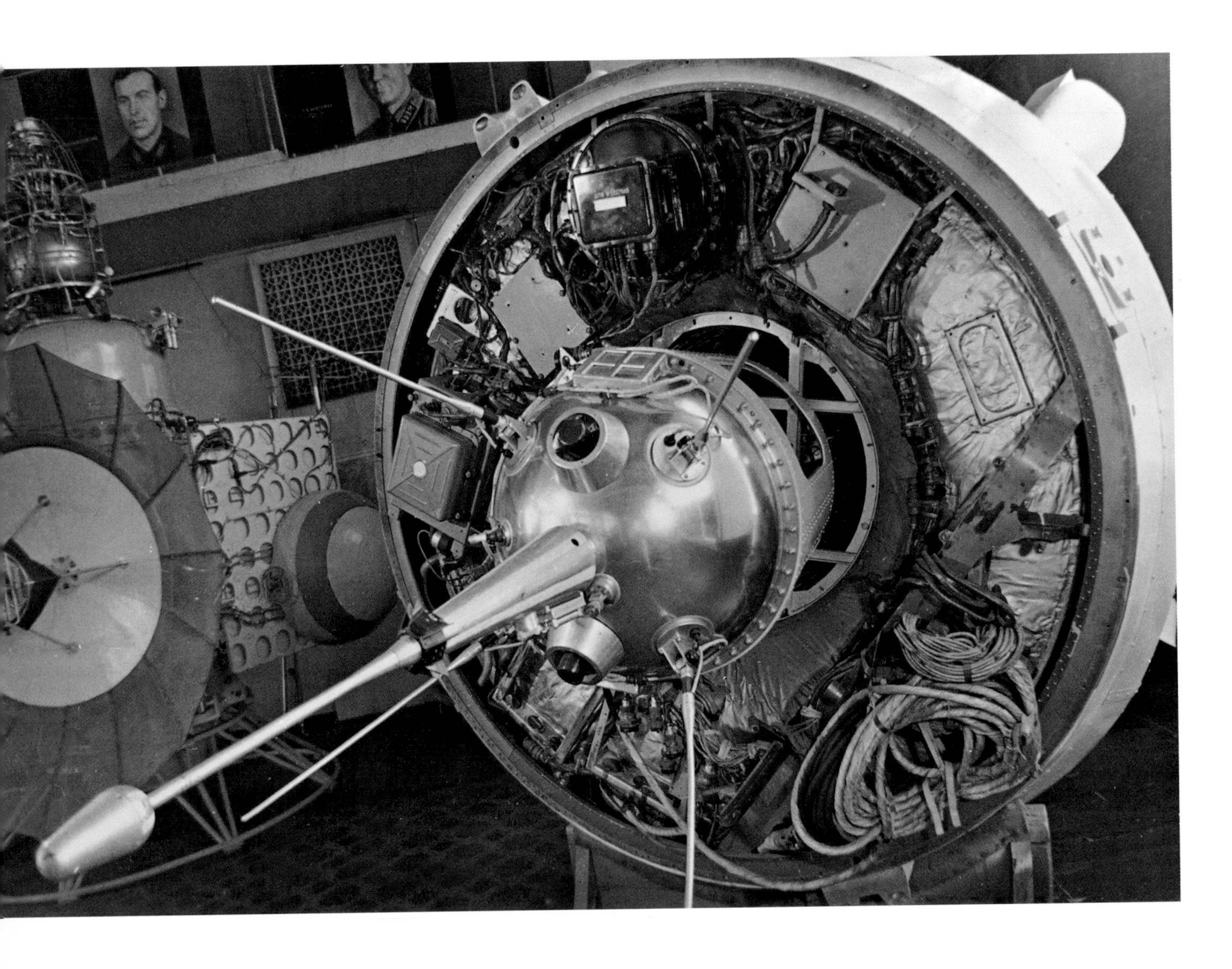

En septiembre de 1959, el Luna II soviético fue la primera nave espacial en alcanzar la superficie lunar.

ra sonda espacial estadounidense en orbitar alrededor del Sol, la misión para la que había sido creada.

Sin dejarse intimidar por el fallo del Luna I, el Luna II se convirtió el 12 de septiembre de 1959 en el primer objeto fabricado por el hombre en posarse sobre la superficie lunar. Un mes más tarde, los soviéticos continuaron su tanda de éxitos con el Luna III, un satélite en órbita que fotografió el 70% de la Luna.

La exploración del cosmos ha proporcionado a los científicos información valiosa sobre la Tierra. En abril de 1960, Estados Unidos lanzó el Tiros I, el primer satélite meteorológico de la historia, que revolucionó la predicción del tiempo y de los huracanes. En agosto de ese año, Estados Unidos lanzó el Discoverer 14, un satélite espía equipado con cámaras de reconocimiento para fotografiar bases de misiles de la URSS. La cápsula fue recuperada con éxito en el aire por un avión C-119 dotado de una red de captura especial.

El hombre en el espacio

En la década de 1960, la carrera espacial se había transformado en una lucha desesperada por la superioridad tecnológica y política entre las superpotencias. El 12 de abril de 1961, los soviéticos se apuntaron otro tanto a favor. Después de pasarse 50 minutos sentado en su cápsula Vostok escuchando canciones de amor rusas, el cosmonauta Yuri Gagarin fue lanzado en órbita a bordo de un cohete R-7 y se convirtió en el primer hombre en llegar al espacio. Gagarin dio una sola vuelta a la Tierra y fue, técnicamente hablando, un pasajero flotando en una cápsula. Los instrumentos de vuelo eran operados a distancia, si bien Gagarin tenía una llave con la que anular los controles y pilotar el

Vostok en caso de emergencia. Cuando Gagarin entró en la atmósfera de la Tierra debió saltar del Vostok en paracaídas. Este detalle fue ocultado a la Federación Aeronáutica Internacional (FAI), pues ésta había estipulado que el ocupante debía aterrizar en la nave espacial para que Gagarin quedara registrado oficialmente como el primer hombre en el espacio. Este viaje fue el único de Gagarin al espacio, ya que murió el 27 de marzo de 1968 al estrellarse su MiG-15 en las cercanías de Moscú.

El vuelo de Gagarin supuso un reto para Estados Unidos. El 25 de mayo de 1961, en el estadio de la Universidad de Rice (Houston), el presidente John F. Kennedy anunció que Estados Unidos enviaría un hombre a la Luna y lo devolvería sano y salvo a la Tierra antes de que finalizara la década. Antes del anuncio de Kennedy, ningún estadounidense había estado más de 15 minutos en el espacio, un registro establecido por Alan Shepard veinte días antes al efectuar un vuelo suborbital a bordo del Mercury Freedom VII.

El vuelo de Shepard fue el resultado de un trabajo duro y de muchos reveses desalentadores. En julio de 1960 se había llevado a cabo un lanza-

El satélite Tiros llevaba 9.260 placas solares para alimentar sus 64 baterías. Las cámaras del satélite podían captar 32 imágenes en cada una de las órbitas que el aparato realizaba alrededor de la Tierra.

Izquierda: *La cápsula Mercury llevó al espacio a Alan Shepard, el primer astronauta estadounidense.* Arriba: *La nave espacial Vostok abandona la pista de lanzamiento n.° 1 de Baikonur con Yuri Gagarin a bordo. Estas fotografías no vieron la luz hasta 1968.* Página siguiente: *La nave espacial Mercury Redstone III despega de la pista de lanzamiento n.° 5 de Cabo Cañaveral con Alan Shepard en su interior. El aparato realizó un «paseo» por el espacio de 15 minutos desde el Freedom VII.*

miento de prueba usando un cohete Atlas en combinación con una cápsula Mercury. Segundos después del lanzamiento, la cápsula explotaba. Los soviéticos sufrieron un accidente parecido en octubre de 1960, cuando un cohete que llevaba una sonda no tripulada hacia Marte explotó en la plataforma de lanzamiento y calcinó a varios científicos y técnicos que inspeccionaban el vehículo. Víctima de otro fatal accidente fue Valentin Bondarenko el 23 de marzo de 1961. Este cosmonauta de 24 años efectuaba pruebas en el interior de una cámara con oxígeno presurizado; de pronto, puso un trozo de algodón bañado en alcohol sobre una placa eléctrica caliente y el habitáculo, lleno de oxígeno, se transformó en una bola de fuego.

Estados Unidos se rezaga

Mientras, en Estados Unidos, el programa Mercury avanzaba con lentitud. En un segundo lanzamiento de prueba realizado en noviembre, la explosión se produjo a tan sólo 15 cm de altura. El 31 de enero de 1961, Estados Unidos envió un ser vivo al espacio. En vez de una perra, como los rusos, los americanos optaron por un chimpancé, Ham, el cual, a diferencia de Laika, sobrevivió a la experiencia. El éxito del vuelo de Ham envalentonó a la NASA, que terminó dando su aprobación al vuelo de Shepard.

UNITED

UNITED
STATES

Con todo, Estados Unidos parecía ir a remolque de la URSS. El 6 de agosto de 1961 los soviéticos lanzaron el Vostok 2 con Gherman Titov a bordo. Titov realizó 17 órbitas en torno a la Tierra y se convirtió en el primer cosmonauta en pasar un día entero en el espacio. Las cosas no fueron fáciles: Titov sufrió nauseas, desorientación y problemas cardíacos, síntomas que más tarde se diagnosticaron como típicos de la «enfermedad del espacio».

El 20 de febrero de 1962, la cápsula Mercury condujo a John Glenn a los anales, ya que se convirtió en el primer norteamericano en orbitar alrededor de la Tierra. Pero los esfuerzos estadounidenses no se limitaron a enviar naves tripuladas alrededor del planeta: el 10 de julio de 1962, el Telstar realizó la primera transmisión televisiva transatlántica por satélite. El Telstar marcó el inicio de la revolución de las comunicaciones por satélite.

El 27 de agosto de 1962, en otro de sus logros con vehículos espaciales no tripulados, Estados Unidos lanzó el Mariner 2, que llevó a cabo la primera expedición de éxito a Venus. La sonda regresó con datos muy valiosos, entre ellos la temperatura de la superficie del planeta: 425 °C.

No plenamente satisfecha con lanzar el primer satélite, el primer perro y el primer hombre al espacio, la URSS decidió lanzar también la primera mujer. El 16 de junio de 1963, el Vostok VI orbitó alrededor de la Tierra con Valentina Tereshkova a bordo. Aunque la hazaña fue anunciada a bombo y

Página anterior: *El 20 de febrero de 1962, John Glenn se convirtió en el primer estadounidense en orbitar alrededor de la Tierra.* Derecha: *En 1961, Gherman Titov, el segundo cosmonauta soviético, pasó más de un día en el espacio y sufrió el primer mareo espacial de la historia.*

La cápsula y el cohete Vostok. Durante el vuelo, el cosmonauta permanecía reclinado en un sillón acoplado a un asiento eyectable.

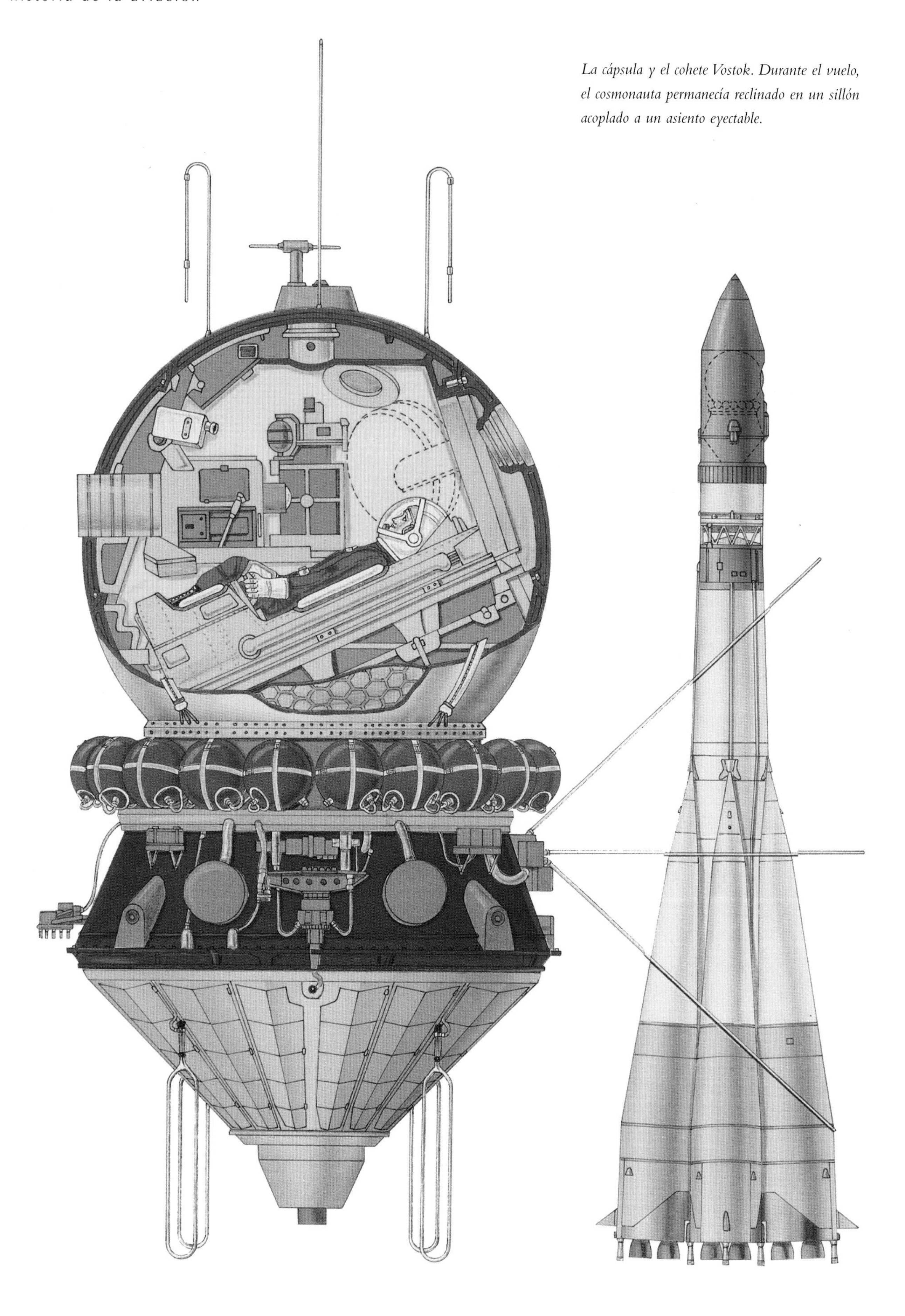

platillo como un gran triunfo de la igualdad entre sexos y del comunismo, debieron pasar 19 años antes de que Svetlana Savitskaya se convirtiera en la segunda mujer soviética en el espacio, esta vez a bordo del Soyuz T-7. Ese mismo año, Tereshkova se casó con el cosmonauta Andrian Nikolayev. Su hija Elena fue el primer hijo nacido de dos padres que habían viajado por el espacio.

Las naves espaciales Vostok sólo podían llevar a un cosmonauta, de ahí que los soviéticos intentasen perfeccionar la estadounidense Gemini, que podía transportar a dos. El resultado fue el módulo Vosjod, formado por una cápsula Vostok sin equipo. El Vosjod podía llevar tres cosmonautas, aunque muy apretados. Los vestidos espaciales, los asientos eyectables y la torre de evacuación fueron eliminados con el fin de ganar espacio a expensas de seguridad. La primera misión, la Vosjod I, partió de las instalaciones de Baikonur el 12 de octubre de 1964 llevando a Vladimir Komarov, Boris Yegorov y Konstantin Feoktisov. Durante la misión Vosjod II, el 18 de marzo de 1965, tuvo lugar el primer paseo por el espacio, efectuado por Alexei A. Leonov. Leonov permaneció fuera de la nave durante 20 minutos. No obstante, su regreso a ella fue complicado. Su traje se había hinchado y se debió desinflar ligeramente para reducir su tamaño. Tras 26 órbitas, Leonov y su compañero, Pavel Belayev, aterrizaron en un bosque de pinos de los Urales. La patrulla de rescate no los encontró de inmediato, y los dos cosmonautas pasaron la noche rodeados de lobos.

La NASA igualó la hazaña soviética el 3 de junio de 1965, cuando Edward White efectuó un paseo de 22 minutos por el espacio en el exterior de la nave Gemini IV. Algunos meses más tarde, Virgil «Gus» Grissom y John Young llevaron a cabo el primer vuelo tripulado del programa Gemini y

Una manguera hinchable conectada a la cápsula Vosjod II permitía al cosmonauta pasear por el espacio.

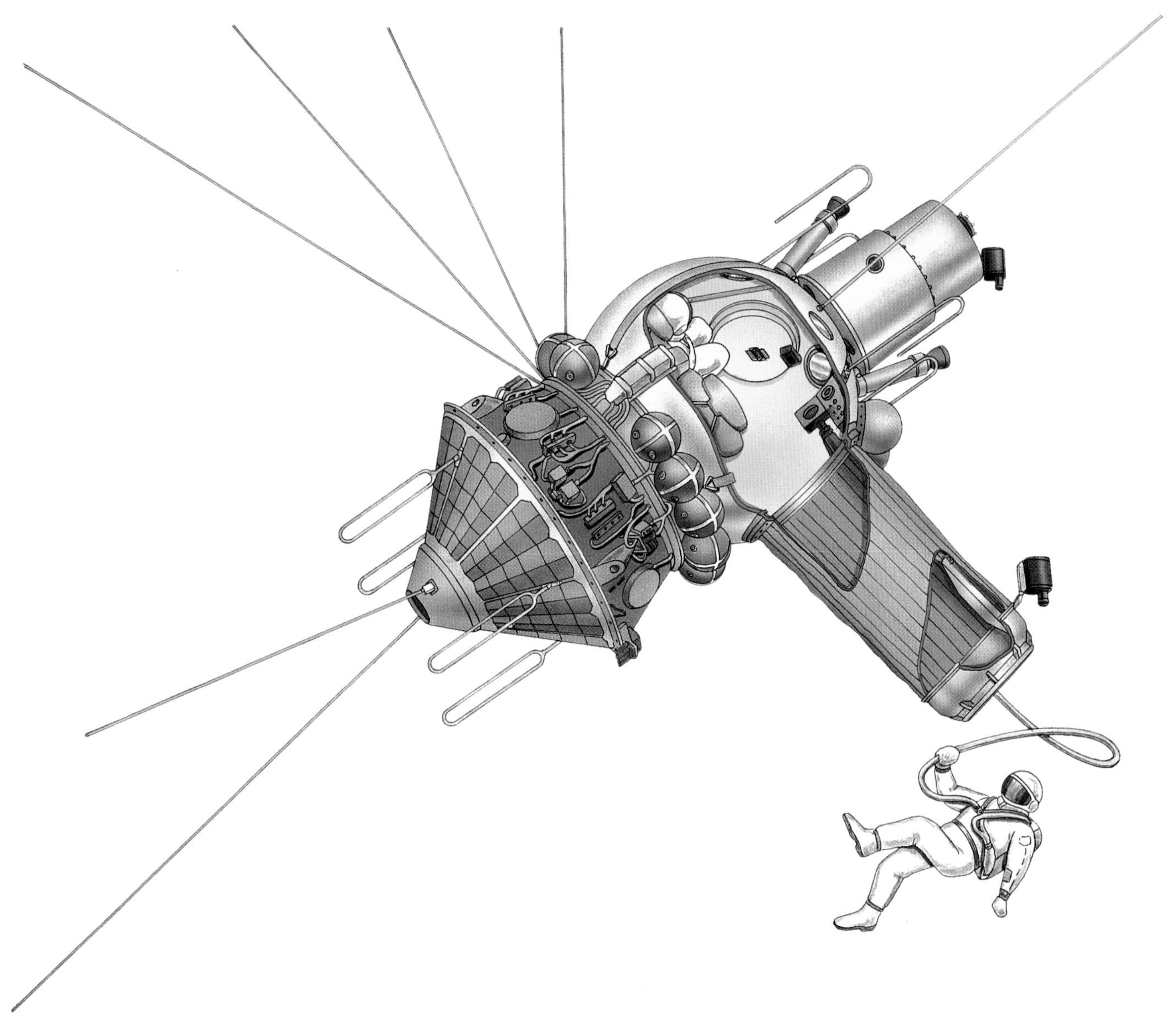

Arriba: *Espectacular panorámica del Gemini VII, visto desde el Gemini VI, durante el encuentro de las dos naves en el espacio que tuvo lugar el 15 de diciembre de 1965.*
Derecha: *Los tripulantes del Apollo I: Roger Chaffee, Edward White y Gus Grissom. Todos fallecieron a raíz de un incendio en la pista de lanzamiento durante un ejercicio de entrenamiento.*

orbitaron tres veces alrededor de la Tierra en el Gemini III. No obstante, esta misión no estuvo exenta de polémica. Young había colado a bordo de la nave un bocadillo de carne en conserva. Durante el vuelo, Grissom se comió el bocadillo. Migas y restos de carne se esparcieron por la cápsula y provocaron un olor desagradable.

La tecnología espacial también llevaba imágenes del cosmos a los hogares de la gente. El 24 de marzo de 1965, mientras el Telstar y sus sucesores emitían las señales de televisión por todo el mundo, el Ranger IX enviaba fotos de la Luna que posteriormente los telespectadores contemplarían estupefactos. Tres meses más tarde, el Mariner IV proporcionaba fotos en primer plano de Marte.

Hacia la Luna

El programa Gemini fue un banco de pruebas para la tecnología que iba a usarse en las misiones a la Luna anunciadas por el presidente Kennedy y que recibirían el nombre de Apollo. En diciembre de

1965, Frank Borman y James Lovell permanecieron casi dos semanas en órbita a bordo del Gemini VII y demostraron que era posible efectuar un viaje espacial lo bastante largo como para alcanzar la Luna. El aparato también efectuó un encuentro con el Gemini VI, con lo que demostró que una nave espacial podía acoplarse en órbita. La Luna era ahora el último premio en la carrera espacial de las superpotencias. En marzo de 1966, el Luna X soviético se convirtió en la primera nave espacial en orbitar alrededor de la Luna, y en junio, la estadounidense Surveyor I la primera en hacer un aterrizaje suave sobre la superficie lunar.

En los dos años sucesivos, la URSS sufrió dos grandes reveses: en 1966, Sergei Korolev, padre del programa espacial soviético, falleció de cáncer; el 24 de abril de 1967, el espacio se cobraba su primera víctima. El desafortunado fue Vladimir Komarov, que murió cuando su nave Soyuz I se estrelló después de que su paracaídas no se abriera tras la reentrada en la atmósfera. Ese mismo año, el 27 de enero, los astronautas Gus Grissom, Edward White y Roger Chaffee murieron cuando un incendio devastó su cápsula Apollo I, llena de oxígeno, durante una prueba de lanzamiento. El programa Apollo se aparcó hasta que no se hubieron corregido los fallos y las deficiencias de la cápsula.

La revisión del programa arrojó dividendos: el 11 de octubre de 1968 se lanzaba a la órbita terrestre el Apollo VII con Walter Schirra, Donn Eisele y Walter Cunningham. Le siguió una misión histórica en diciembre de 1968: el Apollo VIII efectuó diez órbitas alrededor de la Luna durante seis días. Los tripulantes del Apollo VIII, Frank Borman, James Lovell y William Anders se convertían en los primeros hombres que alcanzaban la Luna. El éxito del Apollo VIII indujo a la NASA a intentar el asalto final: el aterrizaje en la Luna. Después de otros dos vuelos de prueba hasta la Luna, el 16 de julio de 1969 se produjo el lanzamiento del Apollo XI. Cuatro días más tarde, el módulo lunar se posaba sobre la Luna. Bajo la mirada de millones de personas, Neil Armstrong puso el pie en la superficie del satélite de la Tierra. Le siguió Edwin «Buzz» Aldrin, mientras que Michael Collins permaneció en el módulo de comando.

Los astronautas estadounidenses Tom Stafford y Eugene Cernan se felicitan a bordo del portaaviones USS Wasp *al salir de la cápsula Gemini IX, tras haber realizado un vuelo de 72 horas en el espacio.*

Después de este gran triunfo, la NASA se propuso explorar el resto del Sistema Solar. El Mariner VI y el Mariner VII enviaron fotos impresionantes de la superficie de Marte. En noviembre de 1971, el Mariner IX se convirtió en la primera nave en orbitar alrededor de Marte, misión en la que logró fotografiar el 70% de la superficie del planeta. No obstante, la fascinación estadounidense por el dios de la Guerra fue igualada por la devoción soviética hacia el dios del Amor, y en 1970 la URSS consiguió que su Venera 7 aterrizara en la superficie de Venus y descubriera que la presión atmosférica del planeta era 90 veces superior a la de la Tierra.

Recorrer los 384.000 km que separan la Tierra de la Luna conllevaba muchos peligros. El Apollo XIII fue lanzado en abril de 1970. Aunque se había planeado un aterrizaje en la Luna, una explosión en el depósito de oxígeno del módulo de mando restringió la misión y casi costó las vidas de

Página anterior: *Buzz Aldrin desciende del módulo lunar del Apollo XI el 20 de julio de 1969.*
Izquierda: *El módulo del Apollo XI descansa sobre el cohete gigante Saturn V mientras se prepara para el lanzamiento en la pista n.º 39A del Centro Espacial Kennedy.*
Abajo: *La estación espacial soviética Salyut I estaba equipada con cámaras fotográficas y cinematográficas, así como con un telescopio.*

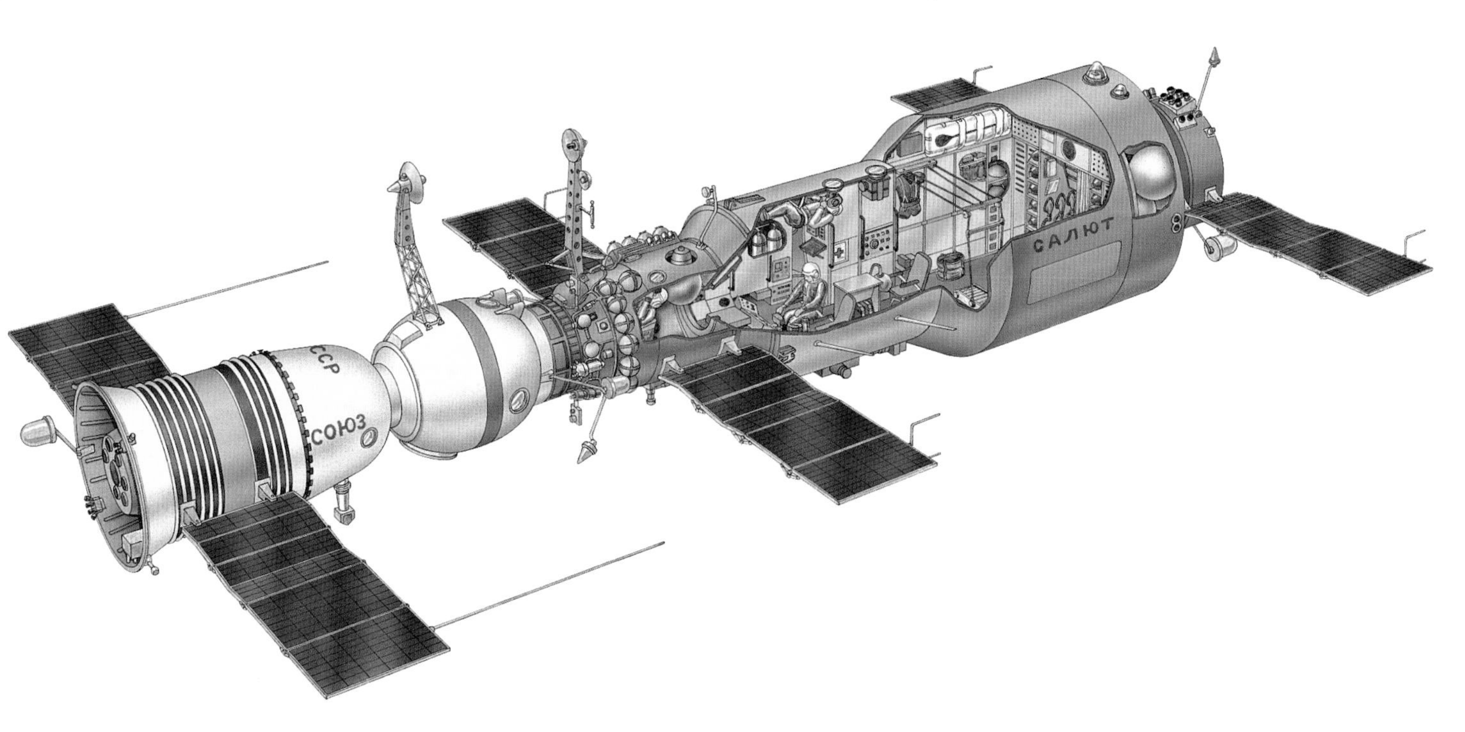

Embajadores de la Tierra

La fascinación por los viajes al espacio siempre ha ido acompañada por el deseo de descubrir qué o quién vive en él. El Pioneer X equipaba una placa para proporcionar a seres inteligentes extraterrestres información básica sobre la Tierra y la raza humana. La placa contenía información, codificada en un lenguaje binario, sobre la posición del Sol en nuestra galaxia, nuestros planetas vecinos y sus distancias relativas. Hoy, el Pioneer X se encuentra camino de Aldebarán, una estrella roja situada a 68 años luz de la Tierra.

Las pruebas con el Voyager I y el Voyager II (lanzados respectivamente el 5 de septiembre y el 20 de agosto de 1977) fueron más ambiciosas. El famoso astrónomo Carl Sagan y varios de sus colegas de la Universidad Cornell diseñaron un disco de 30 cm chapado en oro que contenía sonidos de la Tierra. El objeto incluía un aguja de tocadiscos e instrucciones simbólicas para su uso.

De entre los extractos musicales destacaban una canción para una ceremonia iniciática femenina de los pigmeos de Zaire, el éxito de Chuck Berry «Johnny B. Goode», música de gaita azerí, *Melancholy Blues* de Louis Armstrong y su Hot Seven, la *Quinta sinfonía* de Beethoven y una canción nupcial peruana. También se grabaron saludos de la Tierra en 55 idiomas. Hubo algunas omisiones curiosas. Así, por ejemplo, el orador en swahili faltó a la grabación. Este particular «regalo» también incluía fotografías de la isla de Heron, la gran barrera coralina australiana, un bosque con hongos, un supermercado, una cena china y un turco con gafas.

Estas postales de la Tierra viajan hoy a través del espacio. Carl Sagan anotó que «La nave espacial será encontrada y la grabación sólo sonará si existen civilizaciones avanzadas viajando por el espacio interestelar. No obstante, el lanzamiento de esta botella en el océano cósmico dice algo muy esperanzador de la vida de este planeta».

Página anterior: *El Pioneer X fue lanzado en 1972 y pasó cerca de Júpiter antes de dirigirse hacia lo desconocido, fuera del sistema solar.*
Derecha: *El Voyager II exploró Júpiter, Saturno, Urano y Neptuno antes de salir del sistema solar, algo que anteriormente ya había hecho el Pioneer X.*
Abajo: *La superficie de Io, una de las lunas de Júpiter, se ve constantemente afectada por erupciones volcánicas.*

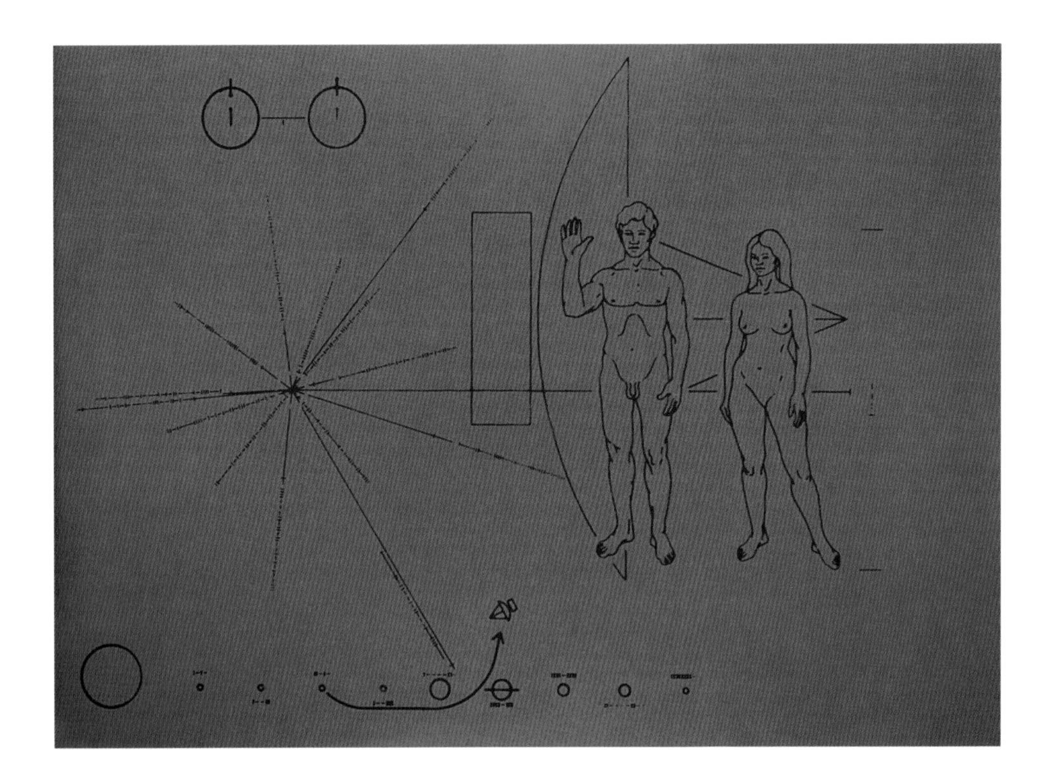

James Lovell, John Swigert y Fred Haise. Se salvaron gracias a la habilidad del personal del control terrestre y de la suya propia.

El aterrizaje en la Luna representó, sin duda, la culminación de la carrera espacial y una hazaña inigualada desde entonces. En la década de 1970, Estados Unidos y la URSS empezaron a permanecer durante más tiempo en el espacio. El 19 de abril de 1971, la URSS lanzó la primera estación espacial Salyut. No obstante, el primer intento de acoplarse con la nave tripulada por Vladimir Shatalov, Alexei Yeliseyev y Nikolai Rukavishnikov fracasó. Los tripulantes estuvieron a punto de perder la vida al reentrar, cuando el aire de su cápsula Soyuz X se volvió tóxico. El 6 de junio de 1971, el Soyuz XI llevó a Georgi Dobrovolsky, Vladislav Volkov y Viktor Patsayev hasta la estación espacial. En esta ocasión, el viaje de regreso acabó en una auténtica tragedia: mientras la cápsula entraba en la atmósfera, una válvula defectuosa pro-

Arriba: *La placa transportada por la nave espacial Voyager fue diseñada para ofrecer información sobre la Tierra y su lugar en el cosmos a potenciales extraterrestres.*
Abajo: *El astronauta y científico Edward Gibson flota a bordo de la amplia estación espacial Skylab.*

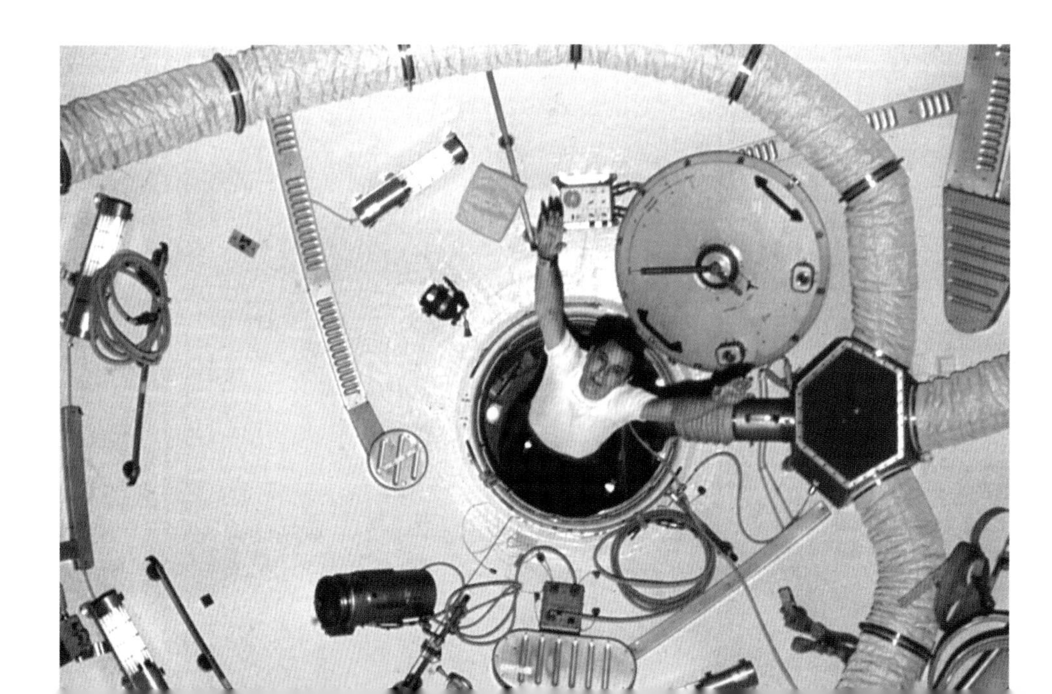

El proyecto de prueba Apollo-Soyuz fue una ambiciosa iniciativa de cooperación espacial entre las dos superpotencias. En la fotografía, el astronauta estadounidense Tom Stafford saluda a uno de sus homólogos soviéticos.

vocó la despresurización de la nave 25 minutos antes del aterrizaje y los ocupantes murieron. La Salyut I parecía estar maldita.

Resistencia y exploración

En la década de 1970, Estados Unidos se lanzó de nuevo al espacio exterior. La última misión lunar se llevó a cabo en diciembre de 1972, tras la cual la NASA empezó a centrarse en la exploración de los límites exteriores del Sistema Solar. El primer embajador interestelar fue el Pioneer X, lanzado el 2 de marzo de 1972 en una misión que lo debía llevar más allá de Júpiter. Le siguió su nave gemela, el Pioneer XI, que alcanzó Júpiter en diciembre de 1974 antes de proseguir su viaje hacia Saturno, desde donde envió imágenes de sus anillos.

El 14 de mayo de 1973, mientras los cosmonautas soviéticos se adaptaban a la vida en la Salyut, Estados Unidos lanzaba su propia estación espacial, la Skylab. Tras su lanzamiento, una pantalla térmica no se abrió, y la temperatura en el interior subió a 52 °C, aunque un paseo espacial y un parasol improvisado solucionaron el problema. Un año más tarde, la URSS lanzó la Salyut III, una estación espacial militar destinada a espiar las bases militares occidentales. La estación espacial disponía incluso de una ametralladora Nudelman de 23 mm por si era atacada por un módulo Apollo armado. Las misiones espaciales civiles se reanudaron con la Salyut IV el 26 de diciembre de 1974. Manteniendo la tradición soviética de las pruebas de resistencia, Piotr Klimuk y Vitali Sevastyanov permanecieron 63 días en el espacio.

En la Tierra, la Guerra Fría se suavizaba ligeramente: un primer ejemplo de «diplomacia espacial» tuvo lugar en julio de 1975, al producirse en el espacio el acoplamiento de un módulo Apollo con un vehículo Soyuz. Los astronautas Tom Stafford, Deke Slayton y Vance Brand intercambiaron saludos y regalos con sus homólogos soviéticos Alexei

Leonov y Valery Kubasov. Durante su reentrada, la tripulación del Apollo permaneció expuesta al tetróxido de nitrógeno, un gas que le causó ciertas dificultades respiratorias. Con todo, los estadounidenses regresaron a la Tierra vivos el 24 de julio, cinco días después de los soviéticos. A raíz de la visita de los americanos, los soviéticos le tomaron el gusto a la hospitalidad estelar, de manera que, hacia el mes de julio de 1979, astronautas de Checoslovaquia, Polonia, la RDA, Bulgaria, Hungría, Vietnam, Cuba, Mongolia y Rumanía ya habían puesto el pie en la Salyut VI, lanzada en septiembre de 1977. A mediados de la década de 1970 vieron la luz, enviadas por las sondas de la NASA Viking I y Viking II aterrizadas en Marte en 1976, algunas de las imágenes más espectaculares de nuestro planeta más cercano.

La lanzadera espacial

Los viajes espaciales siempre han sido tan caros como *glamourosos*. A finales de la década de 1970, la NASA recibió la orden de reducir lo que Richard Nixon había definido como «los astronómicos costes de la astronáutica». La solución propuesta fue la de un avión espacial lanzado con cohetes propulsores recuperables y capaz de efectuar misiones en órbita y de aterrizar como un avión normal. El «sistema de transporte espacial», como se denominó en un primer momento, terminó siendo conocido como «lanzadera espacial» (Space Shuttle). La primera lanzadera espacial, la *Enterprise*, fue construida sólo para pruebas y no voló al espacio. La primera misión espacial tripulada empezó el 12 de abril de 1982 y fue llevada a cabo por la nave *Columbia*. Los soviéticos, apostando por los tradicionales cohetes y

Abajo: *Valles Marineris, un cañón gigante excavado en la superficie de Marte, visto desde uno de los satélites Viking.*

Página siguiente: *Bajo una luna espectacular, la lanzadera espacial* Columbia *se prepara para su segunda misión en noviembre de 1981.*

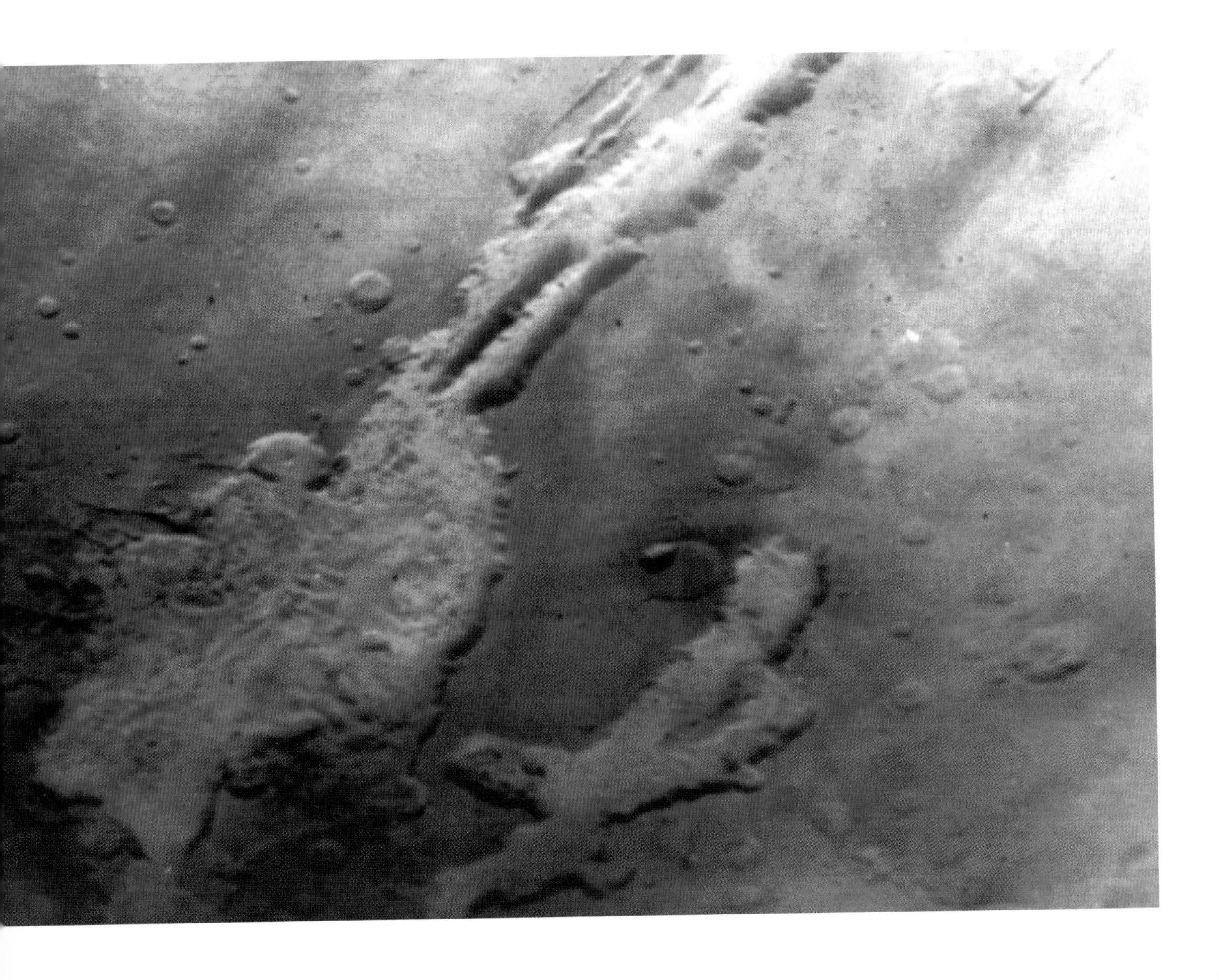

estaciones espaciales de un solo uso, lanzaron la Salyut VII el 19 de abril de 1982, nave en la que los cosmonautas soviéticos Anatoli Berezovoi y Valentin Lebedev establecieron un récord de permanencia en el espacio (211 días).

Un año más tarde alzó el vuelo la segunda lanzadera de la NASA, el *Challenger*. El 4 de abril, la tripulación efectuó el primer paseo espacial estadounidense después de nueve años, y dos meses más tarde llevó a Sally Ride, la primera mujer estadounidense en viajar al espacio. En noviembre de 1983, Ulf Merbold, un astronauta alemán de la Agencia Espacial Europea (ESA), viajó en el *Columbia* y se convirtió en el primer europeo en visitar el espacio. En realidad, la lanzadera espacial no fue tan «barata» como se había esperado. De todos modos, en 1984, Rockwell International, fabricante de la lanzadera, presentó su cuarto vehículo, llamado *Discovery*.

El 28 de enero de 1986, Gregory Jarvis, Christa McAuliffe, Ronald McNair, Ellison Onizuka, Judy Resnik, Francis Scobee y Michael Smith perdieron la vida cuando el *Challenger* explotó 73 segundos después de su lanzamiento. Era el primer accidente mortal ocurrido en una misión estadounidense desde el del Apollo I, en 1966. La culpa se atribuyó a las bajas temperaturas y al fallo en el sellado de una junta tórica de uno de los cohetes propulsores. Debieron pasar dos años y ocho meses antes de ver volar de nuevo a otra lanzadera, no sin antes haber perfeccionado las medidas de seguridad y rediseñado el equipo. Para reemplazar el *Challenger* se construyó una sexta lanzadera: el *Endeavour*.

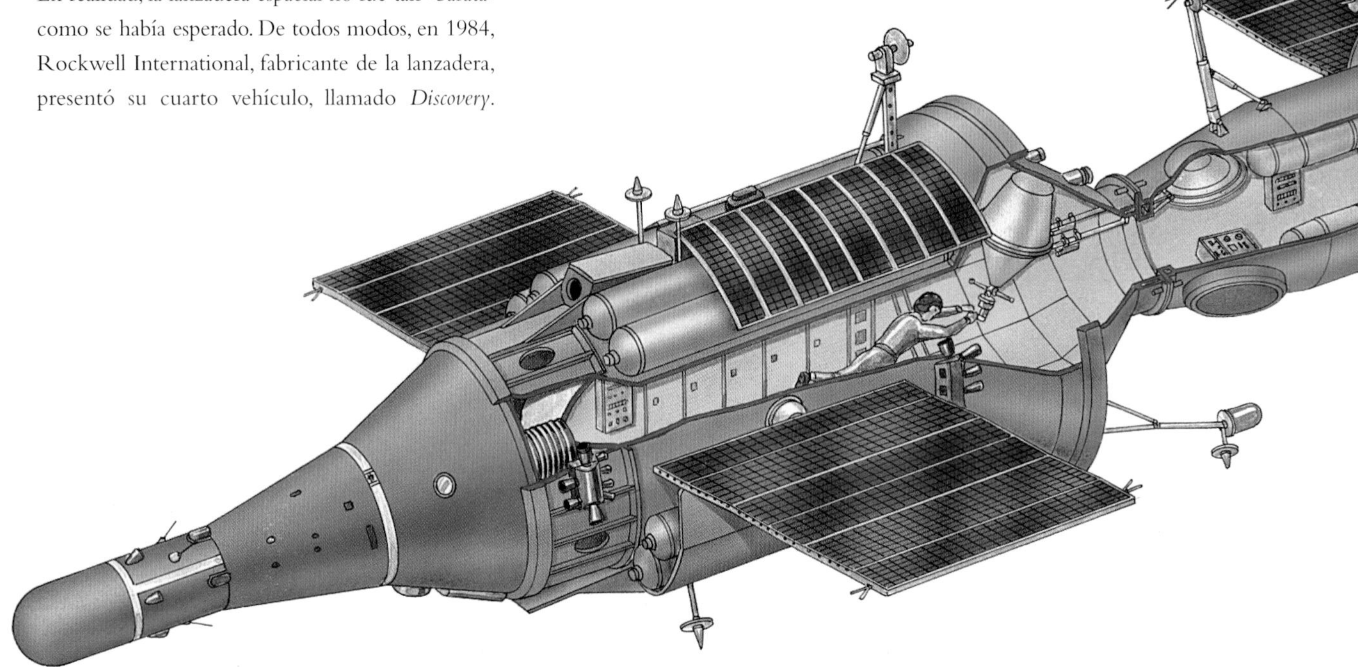

El *Discovery* fue relevado por el *Atlantis*, cuya primera misión tuvo lugar el 3 de octubre de 1985.

En octubre de 1984, la URSS batió otro récord de permanencia: esta vez, Leonid Kizim, Vladimir Soloyyov y Oleg Atkov estuvieron 237 días a bordo de la Salyut VII. Esta estación espacial también acogió al primer británico en el espacio, la antigua científica de productos de confitería Helen Sharman, que se convirtió en la primera mujer en pasear por el espacio. El vehículo acumulaba ya unos impresionantes nueve años en órbita, en los que había facilitado valiosa información. La estación espacial Mir, que fue lanzada en 1986, prosiguió esta importante labor.

El *Discovery* continuó extendiendo las fronteras de la exploración espacial. El 24 de abril de 1990, el *Discovery* lanzó el telescopio espacial Edwin P. Hubble con el fin de proporcionar a los astrónomos una información más detallada de los lugares más remotos del universo.

El desarrollo de las estaciones espaciales

El final de la Guerra Fría auguraba la cooperación espacial entre Rusia y Estados Unidos, que no se había dado desde la misión Apollo-Soyuz de 1975. En 1984, Rusia fue invitada a participar en la Estación Espacial Internacional junto a Canadá, Brasil,

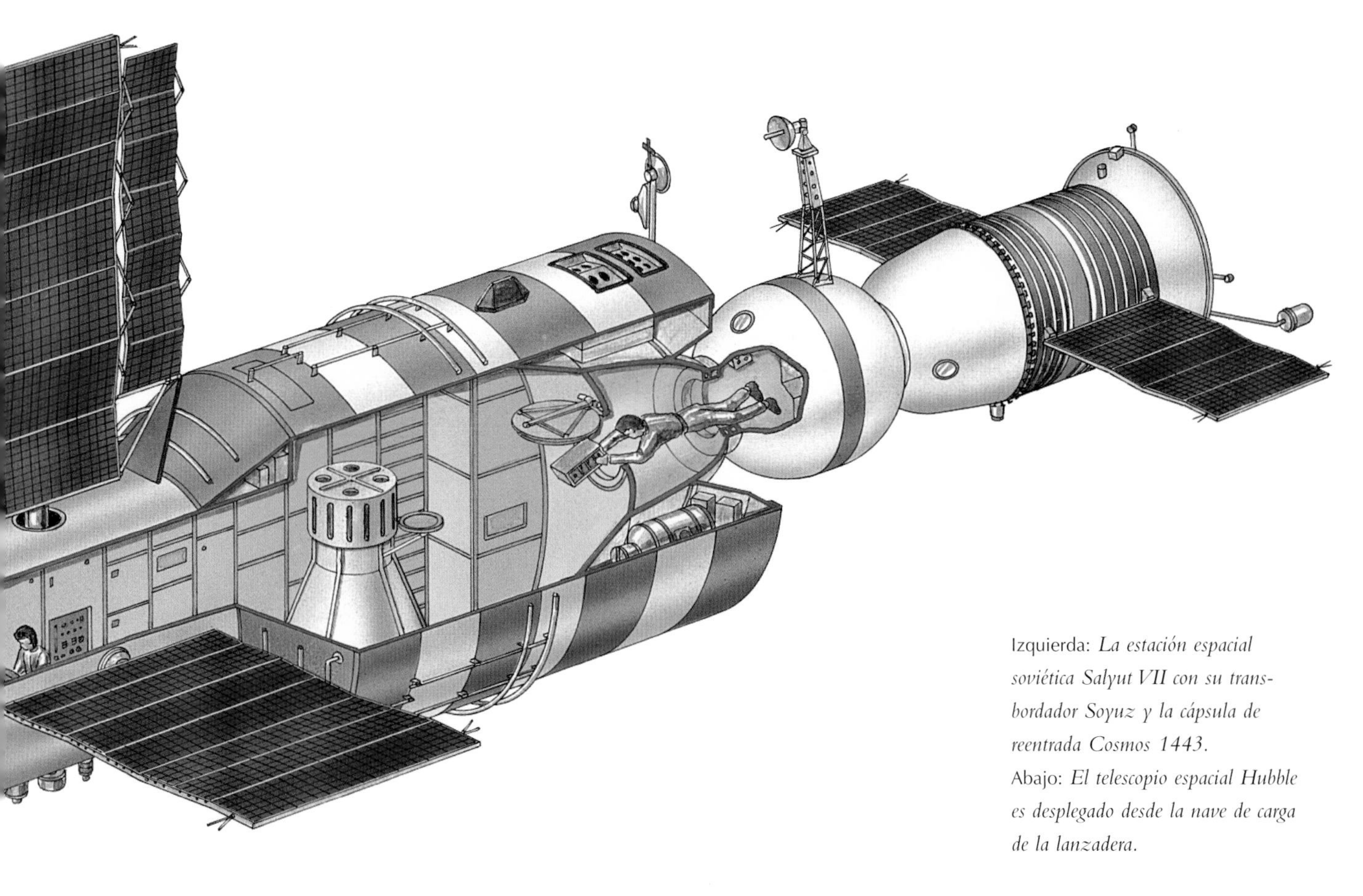

Izquierda: *La estación espacial soviética Salyut VII con su transbordador Soyuz y la cápsula de reentrada Cosmos 1443.*
Abajo: *El telescopio espacial Hubble es desplegado desde la nave de carga de la lanzadera.*

La lanzadera soviética Buran

La lanzadera espacial soviética Buran («tormenta de nieve») mostraba una asombrosa semejanza con su prima americana. Autorizada en 1976 como respuesta al programa de lanzaderas de Estados Unidos, la construcción de Buran se inició en 1980. En julio de 1983 se habían llevado a cabo pruebas de vuelo suborbitales con un modelo a escala. El vehículo completo se terminó en 1984, y entonces se iniciaron los vuelos de prueba atmosféricos y aerodinámicos. En uno de los tests, los gigantescos cohetes propulsores que debían ser lanzados empezaron a sobrecalentarse. La refrigeración de la lanzadera se hizo a costa de toda la ciudad de Leninsk (en la actualidad, Baikonur), que se quedó sin agua durante diez días.

El 15 de noviembre de 1988, Buran efectuó su primer y único test orbital. La nave voló sin tripulación, por control remoto, porque todavía debían instalarse algunos sistemas aeronáuticos y de seguridad. Buran orbitó alrededor de la Tierra dos veces y efectuó un aterrizaje casi perfecto en Baikonur. Los técnicos soviéticos afirmaron que el vuelo había sido todo un éxito.

Por desgracia, Buran nunca llevó tripulación. El final de la Guerra Fría y el colapso económico de la antigua URSS hicieron que el programa resultara insostenible y fuera cancelado en 1993. Dos células adicionales quedaron sin acabar en Baikonur. Hoy, el lugar de nacimiento de la nave se ha convertido en sede de industrias diversas (autobuses, jeringuillas y pañales). El único Buran completo es ahora un café temático en el Parque Gorky de Moscú.

Abajo: *La lanzadera espacial soviética Buran sólo realizó un vuelo orbital y sin tripulación.*

Página siguiente, arriba: *Así como la lanzadera espacial estadounidense se transportaba en un Boeing 747 para los viajes de regreso a la plataforma de lanzamiento después de aterrizar, la Buran lo hacía encima de un gigantesco avión de carga Antonov An-225.*

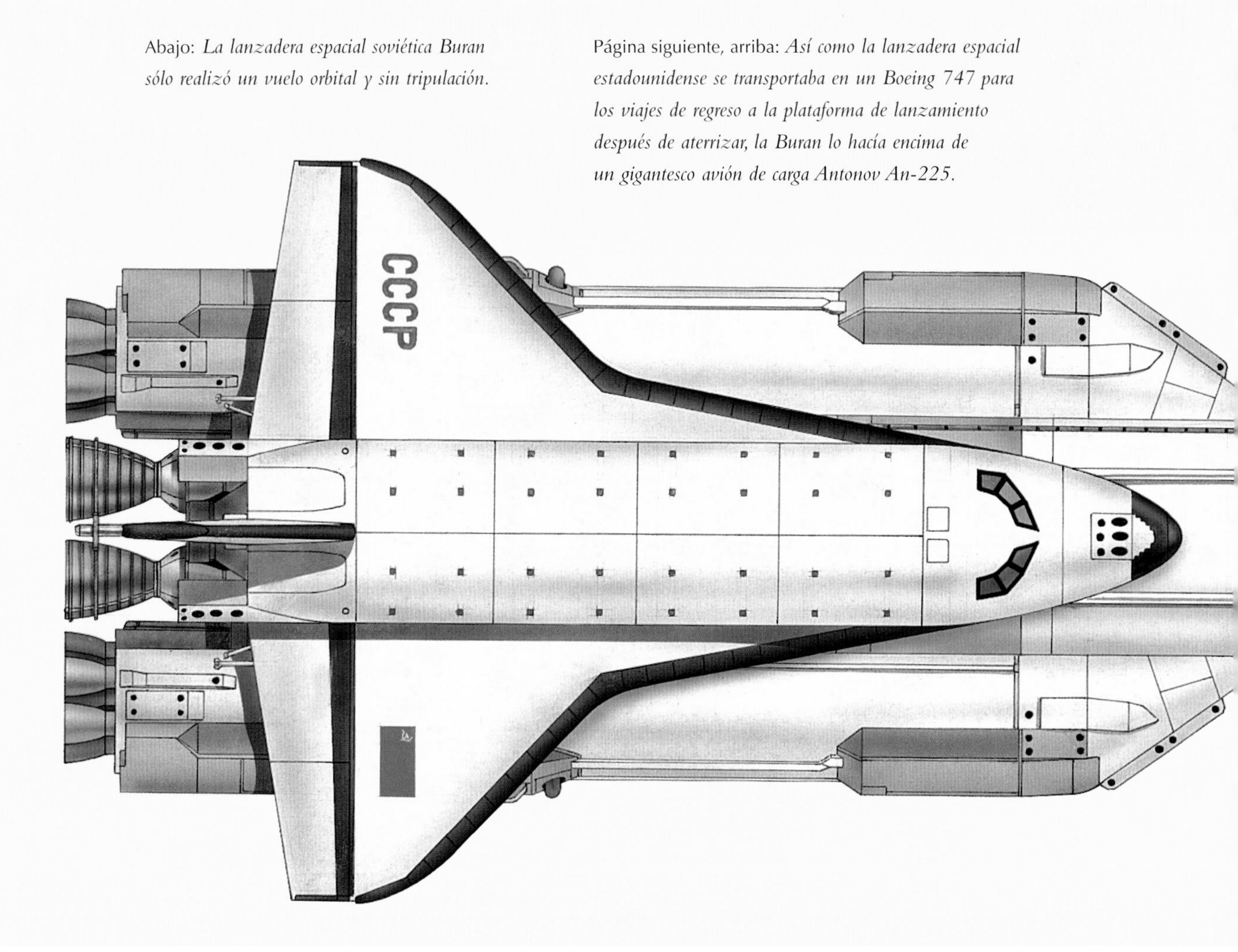

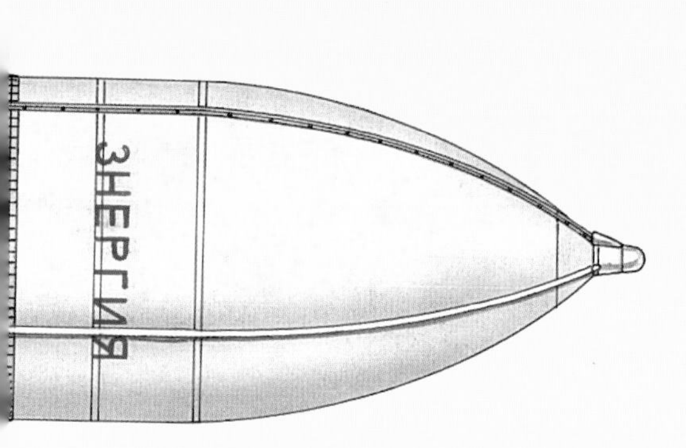

Derecha: *Junto a sus cohetes propulsores Energia, la lanzadera Buran es transportada a la plataforma de lanzamiento por un bastidor gigante.*

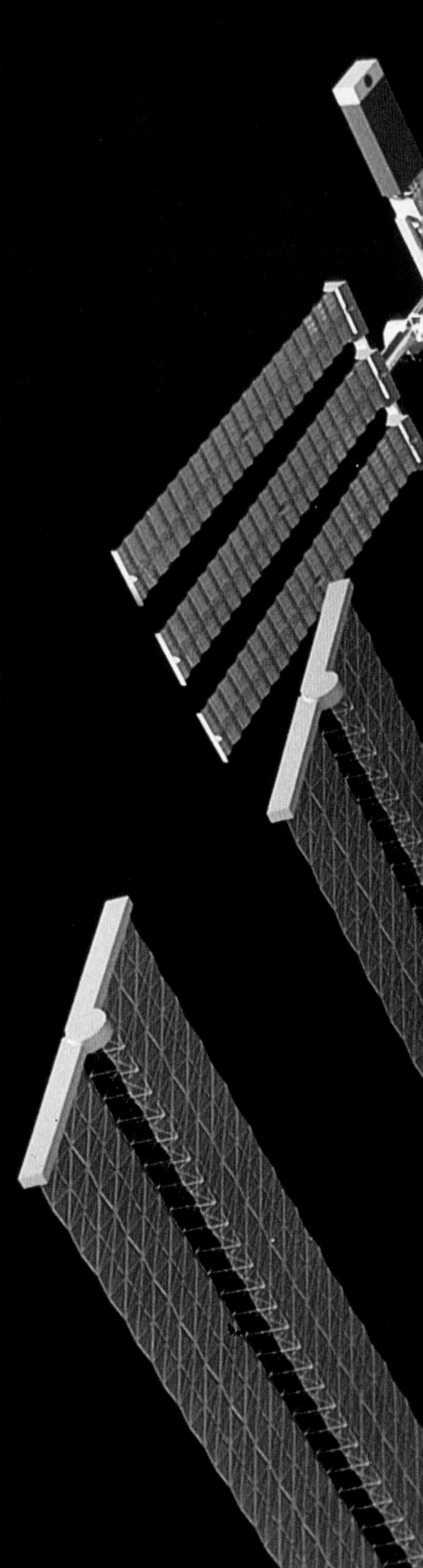

la Agencia Espacial Europea y Japón. En febrero de 1994, el cosmonauta Sergei Krikalev se convirtió en el primer ruso en participar en una misión estadounidense como miembro de la tripulación del *Discovery*. Un año más tarde, el *Discovery* prosiguió actuando en su papel diplomático y maniobraba a sólo 11 m de distancia de la Mir como paso previo a un eventual acoplamiento. En este vuelo tomó parte Eileen Collins, la primera mujer en pilotar una lanzadera. La misión de Collins fue seguida desde la Mir por el cosmonauta Valeri Poliakov, quien regresó a la Tierra el mes siguiente tras haber estado 438 días consecutivos en la estación.

El amago del *Discovery* en el mes de febrero de 1994 se hizo realidad el 26 de junio de 1995 cuando el *Atlantis* se acopló a la Mir en una misión de diez días. El astronauta Norman Thagard regresó a la Tierra en la lanzadera tras haber alcanzado la Mir en una cápsula Soyuz TM-21. Con 115 días en órbita, Thagard batió el récord estadounidense de permanencia en el espacio.

Arriba: *Los acoplamientos de la lanzadera espacial Atlantis con la estación espacial rusa Mir en 1995. Obsérvese la diferencia de tamaño entre los dos vehículos.*

Página siguiente: *Una vez finalizada, la Estación Espacial Internacional (ISS) será la estructura más grande construida por el hombre en el espacio.*

NASDA
USA

Página anterior: *Los módulos Unity y Zarya, fundamentos de la ISS, esperan sus anexos, que la acabarán convirtiendo en estación espacial. La fotografía data de 1999.* Derecha: *La ISS sufrió un enorme contratiempo en febrero de 2003 cuando la lanzadera espacial* Columbia *se desintegró con toda su tripulación durante su reentrada a la Tierra. En la fotografía, un científico examina fragmentos de la chatarra.*

No obstante, mientras una era de viajes espaciales comenzaba, otra terminaba. En noviembre de 1995 se perdió el contacto con el Pioneer XI al agotarse su fuente de alimentación. El Pioneer XI fue superado más tarde por el Voyager I, que el 18 de febrero de 1999 se convirtió en el objeto artificial que se alejaba más de la Tierra. Cuando se perdió el contacto con él, el Voyager se dirigía hacia la estrella Lambda de la constelación del Águila, que alcanzará dentro de unos cuatro millones de años.

El 4 de julio de 1997 aterrizó en Marte la sonda American Mars Pathfinder, que envió una información que indujo a los científicos a considerar que en el Planeta Rojo pudo haber existido vida. Dos años más tarde dos sondas estadounidenses más, la Mars Climate Observer y la Mars Polar Lander, se perdieron por un fallo al confundir las unidades de medida métricas con las anglosajonas.

El mayor proyecto espacial del mundo se puso en marcha el 20 de noviembre de 1998 después de que un módulo ruso Zarya se convirtiera en el primer componente de la Estación Espacial Internacional (ISS). El 29 de mayo de 1999, el *Discovery* se convirtió en la primera lanzadera en acoplarse a la nueva y flamante estación. A raíz de su mayor implicación en la ISS, Rusia se dio cuenta de que era demasiado caro mantener la Mir en órbita. Por añadidura, según Michael Foale, un astronauta que había permanecido 145 a bordo de la Mir, la definió como un «trastero abandonado». La estación espacial fue desmantelada. Los últimos tripulantes la abandonaron en agosto de 1999, trece años después de haberse lanzado la primera pieza de la Mir. La Mir «murió» el 23 de marzo de 2001: reentró en la atmósfera de la Tierra y se descompuso tras ser puesta fuera de órbita por un centro de control terrestre. Desde entonces, básicamente el interés de los rusos se ha centrado en la ISS.

Con todo, la maltrecha economía de la industria espacial rusa encontró algunas maneras de ganar dinero. Así, en abril de 2001, Dennis Tito, un empresario estadounidense, pagó la suma de 20 millones de dólares para ir a la ISS y convertirse así en el primer turista espacial de la historia. A Tito le siguió el 25 de abril de 2002 otro millonario, el sudafricano Mark Shuttleworth.

El fin de los trabajos en la ISS se había previsto para 2004; no obstante, el plazo no pudo cumplirse por culpa del accidente del *Columbia* el 1 de febrero de 2003, que se desintegró al reentrar en la Tierra junto a sus tripulantes Ilan Ramon, Rick Husband, William McCool, Michael Anderson, David Brown, Kalpana Chawla y Laurel Clark. Las misiones de las lanzaderas de la NASA fueron anuladas

CZ-2F

El desafío de China

Xinhua, la agencia oficial de noticias de China, anunció el 24 de abril de 2002 que se habían incubado con éxito tres pollos procedentes de nueve huevos que habían dado 108 órbitas a la Tierra durante la misión espacial china Shenzhou III (nave divina), que había aterrizado el 1 de abril en Mongolia Interior. Los pollos se unieron a otro grupo de animales –un mono, un conejo, un perro y varios caracoles– que también habían orbitado alrededor de la Tierra dentro de naves espaciales chinas.

A China, el sueño de volar en cohetes no le viene de nuevo. En el siglo XVI, el inventor Wan Hu desarrolló una silla impulsada por cohetes concebida para llevarle al cielo. El artilugio estaba equipado con 47 cohetes y dos cometas.

El programa espacial chino empezó formalmente a finales de la década de 1960. Durante la caza de brujas maccarthysta, varios científicos chinos, entre ellos Tsien Hsueshen, el padre del programa, habían sido expulsados de Estados Unidos, donde habían acumulado un conocimiento que supuso el punto de partida del programa espacial chino. Éste carecía de las generosas aportaciones de los gobiernos soviético y estadounidense y solía tener dificultades para avanzar a causa de la escasez de materiales tan importantes como la aleación de aluminio. En un momento determinado se dijo que el 70% de los miembros del equipo científico sufría de malnutrición. Los esfuerzos de Tsien y de sus colegas se vieron recompensados con el lanzamiento del primer satélite chino, el Dong Fang Hong I («el este es rojo») el 24 de abril de 1970. Desde 1985, China ha explotado el lucrativo mercado del lanzamiento de satélites poniendo en órbita 27 satélites artificiales por encargo de clientes como Pakistán, Australia, Suecia y Filipinas.

El programa espacial tripulado comenzó en 1992. En noviembre de 1999, la nave Shenzhou I orbitó alrededor de la Tierra 14 veces en un vuelo de 12 horas destinado a probar sistemas de lanzamiento y reentrada. El Shenzhou I efectuó una segunda misión que consistió en transportar animales y microbios para probar los sistemas de apoyo a la vida de la cápsula.

Los esfuerzos de los científicos alcanzaron su clímax el 15 de octubre, cuando un Shenzhou V puso en órbita al «taikonauta» Yang Lwei, un piloto de caza de 35 años de la Fuerza Aérea del Ejército Popular de Liberación de China. Lwei aterrizó sano y salvo al día siguiente tras un vuelo de 21 horas que convirtió a China en el tercer país del mundo en enviar una persona al espacio con cohetes propios. Durante el vuelo, se dice que el cosmonauta comió carne de cerdo seca y empaquetada al vacío y salsa de ajo. Un residente en Beijing comentó: «Ahora el mundo se dará cuenta de que nosotros no sólo fabricamos vestidos y zapatos».

Beijing planea llevar a cabo un aterrizaje lunar tripulado dentro de un decenio. En la Exposición Universal de 2000 en Hannover, los visitantes tuvieron la oportunidad de apreciar modelos a escala de un jeep lunar chino y de taikonautas plantando una bandera china en la superficie de la Luna. Los preparativos ya están en marcha, y China está diseñando una nueva gama de cohetes llamados Chang Zheng («larga marcha»), capaces de poner en órbita 25.000 kg de carga útil.

Página anterior: *En 2003, China entró a formar parte del exclusivo club espacial gracias a su cohete Chang Zheng 2F, que llevaba una cápsula Shenzhou tripulada.*

Arriba: *Un dibujo de la cápsula Shenzhou, que llevó al espacio a Yang Lwei, el primer taikonauta chino.*

hasta que se esclarecieran los motivos del accidente y se tomaran las oportunas medida preventivas.

En la actualidad, la desenfrenada carrera espacial de la Guerra Fría ha dado paso a un espíritu de colaboración. Los avances en la genética y las comunicaciones han eclipsado los esfuerzos por seguir explorando el espacio. No obstante, los vuelos espaciales seguirán, sin duda, entusiasmando y cautivando a las futuras generaciones. El próximo gran acontecimiento podría ser el primer vuelo tripulado a Marte. A pesar de lo rutinarios que se hayan convertido las órbitas en torno a la Tierra, tanto con rumbo a la Luna o a los planetas, o incluso como turista espacial, nada puede compararse a las emociones experimentadas por quienes ven la Tierra desde el espacio. En palabras del astronauta Thomas Stafford: «Las espirales de las blancas nubes y las inmensas manchas azules de los océanos ensordecen el zumbido de las astronaves, las charlas por radio e incluso la propia respiración. No hay frío, viento u olor que te haga sentir conectado a la Tierra. Tienes una visión desapasionada y remota de ella, pero aun así es tan conmovedora que apenas puedes creer hasta qué punto te encuentras vinculado emocionalmente a aquellas extrañas estructuras que cambian continuamente allá abajo».

Arriba: *Un paseo por el espacio durante las primeras fases de construcción de la ISS para instalar una antena de comunicaciones.*
Página siguiente: *Esta ilustración muestra los cuerpos celestes de nuestro sistema solar que la aviación espacial ha explorado hasta el momento.*

A380
A380

la aviación del futuro

más allá del horizonte

En el futuro, el desarrollo tecnológico continuará indudablemente y transformará la aviación. En el ámbito civil, el concepto «más grande» ha sido con frecuencia sinónimo de «mejor»; en el contexto militar, «pequeño» y «maniobrable» son términos más apreciados. ¿Seguirán siendo válidas estas fórmulas en el siglo XXI?

Izquierda: *Con capacidad para 480-800 pasajeros, el Airbus A380 representa la nueva generación de superreactores y debería entrar en servicio a finales de 2006.*
Arriba: *Un caza invisible Lockheed Martin F-117-A reposta a través de la lanza de un avión cisterna de la USAF. La actuación de este aeroplano ha sido muy importante en varios conflictos de la posguerra.*

Dos empresas parecen dominar el mercado aeronáutico en los primeros años del siglo XXI: Boeing y Airbus. Líder durante mucho tiempo, Boeing empieza a notar cómo su competidor se acerca cada vez más. Es probable, sin embargo, que las dos compañías crean que, en vista de la situación económica de las aerolíneas y de los aeropuertos, el reactor de fuselaje ancho tipo «Jumbo» ya ha explotado sus posibilidades al máximo.

Gracias a los nuevos avances tecnológicos, los últimos reactores auguran lo mejor en términos de tamaño y rendimiento. Airbus ha sido la primera compañía en presentar su nuevo modelo, el A380, cuyo vuelo inaugural se realizó el 27 de abril de 2005. El A380 es el resultado de la colaboración de Airbus con los aeropuertos internacionales a fin de descongestionarlos durante la primera mitad del nuevo siglo. El modelo nació como A3XX en el Salón Aeronáutico de París de 1997 para competir con el Boeing 747. El A380, el avión más voluminoso del mundo, presenta un piso un 50% más extenso y un 35% más de asientos que el 747-400. La cabina se diseñó después de entrevistar a 1.200

El interior del A380 cuenta con un piso un 50% más extenso que el 747-400, así como un 35% más de asientos.

viajeros habituales de todas las edades y clases sociales. Las dos cubiertas pueden alojar de 481 a 800 pasajeros; existen planes para convertir compartimentos de la cubierta de mercancías en tiendas y salones. Una pregunta que se ha planteado es cómo los pilotos podrán dominar estos mastodontes. El A380 tiene una cabina de pilotaje más grande y situada a mayor altura que la de cualquier otro Airbus. Es aquí donde la normalización desempeña un papel importante. Por «normalización» se entiende el parecido entre diferentes aviones sin tener en cuenta su tamaño o función; el parecido entre la cabina de mando del A380 y la de los demás Airbus implica que los pilotos pueden adaptarse al nuevo modelo en menos tiempo que en otros aviones no normalizados.

Se espera que el A380 entre en servicio con sus dieciséis actuales clientes a finales de 2006. El precio se estima en unos 250 millones de euros por ejemplar, 45 millones más que el del último Boeing 747-400. Entre los operadores iniciales figuran Air France, Qantas y Singapore Airlines. Se espera que del A380 aparezcan diferentes variantes: una con alas plegables para el estacionamiento en aeropuertos pequeños, otra con una cubierta de carga modificada para aerolíneas que ofrezcan vuelos de larga distancia y una versión de mercancías.

El Boeing 7E7

Mientras Airbus concentraba sus esfuerzos en el A380, Boeing empleaba parte de sus energías en presentar aviones civiles más rápidos y eficaces. A primeros de 2001, Boeing anunció el Sonic Cruiser, preparado para volar justo por debajo de la velocidad del sonido y para efectuar la travesía del Atlántico en dos horas menos que los actuales reactores de pasajeros. Elevados costes y falta de interés obligaron a Boeing a aparcar el modelo *sine die* en

Derecha: *El gran rival: este 747-400 de Air India es el principal aspirante a competir con el Airbus A380.*
Abajo: *Airbus está considerando la posibilidad de fabricar diferentes versiones del A380, entre ellas algunas de mercancías.*

BOEING

Arriba: *El equipo Phantom Works de Boeing y la NASA colaboran actualmente en el desarrollo de un ala volante (BWB) de 800 asientos para usos tanto civiles como militares.*

Doble página anterior: *Boeing prometió que el Sonic Cruiser reduciría en dos horas la travesía del Atlántico. No obstante, los enormes costes del proyecto han obligado a aplazarlo.*

favor del 7E7 Dreamliner (la «E» significa «eficaz»), un aparato más convencional. El 7E7 debe ofrecer la velocidad, la autonomía y el confort de un avión civil de fuselaje ancho, aunque sólo para 200-250 pasajeros, y gastar un 20% menos de combustible que aviones de dimensiones similares. Boeing ofreció un diseño definitivo a las aerolíneas a finales de 2004. La producción se puso en marcha en 2005 y las primeras entregas se preveen para 2008. Queda por ver si el 7E7 logra entusiasmar a las compañías aéreas en un marco actual desfavorable.

Nuevos conceptos de aviones

Airbus y Boeing son sólo dos de las empresas que investigan diseños alternativos de alas y fuselajes para los aviones comerciales de mayor eficacia y capacidad del futuro. Airbus ha llevado a cabo estudios sobre la forma y las dimensiones de las alas que han dado lugar a dos conceptos de aviones: el «Joined Wing Concept» (JWC) y el «Three Surface Aircraft» (TSA). El JWC presenta un fuselaje algo más alto y alas más cortas que los aviones civiles actuales, e incorpora una segunda ala en la parte superior del fuselaje conectada con el ala inferior mediante unos puntales situados en los extremos. La idea es que la mayor superficie del ala aporte una mayor sustentación y que, a pesar del inevitable ligero aumento de resistencia aerodinámica, el avión consuma menos combustible. El TSA se basa en el diseño del avión civil convencional, pero tiene un par de aletas de proa en la parte superior del fuselaje, justo detrás de la cabina de mando. Aunque en pleno vuelo tiende a presentar problemas de estabilidad, el aparato los corrige gracias a un complejo sistema de ordenadores que supervisan su comportamiento y realizan pequeñas modificaciones. Tal y como sucede con el JWC, la mayor superficie de las alas contribuye al ahorro de combustible.

Arriba: *El programa de diseño del McDonnell Douglas MD-12 (500 asientos), que debía convertirse en el primer avión comercial de doble cubierta completa, fue cancelado a mediados de la década de 1990.*
Abajo: *Dos A300-600ST Beluga, el primer modelo de Airbus de grandes dimensiones para el transporte de cargas, estacionados junto a dos ejemplares del Super Guppy.*

Aviones comerciales sin cola

El diseño sin cola, empleado con éxito en el bombardero Northrop-Grumman B-2A Spirit, gana cada vez más adeptos en los círculos comerciales. El B-2A efectuó su vuelo inaugural en 1989. Poco después, McDonnell Douglas (MDD) y Aérospatiale empezaron por separado las investigaciones con los aviones de pasajeros sin cola, o alas volantes (BWB). El estudio francés comenzó a mediados de la década de 1990 con el objetivo de diseñar un avión para el año 2050. El resultado fue un avión de 1.000 plazas con cuatro gigantescos motores de turbina sobre las alas capaces de lanzarlo a velocidades de hasta Mach 0,85 (910 km/h) a lo largo de 12.000 km. El proyecto de MDD era de menor calado, pero continuó tras ser absorvida por Boeing a mediados de la década de 1990. A la vista de los resultados de dichos estudios, Boeing y Airbus se han dedicado a desarrollar diseños más concretos. Airbus mostró sus avances en el diseño de un avión sin cola en el Salón Aerospacial Internacional de Berlín de 2002. Su entrada en servicio se prevé entre los años 2020 y 2030, y quedan por resolver algunos problemas estructurales y logísticos. Así, por ejemplo, aún no se ha decidido qué materiales se emplearán, ni la potencia o el peso.

El primer Beluga efectuó su vuelo inaugural en septiembre de 1994 y fue entregado en 1995.

El BWB de Boeing es más avanzado, ya que el equipo Phantom Works de Boeing ha establecido una colaboración con la NASA y varias universidades de Estados Unidos. Boeing, que ha solucionado el problema de los asientos sin ventanilla colocando monitores de televisión que ofrecen imágenes del exterior del avión, se enfrenta a dificultades como la de evacuar a los 800 pasajeros de las dos cubiertas en caso de emergencia. Además, deben resolverse problemas técnicos, como el de presurizar un volumen tan grande. Todas estas preguntas deberán tener una respuesta si se desea que el viajero se sienta confortable en esta nueva aeronave. Otra preocupación es cómo convencer a las aerolíneas para que adquieran los BWB. La forma del ala volante impide añadir nuevas secciones para alargar el avión con el fin de albergar más pasajeros, al tiempo que la envergadura propuesta (90 m) aún causaría más problemas a los aeropuertos que la de los A380 (80 m). Si la producción comercial de los BWB prospera, pueden llegar a liderar el mercado. No obstante, queda mucho camino por recorrer.

Cargueros de gran tamaño

Los componentes de un Airbus se construyen en diferentes lugares de Europa antes del ensamblaje final en Toulouse o Hamburgo. En sus inicios, Airbus transportaba los componentes por carretera, lo que demostró ser lento y poco práctico. Más tarde se adaptaron cuatro Boeing Stratocruiser con fuselajes más largos para alojar las grandes alas del avión. Los costes de operación de estos anticuados aviones Guppy se consideraron demasiado altos, de ahí que en octubre de 1991 Aérospatiale y Deutsche Aerospace AG (DASA) formaran la Special Air Transport International Company (SATIC) para construir un aparato capaz de transportar los componentes más grandes de los aviones en construcción. En septiembre de 1994 hizo su vuelo

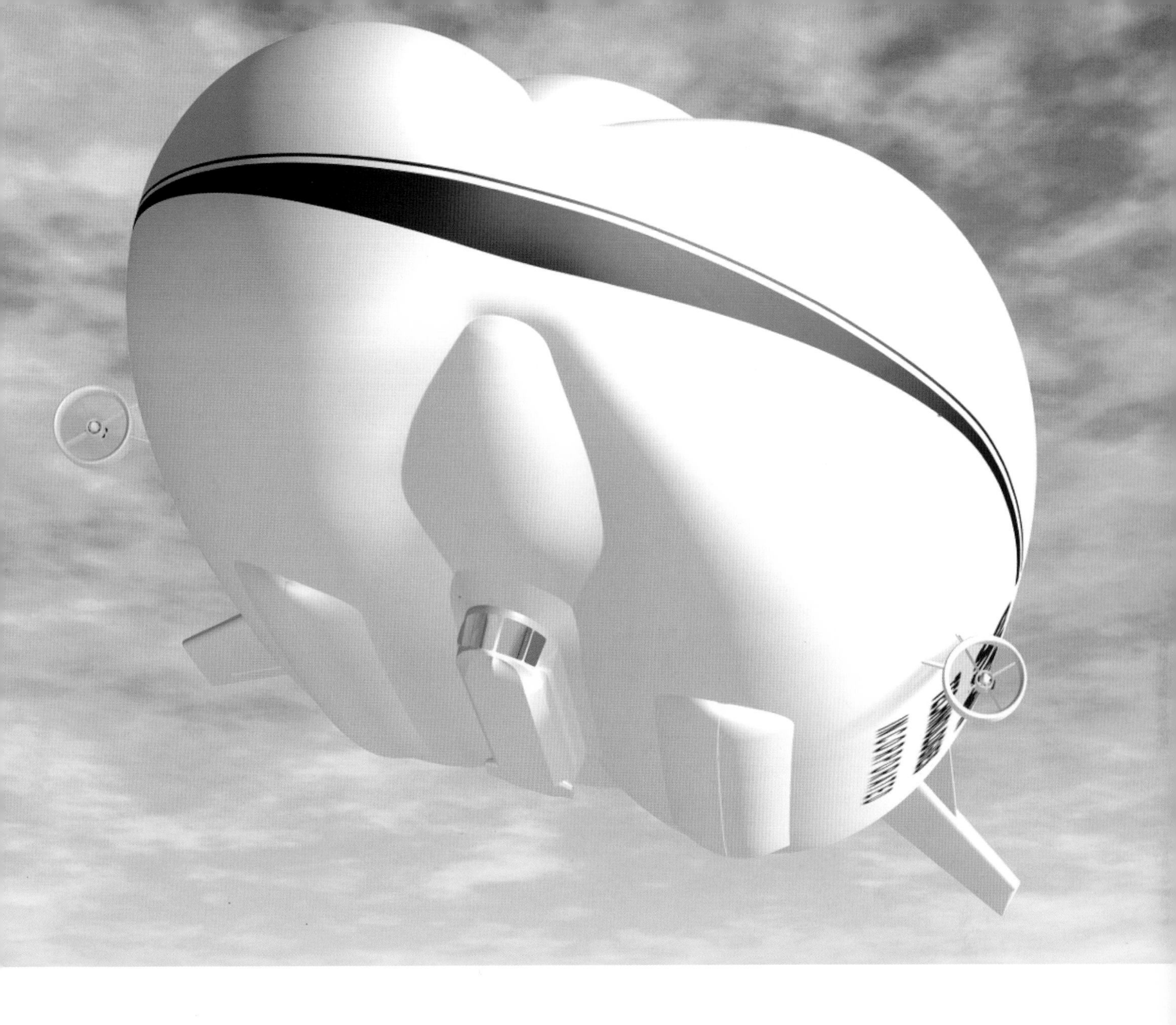

El SkyCat 1000, el miembro más corpulento de la familia SkyCat, puede transportar una carga útil de 1.000 toneladas.

inaugural el Airbus A300-600ST Beluga, cuyo primer ejemplar fue entregado a Airbus un año más tarde. Aviones como el Boeing 747, el Lockheed C-5 Galaxy y el Antonov An-124 pueden llevar cargas más pesadas, pero ninguno de ellos alcanza el volumen del Beluga (37,7 m de largo por 7,4 m de diámetro).

El retorno del dirigible

La apuesta por la eficacia y el volumen, por delante de la velocidad, parece determinar que el futuro de las aeronaves de carga se centra en un aparato olvidado durante más de 60 años: el dirigible. Para transportar mercancías, los dirigibles resultan más rápidos que los barcos y más rentables que los aviones, por lo que podrían volver a ocupar un lugar importante en el mundo de la aviación. Varias empresas compiten por obtener una cuota del mercado, estimado en un billón de dólares sólo en Estados Unidos. Zeppelin, o Friedrichshafen Zeppelin Luftschiff GmbH, como se conoce ahora, presentó su LZ N07 en el Salón Aeronáutico Internacional de 1997. El Friedrichshafen no está específicamente diseñado para mercancías ni para recuperar las rutas de pasajeros de la década de 1930, sino para excursiones turísticas.

Los futuros dirigibles de carga ya no serán rígidos, sino híbridos, con propiedades aerostáticas y de aeronaves al mismo tiempo. Estos aparatos son algo menos pesados que el aire, en el que se mantienen gracias a una mezcla de sustentación natural y del efecto aerodinámico derivado de su forma.

Un ejemplo de la nueva generación de dirigibles es el concepto SkyCat. Desarrollado por Advanced

Technologies Group (ATG), el SkyCat es semirrígido y cuenta con dos cascos. ATG propone tres modelos: el SkyCat 20, con una carga útil de 20.000 kg, el SkyCat 200, capaz de transportar 200.000 kg, y el SkyCat 1000, con una capacidad de carga de 1.000.000 kg. Pese a su gran atractivo comercial, el principal cliente del SkyCat puede ser de nuevo el ejército. Hoy en día, se tarda unos diez días para desplazar dos divisiones pequeñas (20.000 hombres), para lo que se debe utilizar 600 aviones convencionales; 20 SkyCat podrían cumplir el mismo cometido en sólo dos días. Una ventaja obvia de los dirigibles es que no necesitan una pista de aterrizaje, aunque algunos sí requieren tripulación de tierra y otros agua como lastre. El SkyCat no precisa de este lastre para aterrizajes permanentes, sino que para desembarcar en su destino emplea un vacío que literalmente lo succiona al suelo, tanto en una superficie lisa como rugosa.

Una de las mayores preocupaciones civiles y militares es el riesgo que conlleva operar con dirigibles en un período de alerta terrorista. ATG ya lo ha previsto y ha disipado estos miedos mediante tests que miden la tolerancia de la nave ante un supuesto ataque. Un dirigible, por ejemplo, permaneció en el aire a pesar de ser sometido durante más de dos horas a un fuego continuo, y ATG afirma que la envoltura también resiste el ataque de misiles. Por lo que respecta a la góndola, está hecha de un compuesto de Kevlar de una fuerza e impenetrabilidad impresionantes.

El uso de los futuros dirigibles no se limitará a los ámbitos comercial o militar, pues ATG promueve más de una docena de variantes de su dirigible híbrido, como la SkyLift para rescates de emergencia, la FireCat para la lucha contra los incendios, la SkyFerry para el transporte de pasajeros y automóviles o la SkyYacht, una versión del reactor para ejecutivos. El potencial de los dirigibles es inmenso y quizá ATG sea la compañía que lo explote y lo transforme en realidad.

Aviones de carga de última generación

Pese al atractivo de los dirigibles, todavía no se vislumbra de momento el fin de los aviones de carga convencionales, ya que los avances tecnológicos permiten augurarles una larga vida. El 17 de enero de 1995 entró al servicio de la USAF el Boeing C-17 Globemaster, probablemente el avión de carga más avanzado jamás construido. Un ala «supercrítica» especialmente diseñada es más aerodinámica, ofrece una menor resistencia al aire y provoca menos ondas de choque que los viajes a altas velocidades, lo que reduce el desgaste del fuselaje y, de paso, el consumo de combustible. Sus dimensionados flaps le permiten al Globemaster efectuar aterrizajes pronunciados en pistas de poco más de 900 m de largo, incluso con una carga de 265.500 kg. El avión tiene una autonomía de 9.600 km y alcanza una velocidad de crucero de unos 820 km/h.

En el siglo XXI, no sólo han experimentado cambios sustanciales los aviones de pasajeros; también los aparatos que transportan mercancías han sido objeto de notables mejoras. El equipo Advanced Mobility Aircraft (AMA) de Lockheed Martin desarrolla actualmente la especificación de la USAF llamada Plan Maestro de Movilidad Aérea. El diseño más innovador de dicho equipo es el Box-Wing, en el que dos juegos de alas, uno ensamblado al fuselaje en el centro del avión y el otro cerca de la cola en forma de flecha invertida, se unen en sus extremos formando un rombo. Si es aceptado, el Box-Wing podrá repostar en vuelo

Página anterior: *Entre las variantes de SkyCat figuran la SkyLift, para rescates de emergencia, y la FireCat, para la lucha contra incendios.*
Abajo: *Probablemente, uno de los clientes principales del SkyCat será el ejército. 20 unidades del SkyCat pueden desplegar más de 200.000 soldados en tan sólo dos días.*

CargoLifter CL-160: ¿el final de los dirigibles gigantes?

La compañía alemana CargoLifter AG ha llevado a cabo intensas investigaciones en el campo de los dirigibles. En octubre de 1999 efectuó su vuelo inaugural el «Joey», un modelo a escala del buque insignia de la empresa, el CL-160. Con 260 m de longitud, el CL-160 es tres veces y media más largo que el Boeing 747. A diferencia de los primeros zepelines, el CL-160 carece de bastidor y es semirrígido, con una quilla que recorre toda la longitud de la nave para proporcionar la rigidez necesaria. Las descomunales dimensiones del CL-160 hacen que requiera un hangar enorme.

La carga útil propuesta del CL-160 (160.000 kg) es un factor atractivo para operadores civiles y militares. Aunque vuele a sólo 90 km/h, el dirigible tiene una autonomía de 10.000 km, y sus 100 millones de dólares representan un precio ligeramente superior a la mitad del de un Lockheed C-5 Galaxy. Estas ventajas deberían haber hecho del CL-160 un objeto muy codiciado. En junio de 2002, sin embargo, CargoLifter se vio forzada a presentar una solicitud de suspensión de pagos. El futuro se adivinaba muy negro para esta compañía cuando los administradores se hicieron cargo de ella. No obstante, al cabo de poco tiempo, Boeing ofreció un contrato a CargoLifter para colaborar conjuntamente. En la actualidad, CargoLifter se mantiene gracias a contratos de sociedad y a la continuación del desarrollo de dirigibles más pequeños. Aunque no está oficialmente cancelado, el proyecto CL-160 se encuentra en un compás de espera.

Representación gráfica del CL-160 CargoLifter en acción.

con el actual Boeing KC-135 Stratotanker el doble de combustible del que pueden recibir muchos aviones. Tales diseños todavía se encuentran en una fase experimental, y el Box-Wing sólo es una de tantas posibilidades. Lo que está claro, no obstante, es que el transporte militar está cambiando. El equipo Phantom Works de Boeing ha presentado un diseño revolucionario para un futuro avión de transporte basado en el efecto suelo. Para cumplir el deseo del ejército (ser capaz de desplegar una división en cinco días), Boeing ha proyectado el Pelican Ultra Large Transport Aircraft, o ULTRA. Si se construye, el Pelican podrá llevar 1.400.000 kg de mercancías, es decir, hasta 17 tanques M-1. El aspecto más atractivo del Pelican, aparte de su carga útil, es el rendimiento. Con una envergadura de 152,4 m, el Pelican puede aprovechar el efecto suelo sin ser específicamente un WIG y volar a sólo 6 m sobre el agua a lo largo de 18.000 km o a 20.000 pies (6.096 m) de altitud a lo largo de 12.000 km. A diferencia del *Spruce Goose*, un avión de carga similar anterior, el Pelican es de tipo terrestre, pero requiere 38 soportes montados en el fuselaje y 76 ruedas para repartir su peso unifor-

El avión de carga Boeing C-17 es un aparato de gran autonomía capaz de operar en pistas en mal estado. En la fotografía, un aterrizaje del C-17 en la base aérea de Charleston (Carolina del Sur).

memente. El futuro del que sería el avión más grande del mundo todavía es incierto.

«Operación Tormenta del Desierto»

Aunque se anunció como una de las guerras tecnológicamente más modernas de la historia, la «Operación Tormenta del Desierto», la campaña militar encabezada por Estados Unidos para expulsar el ejército iraquí de Kuwait en 1991, se hizo con bombas convencionales. No obstante, las armas dirigidas por láser y satélite cambiaron la cara de la guerra para siempre y pasaron a convertirse, sin duda alguna, en las armas del futuro.

A las 2:38 locales del 17 de enero de 1991, un equipo de helicópteros de ataque AH-64 Apache del Ejército estadounidense atacó una estación de radar en el sur de Iraq y abrió el camino a una oleada de aviones de combate de Estados Unidos, el Reino Unido, Francia y Arabia Saudí entre otros países. Pisándole los talones a los Apache vinieron los aviones de ataque F-117A Nighthawk de la USAF, que inutilizaron otro radar en el sur de Iraq a lo largo de su ruta hacia sus objetivos principales, en el centro de Bagdad. A los Nighthawk se les unieron viejos aviones, como los Boeing B-52G Stratofortress, que lanzaron misiles crucero AGM-86C/D. Esto constituyó un ejemplo de lo que puede acontecer en futuros conflictos, esto es, el empleo de aviones antiguos con bombas y misiles ultramodernos. Allí también prestaron sus últimos servicios varios aviones de combate entrados en años, como los McDonnell Douglas F-4 Phantom, que llevaban misiles antirradiación de alta velocidad AGM-88 para destruir los radares iraquíes, los Vought A-7 Corsair con base en portaaviones de la Marina o los Buccaneer S2B de la RAF. Contra los tanques iraquíes se empleó el General Dynamics F-111 Aardvark, que ya había actuado en ataques contra Libia en 1986. Estos viejos bombarderos con

Arriba: *El C-17 Globemaster es el principal avión de transporte de tropas de la OTAN. En la fotografía, el Globemaster en Bagram (Agfanistán).*

Página siguiente: *Una ilustración del futuro Advanced Tactical Transporter de la USAF. Este avión sin timón de cola está concebido para desplazar con rapidez tropas a cualquier parte del mundo y para responder con prontitud a cualquier crisis internacional.*

USAF
U.S. AIR FORCE

alas de geometría variable lograron destruir 900 carros de combate iraquíes con una gran precisión.

El F-117 es uno de los aviones más modernos de la actualidad. No es realmente un caza, sino más bien un avión de ataque equipado con bombas. Su aspecto extraño y su construcción avanzada los vuelve casi invisibles para los radares. El desarrollo del aparato se remonta a una contrata concedida a Lockheed en 1978. El primer prototipo voló el 18 de junio de 1981 y el avión entró al servicio de la USAF en octubre de 1983.

En la «Operación Tormenta del Desierto», los veteranos aviones espía Lockheed U-2 fueron respaldados por el más reciente Lockheed TR1-A, una variante de última generación del Joint Surveillance Target Radar System (JSTAR), un avanzado sistema de radar encajado en un Boeing 707 y conocido como Northrop-Grumman E-8. Este avión podía vigilar todos los movimientos de los vehículos de un campo de batalla y dirigir el avión para atacar objetivos a medida que éstos iban apareciendo en el radar.

Al declararse el alto el fuego el 28 de febrero de 1991, más de veinte divisiones iraquíes habían sufrido daños o sido destruidas y miles de soldados habían desertado, hechos prisioneros o muerto. Cerca del 80% del sistema de distribución de petróleo iraquí fue arrasado, lo mismo que el 30% de su industria armamentística. Únicamente el 10% de las armas usadas en la campaña aérea fueron teledirigidas, una cantidad muy discreta, pero que al final resultó vital. Un par de bombas de un F-117A podían destruir una fábrica, una tarea para la que durante la Segunda Guerra Mundial se necesitaban centenares de aviones y miles de bombas. La tan anunciada era de la guerra de precisión había llegado finalmente.

El bombardero furtivo

El 17 de julio de 1989, dos años antes de la guerra de Iraq, había efectuado su vuelo inaugural el bombardero furtivo Northrop Grumman B-2A Spirit. El primer ejemplar fue entregado a la USAF el 17 de diciembre de 1993. Este avión con alas en

Página anterior: *El Apache AH-64D Longbow, el helicóptero de ataque más moderno actualmente en servicio.*
Derecha: *Aviones F-117 estacionados en línea. La USAF condujo el desarrollo de este modelo en un secreto casi absoluto.*

forma de murciélago puede lanzar bombas o armas nucleares sin ser visto o detectado gracias a su forma y a los materiales empleados en su construcción, que absorben las señales de radar. El avión está muy automatizado y aunque subsónico y sin armamento defensivo, cuenta con un impresionante despliegue de contramedidas electrónicas para garantizar que los misiles o los sistemas de radar enemigos queden anulados. La electrónica también contribuye a reducir el trabajo y el número de miembros de las tripulaciones: en comparación con los cinco de un B-52, el B-2A sólo requiere dos tripulantes. El B-2A entró en combate por primera vez en Yugoslavia en la primavera de 1999, cuando llevó a cabo misiones desde su base de Whiteman (Missouri). Dos aviones lanzaron, cada uno de ellos, 16 bombas Joint Direct Attack Munitions dirigidas por satélite contra el aeropuerto de Podgorica (Montenegro) el 24 de marzo, la primera noche de la guerra. El regreso se hizo sin escalas gracias al combustible suministrado desde el aire por aviones cisterna de la USAF.

Izquierda: *Cuando el Boeing B-52 se retire del servicio (según las previsiones, en 2040), el modelo tendrá ya 90 años de antigüedad.* Arriba: *Un bombardero invisible B-2A Spirit vuela sobre un KC-135 que descansa sobre la pista. De costes muy elevados, el B-2A puede atacar casi cualquier objetivo sin ser detectado por los radares.*

La guerra de los Balcanes

En 1999, la OTAN lanzó una operación contra Yugoslavia con el fin de proteger de la represión del gobierno yugoslavo a los albaneses de la provincia de Kosovo. Como en la «Operación Tormenta del Desierto», en la guerra balcánica se emplearon aviones veteranos junto a bombas y misiles de última generación. No obstante, la tecnología mostró sus limitaciones y posibilidades. Las defensas aéreas yugoslavas eran más fuertes de lo que la OTAN había pensado, y el 25 de marzo cazas MiG-29 «Fulcrum» salieron al encuentro de los aviones de la OTAN. Ese día, los yugoslavos perdieron tres aparatos, pero su intervención hizo que durante algún tiempo la OTAN sólo actuara de noche. Además, la fuerte lluvia en los Balcanes hizo que algunas de las bombas dirigidas por láser se desviaran de sus objetivos. Por lo demás, las armas inteligentes sólo lo son en manos de personas inteligentes: el 6 de abril, un edificio civil fue bombardeado por aviones de la OTAN en un intento dirigido contra el cuartel general de la 203ª Brigada de Artillería Mixta yugoslava. Un segundo ataque fallido ocurrió el 12 de abril, cuando aviones de la OTAN alcanzaron por error un tren de pasajeros durante el ataque a un puente. Probablemente, el incidente más embarazoso ocurrió el 7 de mayo, día en que la embajada de China fue bombardeada por un B-2A. Se cree que el equipo de comunicaciones instalado en la embajada se utilizaba para transmitir órdenes desde Belgrado al ejército yugoslavo y a las unidades especiales de policía que operaban en Kosovo. El 20 de mayo, las embajadas de Suecia, Suiza (en esos momentos, el embajador suizo celebraba una recepción) y Angola sufrieron daños a raíz de una incursión aérea de la OTAN. Incluso el famoso F-117A demostró ser vulnerable: a pesar de su innovadora protección contra los radares y las defensas antiaéreas, los yugoslavos consiguieron abatir uno cerca de Belgrado el 28 de mayo. La campaña aérea terminó en los Balcanes el 10 de junio. La OTAN efectuó un total de 38.000 misiones, perdió dos aparatos y ninguno de sus centros de operación sufrió daños durante la contienda. Sólo algo más de un tercio de las bombas y misiles de la OTAN fueron inteligentes.

Los nuevos cazas

No sólo Estados Unidos ha hecho progresos en el diseño y la construcción de avanzados aviones de combate. El 27 de marzo de 1994 hizo su primer vuelo el paneuropeo Eurofighter Typhoon, un aeroplano de novedosa aerodinámica equipado con un par de potentes turboreactores EJ200. El Typhoon puede volar por encima de Mach 1 durante mucho tiempo sin recurrir a la poscombustión. Anteriormente, los aviones militares sólo podían mantener velocidades supersónicas por poco tiempo haciendo uso de sus posquemadores a causa de la gran cantidad de combustible que esto requería.

La sofisticación tecnológica de los aviones de guerra ha aumentado en la misma medida que su coste. Hoy en día, varios países deben ponerse de acuerdo para desarrollar conjuntamente un avión y poder afrontar de esta manera los astronómicos costes. El Eurofighter no es ninguna excepción, pues en el programa se encuentran implicadas empresas del Reino Unido, Italia, España, Noruega y Alemania. El alto coste proviene de los avanzados materiales empleados en la construcción, como el titanio, el aluminio, las aleaciones de aluminio y litio o la fibra de carbono. El diseño, con pequeñas aletas de proa delanteras y un ala en delta, tiende a inestabilizar el avión, aunque también lo hace muy ágil. Un avanzado sistema de mando electrónico estabiliza el avión y aporta a su único piloto una gran capacidad de control y de maniobra. Trece soportes armados se encuentran distribuidos bajo el fuselaje y las alas, al tiempo que un cañón Mauser de 27 mm montado en el interior le ofrece una nueva posibilidad de defensa.

El 29 de noviembre de 1995, año en que también entró en acción de poderoso C-17, Boeing presentó el F/A-18E/F Super Hornet, un avión más pequeño pero letal. Basado en el famoso McDonnell Douglas F/A-18C/D Hornet, el Super Hornet tiene unos motores más potentes y es un 25% más largo que su antecesor, lo que le permite llevar cargas más pesadas. El avión entró en combate por primera vez en la «Operación Libertad Iraquí», la campaña militar contra el régimen de Saddam Hussein en la primavera de 2003. La campaña aérea para derrocar al dictador iraquí se adaptaba a la perfección a las características de aviones como el Super Hornet. Mientras que en la «Operación Tormenta del Desierto» de 1991 se habían utilizado armas convencionales –además de algunas inteligentes para dar que hablar a los medios de comunicación–, el uso del armamento de precisión aumentó de forma considerable en la guerra de 2003. El resultado fue una campaña aérea más breve pero más precisa.

Es posible que la Marina pueda desarrollar una versión de guerra electrónica del Super Hornet conocida como EF-18G para reemplazar el veterano Grumman EA-6B Prowler, un aparato con base en portaaviones.

Mientras el Super Hornet entra en servicio, otro McDonnell Douglas pide el relevo. El F-15 Eagle ha prestado servicio desde los primeros años de la década de 1970 y, a pesar de su velocidad y versatilidad impresionantes, tiene los días contados. Su sucesor será el Lockheed F-22 Raptor, el primer prototipo del cual, el YF-22, realizó su primer vuelo el 7 de septiembre de 1997. El fuselaje del Raptor lo forman en un 56% plásticos y compuestos, a los que hay que agregar componentes de alta tecnología de titanio y aluminio. Estos materiales hacen de este avión un aparato muy maniobrable, aerodinámico e indetectable por los radares. Como el Typhoon, también el Raptor puede alcanzar velocidades supersónicas. Aunque concebido en un

Página siguiente, arriba: *Un operador controla una imagen electrónica de una zona de combate a bordo de un avión E-8C JSTARS de la USAF. Su avanzada tecnología permite seguir al mismo tiempo el movimiento de los vehículos y de la aviación enemiga.*

Página siguiente, abajo: *Durante la guerra de los Balcanes, Yugoslavia empleó aviones Mikoyan-Gurevich MiG-29. Muy temido durante la Guerra Fría, el MiG 29 no pudo hacer nada contra los aviones de la OTAN de la década de 1990.*

Página siguiente: *Un B-2A reposta desde un avión cisterna. Este modelo es muy caro y requiere muchas atenciones, como su estacionamiento en hangares climatizados para evitar el desgaste del recubrimiento antirradar.*
Abajo: *La tripulación de un B-2A Spirit revisa su plan de vuelo antes de un ejercicio de entrenamiento.*

principio como caza de superioridad aérea, el Raptor llevará una carga mixta de potentes armas, entre ellas seis misiles aéreos AIM-120C y dos AIM-9C, así como 453 kg de bombas Joint Direct Attack Munitions en soportes subalares y en el compartimento de bombas interior. Se cree que la USAF adquirirá 339 ejemplares.

Entrado en servicio un año antes del vuelo inaugural del Raptor, el Gripen es la última novedad de una larga lista de ilustres modelos del fabricante sueco Saab. Este caza de última generación fue construido para relevar los Saab Viggen y Draken de la Aviación sueca. 204 de ellos equiparán la RSAF, mientras que otros irán a Sudáfrica y Hungría.

El caza de última generación francés, el Dassault Rafale, entró al servicio de la Marina francesa en 2001. En total, el Ejército del Aire adquirió 234 ejemplares, y la Marina 60. Del Rafale se fabrican actualmente tres variantes: la variante monoplaza «M» para la Marina; la biplaza «B» y la monoplaza «C» para el Ejército del Aire. Una variante naval de dos plazas entrará en servicio en 2008. Los 14 soportes armados (13 para la versión naval) del avión pueden contener un arsenal de misiles y municiones, entre ellos misiles aéreos, misiles aire-tierra y el misil nuclear ASMP.

La industria aeronáutica rusa sigue fiel a la tradición de diseñar aviones militares innovadores. Presentado en 1997, el Sujoi S.37 Berkut tiene unas poco habituales alas en flecha invertida. El diseño de las alas proporciona una excelente relación entre sustentación y aerodinámica y mejora el

ZH588

rendimiento y la maniobrabilidad del avión. Además, este diseño contribuye en un grado muy alto a la estabilidad del aparato y le facilita el aterrizaje o el despegue en una pista corta. El diseño se beneficia en buena parte de la tecnología desarrollada para el Sujoi Su-27 «Flanker», a saber, el tren de aterrizaje, la carlinga de cabina, la aviónica y el empenaje vertical. En la cabina de mando, el asiento del piloto está inclinado hacia atrás formando un ángulo de 60° para mejorar la tolerancia del piloto a las fuerzas gravitatorias durante las maniobras extremas, una idea tomada del General Dynamics F-16 Fighting Falcon. Pese a su avanzada tecnología, el Su-47 no ha llegado a fabricarse.

Otro innovador diseño ruso, el Sujoi Su-37 «Flanker» efectuó en el Festival Aéreo de Farnborough de 1996 unas espectaculares acrobacias que mostraron la excelente maniobrabilidad del avión, que puede llevar hasta 14 misiles aéreos y cerca de 8.000 kg de armamento. El Su-37 también cuenta con un cañón de 30 mm de 1.500 disparos por minuto.

Ese mismo año también voló por primera vez otro avión de la familia del Flanker, el Sujoi Su-34 (antes, Su-32FN). Este modelo, que presenta una inusual configuración de asientos lado a lado, así como un radar en la cola orientado hacia atrás, fue diseñado como cazabombardero para desempeñar un papel similar al del F-111 estadounidense y

Arriba: *Un F/A-18E Super Hornet despega en su vuelo inaugural el 29 de noviembre de 1995.*
Página siguiente: *El Lockheed Martin F-22 Raptor. Estos cazas invisibles se pueden integrar con bombarderos invisibles B-2 para efectuar un ataque rápido contra posiciones enemigas sin ser detectados por los radares.*
Doble página anterior: *El Eurofighter Typhoon fue desarrollado para interceptar bombarderos soviéticos en el norte de Europa durante la Guerra Fría.*

El Gripen es fruto de una colaboración entre la empresa británica BAE Systems y la sueca Saab. El avión es una plataforma de defensa aérea de última generación concebida para responder a las amenazas aéreas.

Сухого 01

X-35
301

relevar el avión de ataque Sujoi Su-24 «Fencer». Las entregas del Su-34 se iniciaron en 2005.

Dos años después del vuelo inaugural del Su-32/34, MiG presentó el zenit de la aviación de caza rusa hasta el momento. El 12 de enero de 1999 fue presentado al público por primera vez el MiG MFI (Mnogofunksionalni Frontovoi Istrebiel, caza multifunción). Aunque pesa 35 t, el avión puede alcanzar una supuesta velocidad máxima de 2.500 km/h. MiG confía en que su avión supere tanto el Eurofighter como el F-22 Raptor. Asimismo, como varios cazas de última generación, el MFI emplea tecnología de orientación de la propulsión, que permite desviar los gases de escape del motor de sus ejes normales y obtener un mayor rendimiento del avión. La fibra de carbono y otros materiales dificultan su detección por los radares. Estos materiales también reducen la traza calorífica del avión y lo protegen de los misiles termodirigidos. Aunque el aspecto del avión es impresionante, no es seguro que el Ejército del Aire ruso se lo pueda permitir, ya que su construcción vale una fortuna.

El aparato más avanzado de entre todos los aviones de guerra futuristas es el Lockheed F-35 Joint Strike Fighter (JSF). Del F-35 se prevén tres variantes: la estándar F-35A, la F-35B, destinada a los portaaviones, y la F-35C, de despegue y aterrizaje verticales cortos. El modelo equipará la USAF, la Marina y el Cuerpo de Marines, y también es muy probable que sea adquirido por las Fuerzas Aéreas británicas.

Aunque debía ser un avión militar de última generación, indetectable por los radares y de costes razonables, el F-35 se ha convertido en el avión militar más caro de la historia. Su invisibilidad ante los radares le permitirá adentrarse en territorio enemigo, al tiempo que sofisticados medios electrónicos le permitirán efectuar su misión a cualquier hora del día y en cualquier condición meteorológica. El programa está liderado por Lockheed, si bien otros países como el Reino Unido, Italia, Países Bajos, Turquía, Canadá, Dinamarca, Noruega y Australia colaboran en el proyecto y es probable que terminen por adquirir el avión.

Página anterior, arriba: *El Sujoi S.37 Berkut es un prototipo con tecnología experimental. Es probable que el avión no acceda a la fase de producción.*
Página anterior, abajo: *El Lockheed Martin X-35 Joint Strike Fighter.*
Abajo: *El prototipo de caza de la «quinta generación» de los MiG, el 1.42 o MFI, fotografiado en una base cercana a Moscú.*

Aeronaves de palas giratorias

Así como Estados Unidos ya exhibe el Apache, Rusia el Hind, Italia el Mangusta y Sudáfrica el Rooivalk, Europa no debería tardar en disponer de su helicóptero de ataque. El Eurocopter Tiger nació de una empresa conjunta francoalemana en la década de 1970 y los trabajos empezaron en 1984. Considerables retrasos, causados sobre todo por la incierta implicación de los dos gobiernos participantes, hicieron que el visto bueno al helicóptero no se diera hasta el Salón Aeronáutico de París de 1999. El primer vuelo de prueba tuvo lugar en agosto de 2002 y las entregas al Ejército del Aire alemán comenzaron a principios de 2003. En la actualidad, sólo Francia, Alemania y Australia han efectuado pedidos firmes del helicóptero de ataque y de la versión antitanque, aunque la intención es vender el Tiger a Turquía y Polonia, entre otros países.

Es probable que los helicópteros de ataque del futuro sean tan avanzados como los aviones militares convencionales. En 1996 llevó a cabo su primer vuelo el prototipo Boeing Comanche. Concebido para reemplazar los Apache del Ejército de Tierra estadounidense, el Comanche fue el primer helicóptero invisible del mundo. La aeronave fue construida con materiales composite y podía esquivar los radares gracias a una tecnología similar a la del F-117A y del B-2A. Un rotor de cola encajado en la parte posterior del fuselaje lo hace más rápido y menos sensible a las señales de los radares. Como en los aviones invisibles de la USAF, las armas del Comanche se encuentran alojadas en un compartimento interno para reducir aún más la detectabilidad del radar y la resistencia del aire.

Inspirándose en el V-22 Osprey, los ingenieros de Phantom Works (Boeing) han fijado su vista en otro avión híbrido denominado Canard Rotary

Arriba: *El helicóptero de ataque Boeing RAH-66 Comanche es el helicóptero militar más avanzado de todos los tiempos El proyecto se canceló en febrero de 2004.*

Página siguiente, arriba: *El Eurocopter Tiger, un producto francoalemán.*

Página siguiente, abajo: *El Agusta Mangusta es el primer helicóptero de ataque construido enteramente en Europa.*

El Canard Rotay Wing (CRW), también conocido como Dragonfly, es otra aeronave híbrida desarrollada por el equipo Phantom Works de Boeing.

Wing (CRW), o Dragonfly. El Osprey y el Dragonfly son aeronaves de alas fijas y giratorias a la vez. El Dragonfly despega como un helicóptero convencional; cuando alcanza unos 217 km/h, el motor de turbina que antes sólo ha propulsado al rotor distribuye el empuje tanto al ala giratoria como a las toberas traseras de los reactores. Al avanzar, el aire empieza a actuar sobre dos juegos de alas, uno delante y otro detrás del rotor principal, al tiempo que una sustentación extra se produce al transformarse las palas del rotor en el ala principal. Esta configuración permite al Dragonfly acceder a lugares remotos con la ventaja de conservar las altas velocidades de los reactores de alas fijas. Por el momento, Boeing y la Agencia de Proyectos de Investigación Avanzada en Defensa (DARPA) respaldan conjuntamente el montaje de dos prototipos destinados a ulteriores investigaciones en el futuro del diseño.

Vehículos aéreos no tripulados

Pese a disponer de tecnología que los hace invisibles y de sofisticados instrumentos electrónicos, los aviones del futuro podrían carecer de un componente importante: el piloto. Los vehículos aéreos no tripulados (UAV) ya han tomado parte en muchos conflictos recientes. Su atracción radica en que ningún piloto corre el riesgo de ser abatido

Arriba: *El vehículo aéreo no tripulado de gran altitud Global Hawk utiliza sus largas alas como un planeador.*
Derecha: *El Scan Eagle, un vehículo aéreo no tripulado de largo alcance y gran resistencia, es capaz de enviar en tiempo real datos e imágenes de televisión mientras sobrevuela una zona de combate.*

Un vehículo aéreo no tripulado (UAV) Predator de la estación de control táctico del portaaviones USS Carl Vinson. *En muchos casos, estos vehículos pueden hacer las labores de un piloto.*

durante su misión militar y en que desaparece el factor de la fatiga. El 23 de abril de 2001, un Northrop Grumman RQ-4A Global Hawk voló sin tripulación ni escalas entre las bases aéreas de Edwards (Estados Unidos) y Edimburgo (Australia) en 23 horas y 20 minutos. El Global Hawk se ha concebido para labores de reconocimiento volando a altitudes de 60.000 pies (18.300 m).

A pesar de todo, los vehículos aéreos no tripulados pueden realizar misiones más mortíferas. El 3 de noviembre de 2002, un General Atomics RQ-1 Predator lanzó misiles AGM-114 Hellfire contra un coche en Yemen en el que se creía que había miembros de la organización terrorista Al Qaeda. El Predator actuó tres años antes en Yugoslavia localizando objetivos para aviones militares de la OTAN. El Predator está controlado por una unidad móvil terrestre que transmite órdenes a la nave por satélite. Cuando no se usa, el Predator puede desmontarse en seis partes y guardarse en una caja conocida como el «ataúd».

Quince centímetros de largo y de muerte

El Ejército parece haberle encontrado aplicación a un aeroplano más pequeño que la mayoría de los modelos a escala que se montan como *hobby*. Los microvehículos aéreos no tripulados se han concebido para ser empleados por un único soldado en misiones de reconocimiento o vigilancia o para detectar armas químicas o biológicas. Un vehículo de este tipo mide menos de 15 cm de largo, alto y ancho, incorpora cámaras de reconocimiento, sensores u otra clase de equipo militar y tiene un funcionamiento muy simple; además, puede transmitir información a su operador en tiempo real.

Los microvehículos aéreos no tripulados están diseñados para que sean empleados por un soldado, que puede efectuar labores de reconocimiento con sólo sacarlos de su mochila y lanzarlos al aire con la mano para recogerlos más tarde mediante control remoto en la zona circundante, y todo ello mientras el aparato emite imágenes de televisión que alertan de la probable presencia del enemigo.

Uno de los vehículos aéreos militares más pequeños es el «Sender», de 1,2 m de envergadura y 4,5 kg de peso. El Sender ha sido desarrollado por el Laboratorio de Investigación Naval estadounidense y, a pesar de sus reducidas dimensiones, tiene una autonomía de casi 160 km. Es probable que el Sender sea utilizado muy pronto como aparato de reconocimiento por la Marina estadounidense, que también puede configurarlo para otras misiones, desde la dirección de misiles antibuque hasta la busca de navíos enemigos.

En este campo, no obstante, no sólo trabaja Estados Unidos. La empresa británica BAE Systems, en colaboración con Lockheed Martin, desarrolla «Microstar», que pesa menos de 300 g y que puede volar a casi 300 pies (91 m). Un pequeño motor de

El Boeing X-45A es un vehículo aéreo no tripulado sin cola construido con materiales compuestos y aluminio. El avión tiene dos bodegas de armamento con capacidad para 1.350 kg de munición.

Arriba: *El X-31 fue construido para experimentar la tecnología de orientación de la propulsión, que controla el fuselaje a velocidades muy bajas y con elevados ángulos de ataque.*

Abajo: *Parece más bien un modelo de plástico que un avión de combate. No obstante, este prototipo Microflyer también puede emplearse para la exploración de Marte.*

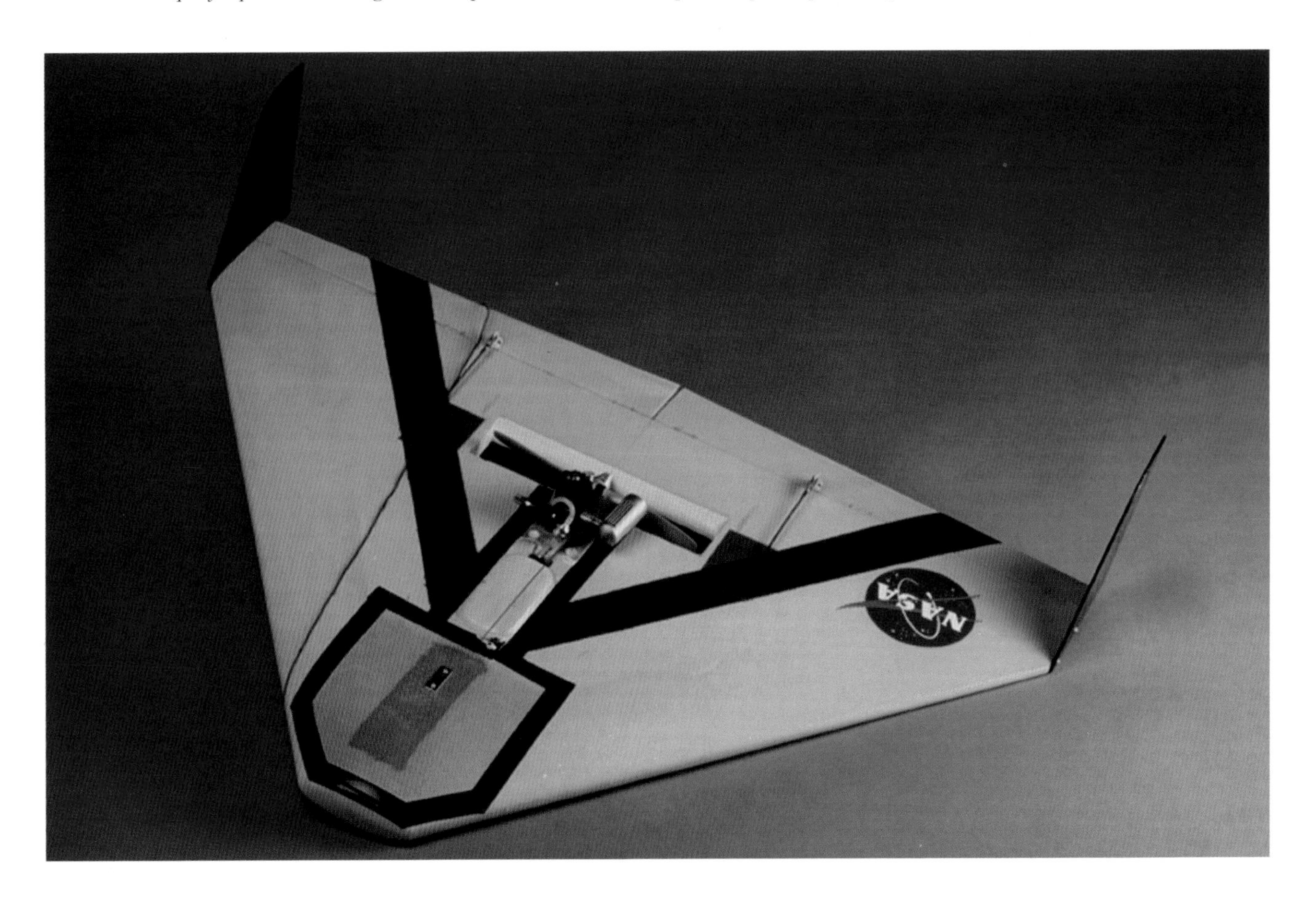

Arriba: *Ilustración de un UAV de largo alcance del futuro.* Derecha: *El F-35 Joint Strike Fighter es el proyecto de avión militar más caro de la historia.*

Arriba: *El V-22 Osprey es un avión de motores basculantes que puede efectuar despegues y aterrizajes verticales a la manera de un helicóptero, aunque puede volar más rápido y a una mayor distancia.*
Izquierda: *El Boeing X-40A Space Maneuver Vehicle puede ser el vehículo espacial reutilizable del futuro. Esta aeronave no tripulada ya ha llevado a cabo una serie de vuelos suborbitales de prueba.*

La Estación Espacial Internacional

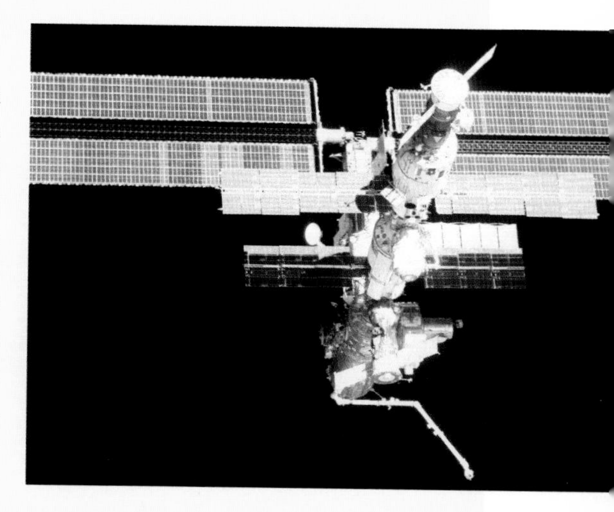

Una vez terminada, será unas cuatro veces mayor que la estación espacial rusa Mir, pesará 471.750 kg y medirá 108,5 m por 88 m. La Estación Espacial Internacional (ISS) es en realidad un laboratorio espacial que llevará a cabo investigaciones en medicina, materiales y fisiología humana y física. Será posible efectuar experimentos de larga duración sobre proteínas, enzimas y virus en condiciones de ingravidez prolongadas. En la ISS también se instalará un centrifugador que se empleará para simular fuerzas gravitacionales, como puedan ser las de la Tierra u otros planetas. Las tripulaciones deberán efectuar largas estancias en el espacio y contribuirán, con sus investigaciones, a averiguar las posibilidades de supervivencia del hombre lejos de la Tierra o de otros mundos y, por consiguiente, a avanzar en la exploración humana del espacio exterior.

La responsabilidad de la ISS será compartida por varios países. Estados Unidos está construyendo una zona habitable, paneles solares y el módulo centrifugador, además de la red eléctrica, equipos de supervivencia, comunicaciones y sistemas de navegación. Canadá, en cambio, construye un brazo robótico de 16 m similar a los de las lanzaderas espaciales. La Agencia Espacial Europea (ESA) fabricará un laboratorio –así como los japoneses– y empleará su cohete Ariane 5 para transportar suministros a esta obra extraterrestre. Rusia es uno de los países que aportan más recursos. Con muchos años de experiencia a sus espaldas (estaciones espaciales Salyut y Mir), Rusia proporcionará dos módulos de investigación, partes habitables, paneles solares y un transportador Soyuz para llevar ocupantes y suministros a/y desde la ISS. Brasil e Italia también contribuyen con componentes adicionales.

Arriba, imagen superior: *La Estación Espacial Internacional (ISS) será la más grande de su género jamás construida.*
Arriba, imagen inferior: *Una nave espacial Soyuz atraca en el muelle Pirs de la Estación Espacial Internacional.*

NASA

hélice eléctrico puede generar velocidades superiores a 48 km/h y permite al aparato volar durante 20 minutos, llevar microcámaras de televisión, transmisores o sensores de armas químicas o biológicas. El Microstar está concebido para que pueda ser operado por un solo soldado, quien sólo debe desembalarlo, crear un plan de vuelo con un mapa digital, pulsar el botón de carga y lanzarlo manualmente. La principal ventaja de tales objetos es que son pequeños y casi indetectables por un radar a altitudes de 30 m.

No sólo los militares se beneficiarán del desarrollo de estos minivehículos; también pueden emplearse en el ámbito civil. BAE Systems cree que el Microstar tendrá aplicaciones comerciales significativas, como el control del tránsito o la vigilancia de las fronteras. Un microvehículo con cámaras y sensores sofisticados podría ser ideal para localizar personas atrapadas en edificios en llamas.

Tanto el Predator como el Global Hawk fueron empleados en la «Operación Libertad Duradera», la campaña militar encabezada por Estados Unidos contra el régimen talibán y Al Qaeda en Afganistán como represalia por los ataques terroristas del 11 de septiembre de 2001. En esta operación, la fuerza aérea fue esencial. Bombarderos B-2A Spirit y B-1B Lancer lanzaron bombas inteligentes sobre los campamentos talibanes mientras los Grumman F-14 Tomcat y los McDonnell Douglas F/A-18 Hornet protegían a los bombarderos. En esta guerra, la mayoría de las armas empleadas fueron inteligentes, tendencia que parece ir en aumento en los últimos conflictos en que han participado fuerzas aéreas occidentales.

El futuro de la aviación será maravillosamente variado, y de la misma manera que los hermanos Wright apenas relacionarían un Boeing 747 con un avión, nosotros tampoco entenderemos cómo los aviones de mañana, diminutos o colosales, pueden flotar en el aire. Acabamos de cerrar el primer siglo de aviación autopropulsada: el futuro puede depararnos todavía muchas sorpresas.

Página anterior: *El X-43 Hyper-X, fotografiado aquí con su B-52 y sus vehículos de lanzamiento de cohetes Pegasus, fue diseñado para velocidades hipersónicas. El avión realizó su vuelo inaugural en marzo de 2004 y superó el Mach 7.*
Derecha: *El X-40A también se utiliza como banco de pruebas a escala para la nave espacial reutilizable X-37, representada aquí de forma conceptual.*

índice

Los números de página en *cursiva* hacen referencia a las ilustraciones.

Créditos fotográficos

Todas las fotos son cortesía de Aerospace/Art-Tech excepto:

TRH: 6/7 (TRH/Boeing), 11 (TRH/McDonnell Douglas), 24 i., 31, 32, 35, 39, 42, 47, 56 (TRH/Archivos Nacionales de EE.UU.), 58 (TRH/Vickers), 59, 63, 64, 65 s. e i., 67 s. (TRH/US Navy), 67 i., 68 (TRH/QAPI), 69 s. e i., 71 s., 73i., 74 s. y c., 75, 79 s., 81, 86, 88 s., 88/89, 99 s., 101, 102, 104, 105, 106 s. e i., 108, 109, 110, 111 s., c. e i., 112 i., 114, 116, 117 i.,119, 120 s. e i., 121, 123 i. (TRH/Archivos Nacionales de EE.UU.), 124 s. e i., 125 (TRH/Archivos Nacionales de EE.UU.), 126/127, 128, 129 s. e i., 132, 131, 134 (TRH/NASM), 135 s. e i.,136, 137 i., 141, 143 i., 145 i., 149, 150 (TRH/US Navy), 151 i., (TRH/USAF), 152 s., 153, 155, 156 (TRH/McDonnell Douglas), 157 i. (TRH/Lockheed), 159, 160/161, (TRH/British Aerospace), 163 s., 168 i., 171 i. (TRH/USAF), 172 i., 173, 174 (TRH/Rolls Royce), 175 s., 177, 180 s. (TRH/Bombardier), 180 i. (TRH/Canadair), 184, 186, 190, 191 s. e i., 192 i., 193, (TRH/USAF), 194/195 (TRH/QAPI), 196 (TRH/USAF), 197, 198, 199 i. (TRH/USAF), 202 i., 206 (TRH/US Army), 208 (TRH/Dpto. de Defensa de EE.UU.), 209, 211 (TRH/USAF), 213, 214 s. e i., 215, 216 (TRH/USAF), 217 (TRH/Heavylift), 218 s., 220, 221, 222, 223, 228, 229 i. (TRH/USAF), 236 s. e i., 237 (TRH/NASA), 243, 244/245 (TRH/AMD), 248 (TRH/Dpto. de Defensa de EE.UU.), 254 (TRH/USAF), 255 (TRH/USAF), 258 (TRH/McDonnell Douglas), 259 (TRH/US Navy), 265 i., 268 (TRH/GKN Westland), 269, 270 s. e i., 271 i., 280 (TRH/US Army), 281 (TRH/Sikorsky), 283 (TRH/Sikorsky), 290, (TRH/US Army), 295 (TRH/NASA), 296, 297 s., 297 i. (TRH/NASA), 298 (TRH/Archivos Nacionales de EE.UU.), 299 (TRH/NASA), 300, 302, 304 s. (TRH/NASA), 304 i., 310 (TRH/NASA), 311, 314 s. (TRH/NASA), 315 (TRH/NASA), 320 s. e i., (TRH/NASA), 321 (TRH/NASA), 323 (TRH/NASA), 325 (TRH/NASA), 327 s. (TRH/Roberts), 327 i. (TRH/TASS), 336 (TRH/EADS), 337 (TRH/Dpto. de Defensa de EE.UU.), 338 (TRH/Airbus), 339 s., 339 i. (TRH/Airbus), 340/341 (TRH/Boeing), 342 (TRH/Boeing), 343, 344 (TRH/EADS), 345 (TRH/SkyCat), 346 (TRH/SkyCat), 347 (TRH/SkyCat), 348, 351, 352 (TRH/Boeing), 353 (TRH/USAF), 357 (TRH/Northrop Grumman), 360/36 (TRH/British Aerospace), 362, 364/365, 368 (TRH/Boeing), 369 s. e i. 370, 371 s. (TRH/Rolls Royce), 372, 372/373, 374 s., 374 i. (TRH/EADS), 375 s. (TRH/EADS), 375 i., (TRH/Dpto. de Defensa de EE.UU.), 376 i. (TRH/Boeing), 378 (TRH/Boeing), 379 (TRH/Boeing)
NASA: 377 s. e i.
Lockheed Martin: 366 i.
Dpto. de Defensa de EE.UU.: 8, 226 s., 234, 250, 256, 349, 350, 354, 355, 358, 359, 363;
Genesis: 294, 303, 304, 307, 309,312, 313, 314 i., 316, 317 s., 318, 319 s. e i., 322, 328, 329, 330, 331, 332, 334, 335
Martin Woodward: 333
Chrysalis: 301 izq., 304, 308, 317 i., 324/325, 326
Novosti: 264, 301 der., 306, 308 s.
Hugh W. Cowin: 182 i., 183, 218
Cowin Collection: 188/189, 224, 276
Austin J. Brown: 262 s., 266, 267 s. e i.
AED Airfoil Development: 265